ARRABALDE

JOÃO MOREIRA SALLES

Arrabalde
Em busca da Amazônia

3ª reimpressão

Copyright © 2022 by João Moreira Salles

Grafia atualizada segundo o Acordo Ortográfico da Língua Portuguesa de 1990, que entrou em vigor no Brasil em 2009.

Capa
Kiko Farkas/ Máquina Estúdio

Imagem de capa
O espírito onça, de Joseca Yanomami (2001)
Desenho com pincel marcador e lápis de cor aquarelável, 21 × 29,7 cm

Edição de texto
Denise Pegorim

Preparação
Cristina Yamazaki
Ciça Caropreso

Índice remissivo
Luciano Marchiori

Revisão
Huendel Viana
Ana Maria Barbosa

Todos os esforços foram feitos para reconhecer os direitos autorais das imagens. A editora agradece qualquer informação relativa à autoria, titularidade e/ou outros dados, se comprometendo a incluí-los em edições futuras.

Dados Internacionais de Catalogação na Publicação (CIP)
(Câmara Brasileira do Livro, SP, Brasil)

Salles, João Moreira
    Arrabalde : Em busca da Amazônia / João Moreira Salles. —
1ª ed. — São Paulo : Companhia das Letras, 2022.

    Bibliografia.
    ISBN 978-65-5921-152-4

    1. Amazônia — Aspectos ambientais 2. Amazônia — Aspectos sociais 3. Amazônia — Civilização 4. Florestas — Amazônia 5. Florestas — Pesquisa I. Título.

22-130452   CDD-981.1

Índice para catálogo sistemático:
1. Floresta amazônica : História social   981.1

Eliete Marques da Silva – Bibliotecária – CRB-8/9380

Todos os direitos desta edição reservados à
EDITORA SCHWARCZ S.A.
Rua Bandeira Paulista, 702, cj. 32
04532-002 — São Paulo — SP
Telefone: (11) 3707-3500
www.companhiadasletras.com.br
www.blogdacompanhia.com.br
facebook.com/companhiadasletras
instagram.com/companhiadasletras
twitter.com/cialetras

Porque no Sul, quando criança, eles nos ensinavam que a Amazônia é só pororoca, o fenômeno das terras caídas, as grandes serpentes, os jacarés, o uirapuru. Mas não explicavam o que era a Amazônia como nós conhecemos hoje, a Amazônia da qual se retira esse tapete verde... a Amazônia em si.

Depoimento de Célio Miranda, fundador de Paragominas, gravado em meados de 1964 e dirigido ao general Mário Machado, como subsídio ao processo de emancipação da cidade.

Sumário

Introdução 11

1. A floresta difícil 25
2. Ordem e desordem 41
3. Sete bois em linha 68
4. A fronteira é um país estrangeiro 123
5. O elefante negro 165
6. A reviravolta 193
7. O reencontro 247
8. Um colono descobre a variedade 295
9. O que queremos? 309
Epílogo 377

Agradecimentos 381
Referências bibliográficas 385
Créditos das imagens 401
Índice remissivo 403

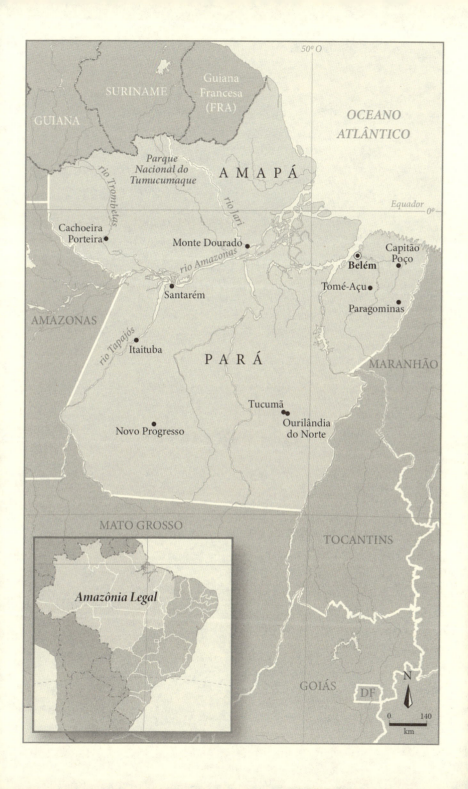

Introdução
Ver a floresta

É difícil compreender quando não se presta atenção. Prestar atenção é sempre o primeiro passo. Só depois vem o encanto, o zelo, quem sabe o amor. Não foram poucos os males que se abateram sobre a Floresta Amazônica — sobre seus povos, seus animais, suas plantas, seus fungos, suas águas — desde a chegada dos europeus ao Novo Mundo. O principal deles, comum a todos os outros, está no fato de que os que vieram de fora e se instalaram na Amazônia foram e continuam a ser indiferentes à floresta. Euclides da Cunha, talvez o maior escritor a ter viajado pela parte brasileira do bioma, começa assim o relato sobre o que viu: "Ao revés da admiração ou do entusiasmo, o que nos sobressalteia geralmente, diante do Amazonas, no desembocar do dédalo florido do Tajapuru, aberto em cheio para o grande rio, é antes um desapontamento".
Euclides não é exceção. Ao folhear os livros de viajantes e exploradores da Amazônia, logo se percebe que eles podem ser distribuídos por duas estantes diferentes: uma, dedicada à floresta como inferno; a outra, à floresta como paraíso. Na primeira, mo-

notonia, solidão, medo, doença, fome, horror; na segunda, variedade, beleza, prodigalidade, deslumbramento. De modo geral, o que distingue uma estante da outra é a capacidade de enxergar a floresta nos seus próprios termos, suspendendo noções de ordem e beleza moldadas ao longo de séculos pela imaginação ocidental. Não sendo essa uma tarefa fácil, a primeira estante é naturalmente mais fornida que a segunda, a pilha de seus livros muito mais alta.

Florestas não têm boa reputação no Ocidente. Nelas os homens se perdem, os lobos espreitam e o mal se manifesta. Gerações de crianças cresceram ouvindo essas histórias da boca dos mais velhos, nas lendas, nos contos de fada, e à noite, tomadas de medo, recordavam-se delas antes de fechar os olhos e adormecer. Assim se cria uma tradição. No romance *As brasas*, o húngaro Sándor Márai faz um personagem dizer: "Só havia nós dois no meio da floresta, naquela solidão que é a solidão da noite, da madrugada, dos bosques, dos animais selvagens, e na qual o homem, por instantes, tem sempre a impressão de ter se perdido na vida e no mundo".

Não precisava ser necessariamente assim. Desde a Grécia Antiga existe uma segunda tradição que trata as florestas como regiões de refúgio, não de medo. Que o diga Branca de Neve. Estudiosos apontam a Alta Idade Média como o período em que essa tradição se fixa na hagiografia cristã. Na altura do século XIII, o deserto para onde se retiravam os homens santos do primeiro cristianismo é substituído pelo bosque, convertido agora no novo cenário para a busca da solidão que aperfeiçoa a alma. É para regiões florestadas, distantes da civilização, que parte são Bento, o grande organizador da vida monástica. Bento julgava que só nesses ermos seria possível "viver consigo mesmo", num isolamento voluntário feito de trabalho e oração.

Para esses homens de Deus, a floresta era ambivalente, um lugar de paz e de perigo, de bons e de maus encontros. Deus e o demônio estavam nela, como no resto do mundo, aliás. Um bosque não era intrinsecamente mau. Os perigos podiam ser vencidos, o que a santidade demonstrava repetidamente ao domesticar o mundo selvagem. O urso, animal então típico das florestas europeias, é personagem frequente na história dos santos. De feroz, torna-se dócil ao contato com o homem puro, assim como também o lobo. Domesticação problemática, sem dúvida; levada ao paroxismo, significa o assenhoreamento da natureza de que é exemplo o urso de focinheira puxado por uma corrente, a fazer rir com suas cambalhotas os frequentadores das feiras medievais.

A cena é uma poderosa alegoria da ideia de que animais e plantas existem para servir ao homem. Conhecemos bem isso. Ocorre que a domesticação também podia representar o inverso do domínio. Em vez de sujeição, capacidade de entendimento, pacificação. É o caminho de são Francisco, o homem que amansava lobos e conversava com pássaros. As lendas franciscanas mostravam que era possível viver em harmonia com o mundo natural.

São dois campos, portanto, o do medo e o da harmonia, dicotomia presente também na épica amazônica. No campo da concórdia, à parte os habitantes originais da floresta, encontramos principalmente os naturalistas, homens e mulheres de ciência, amadores ou profissionais que se dirigiram à Amazônia movidos pelo desejo de conhecê-la. No campo oposto, o do temor, infelizmente se encontra boa parte das outras pessoas, destacando-se os milhares de brasileiros que, nas migrações mais recentes, a partir dos anos 1960, foco principal deste livro, foram estimulados pelo regime militar a se transferir para aquela "terra sem gente" — uma formulação do período que ilustra de forma certeira como o Estado fez da indiferença um princípio de conquista.

 A Amazônia, é claro, não era nem nunca havia sido uma terra despovoada. Estima-se que no século XVI, quando da chegada dos europeus, de 8 milhões a 10 milhões de pessoas habitavam a floresta. Nos séculos posteriores, povos originários foram dizimados por doenças e violência, mas parte deles resistiu. Nunca deixaram de estar ali. A eles foram se somando grupos hoje tradicionais que, na maioria dos casos, mantêm uma relação não destrutiva com a mata — ribeirinhos e quilombolas, pescadores artesanais e seringueiros, coletores de castanha, piaçava e açaí. A "terra sem gente" da retórica oficial atestava que toda essa humanidade era invisível aos olhos do Brasil. Do medo, passava-se à indiferença. Sentimentos que, embora distintos, pertencem à mesma estante.

 Grandes movimentos de ocupação são sempre sustentados por construções ideológicas. O colonialismo é isso. As fábulas que o Estado brasileiro urdiu para promover a migração interna em direção ao bioma nos arrastam definitivamente para o campo de Euclides e de Márai, o da floresta como lugar hostil. É uma escolha, e, como tal, nada impede que mude; até agora, contudo, é esse o roteiro que tem sido seguido. As cidades localizadas no bioma Amazônia, por exemplo, estão de costas para a floresta. Não dependem dela, não se relacionam com ela, não se veem como parte dela. Nessas cidades vivem cerca de três quartos dos quase 20 milhões de amazônidas. É difícil avaliar quantos deles sentem falta da floresta, mas, dada sua reação tímida ao recrudescimento da devastação, pode-se supor que não formem maioria. Nisso, não parecem diferir do resto dos brasileiros, para os quais a Amazônia deve, sim, ser protegida — contanto que por outros.

Em boa medida, quem se mudou para a Amazônia foi para lá a fim de substituir a Amazônia. "Quando eu cheguei, aqui não tinha nada" — a frase é recorrente nas histórias de origem que colonos gostam de contar aos forasteiros que visitam suas fazendas. Da varanda de casa, apontam para um pasto ou uma lavoura que, a depender da propriedade, se estende a perder de vista. "Era nada, nada", repetem, não sem orgulho, numa espécie de cantochão da saga da conquista. Os vitoriosos não souberam — nem quiseram — atribuir valor espiritual à Amazônia. Aquilo é nada.

Com exceção de uma minoria, portanto, a Amazônia sofre por não ter sido pensada e não ter sido querida. A civilização brasileira não formulou uma ideia de floresta. Não a incorporou à imaginação coletiva, não a transformou em imagem compartilhada. Como diz o fotógrafo Luiz Braga, nascido em Belém: a Amazônia é o que se esquece do Brasil. É resto, arrabalde.

Ironicamente, a não ser pelo arrabalde que despreza, o país se mostra mais e mais irrelevante no cenário global. A periferia se tornou o verdadeiro centro, e o centro, a periferia. É a Amazônia que nos põe e nos tira da cena internacional. Compreende-se: se a floresta se for, as leis inclementes da biofísica nos dizem que será preciso esquecer a vida que temos hoje, pois ela será outra. Lidaremos com distúrbios causados por seca, fome e doença, principalmente no Brasil, mas não só.

A paisagem do bioma continua a ser majoritariamente floresta, mas apenas porque a região é continental e a substituição de uma coisa por outra leva tempo. Vinte por cento já foram convertidos seja em lavoura (uma pequena parte disso, equivalente a 15%), seja em pasto (a quase totalidade, somando 85% das áreas em que a cobertura florestal foi eliminada). Em outros 20%, o trabalho de roer a mata já começou e neles a floresta está degradada. De dez partes desmatadas, apenas uma trocou a floresta por alguma atividade econômica razoavelmente produtiva. Cerca de seis são pastagens de baixíssima produtividade — menos de um boi por hectare — e quase três não têm qualquer uso agrícola. São terras abandonadas. Essa destruição não é obra de séculos: toda ela aconteceu nos últimos cinquenta anos. Até 1975, apenas 0,5% da floresta havia sido desmatada.

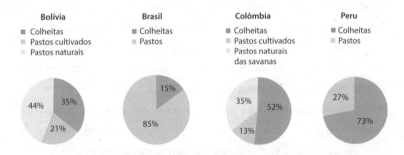

Percorrer algumas estradas na Amazônia expõe o viajante às escolhas que temos feito para o bioma. O trajeto entre as cidades paraenses de Santarém e Itaituba, por exemplo, leva de sete a dez horas de carro, a depender da condição da estrada, e proporciona uma experiência de contrastes. Durante todo esse tempo, a janela do assento do passageiro se abrirá para uma floresta nacional exuberante. Do lado oposto, pela janela do motorista, no início do percurso se verá alguma soja. Logo depois, o que se vê é nada, apenas um deserto produzido pelo homem. O carro poderá avançar por vinte minutos sem que apareça uma só criatura viva. Os poucos bois, quando se cruza com eles, estão aglomerados debaixo da sombra de uma árvore solitária, as costelas à mostra, atordoados pelo sol e por uma existência infeliz. Sessenta por cento do que foi desmatado na Amazônia deu lugar a paisagens assim. Essas vastas terras desoladas não produzem riqueza, não geram renda, não dão emprego, não alimentam o país. Sua única serventia foi enriquecer algum madeireiro ilegal ou, mais provavelmente, algum especulador que primeiro desmatou, em seguida pôs lá uns bois para se dizer produtor rural e então ficou à espera de ser alcançado pela infraestrutura do Estado. Se isso acontece, ele vende — sua motivação nunca foi a agricultura ou a pecuária, mas o possível lucro de uma operação imobiliária, geralmente à custa do roubo de patrimônio público. Quando perde a aposta, ele apenas vai embora, larga as terras, adicionando mais algumas centenas de hectares à paisagem arruinada. Assim se explica parte do abandono.

Outra parte resulta da exaustão dos solos. Eliminada a floresta, o que resta no chão é uma camada pobre de terra de onde não se tira sustento; esgotados em alguns anos os nutrientes produzidos pela queimada, não há mais nada a fazer ali. Segue-se adiante, atrás de novas florestas. Na Amazônia Legal já existe um estado de São Paulo, ou um Reino Unido, de terras abandonadas. Troca-se um dos sistemas biológicos mais complexos de que temos conhecimento por essa ruína. Ao contrário do que sugere a máquina de propaganda do setor agropecuário, definitivamente não é a Califórnia do agronegócio que se está construindo ali.

O esquema está longe de ser novidade, mas a fábula de que abrir florestas é essencial para o desenvolvimento do país continua poderosa. Estudos dos anos 2000 já demonstravam como as localidades mais desmatadas haviam se tornado irremediavelmente pobres. Algum enriquecimento acompanhara os anos do desmate, mas em seguida, depauperada, a terra já não era capaz de gerar renda. Pesquisas recentes indicam que hoje esses lugares perdem população. Vão se tornando, agora sim, *terra sem gente* — não mais a formulação ideológica dos anos 1970,* mas um triste fato demográfico induzido por um modelo perdulário de ocupação territorial.

Nada disso beneficia o Brasil. Parece claro que uma das principais tarefas do país seria fazer com que os brasileiros conhecessem melhor seu patrimônio mais precioso, criando meios para que a floresta fertilizasse nossa imaginação. Um bom começo seria incluir nos currículos escolares as novas descobertas da arqueologia, que demonstram como a Amazônia é não apenas um bem natural, mas também construção humana, um artefato de cultura, ou, no modo de ver dos povos originários, um sistema surgido da colaboração entre humanos e não humanos. Durante milênios, parcelas dessa floresta vêm sendo manipuladas por mãos indígenas, num trabalho de seleção de plantas e construção de solos férteis que revela um conhecimento profundo das interações entre plantas, bichos, fungos, microrganismos, chuva e vento. A floresta que vemos hoje, parte natureza, parte obra humana, é fruto dessa notável inteligência ecológica.

---

* A fórmula foi criada em 1955, durante o governo Café Filho, como lema para promover a imigração europeia. Contudo, não dizia respeito especificamente à região Norte, mas a todo o Brasil. Em 1970, o dístico seria reapropriado pelo governo militar no âmbito do Programa de Integração Nacional, uma política voltada à ocupação dos "vazios demográficos" da Amazônia.

Que esse sistema singular produza 20% da água doce do planeta e abrigue 25% da biodiversidade terrestre, bem como cerca de 10% de todas as formas vivas conhecidas, indica que estamos diante de algo grande. Difícil imaginar herança mais rica de um povo a seus pósteros. Somos os guardiões desse legado, o que mais uma vez nos põe diante da encruzilhada: ou protegeremos o que está sob nossa responsabilidade ou, caso deixemos que a Amazônia seja destruída, arcaremos com o desastre moral que se abaterá sobre nós, brasileiros, neste momento crucial da história ecológica do planeta.

A polonesa Olga Tokarczuk, prêmio Nobel de literatura em 2018, define as "coisas importantes" como "aquelas que são únicas e sobre as quais paira uma terrível ameaça de destruição". Um livro sobre a Amazônia bem poderia começar assim. Temos sob a nossa guarda uma "coisa importante". É preciso decidir o que fazer.

O Brasil já encarou esse dilema e se saiu bem. Ao longo de pelo menos dez anos no início deste século, o país mostrou como se protege uma floresta tropical. Os instrumentos utilizados na época para conter o desmatamento na Amazônia provavelmente não surtiriam o mesmo efeito hoje, pois a dinâmica social mudou e há novos elementos por trás da devastação. O essencial, contudo, é que o país soube identificar a natureza do problema, projetar as soluções e levá-las à prática. Se o fez antes, saberá fazê-lo novamente. Talvez nenhum país tropical disponha de infraestrutura técnica — universidades, institutos, pesquisadores, organizações não governamentais — tão robusta quanto a nossa. Quando a política se alinha com o conhecimento, o Brasil é competente: a maior contribuição histórica de um único país à redução do lançamento de gases do efeito estufa na atmosfera foi dada pelo Brasil, durante os anos em que diminuímos drasticamente o desmatamento na Amazônia. Nesse mesmo período, a produção agrícola na região aumentou em mais de um terço, jogando por terra a falsa dicotomia entre preservação e desenvolvimento.

O ciclo de destruição em curso pode ser revertido. Exige engajamento cívico, pressão política, uma afirmação clara da sociedade de que a floresta não pode mais ser atacada. Se a revolução na agricultura brasileira reproduziu o velho modelo de ocupação — a floresta não é nada, vamos substituí-la por outra coisa —, os caminhos do século XXI precisam ser necessariamente outros. Não mais a submissão do urso, mas o convívio com o lobo — ou com a onça —, pondo fim à tendência brasileira de fazer do mundo um deserto.

Diante do estado de emergência climática em que se encontra o planeta, parece óbvio que o Brasil deveria se constituir como centro de referência mundial para produtos florestais não madeireiros, para o reflorestamento das áreas abandonadas, para novos materiais extraídos da natureza, para a engenharia baseada nas formas vivas, para a identificação de moléculas que curam, perfumam e embelezam, para a agricultura de baixo carbono, para o provimento de serviços ecossistêmicos, para a elaboração dos acordos internacionais que definem os termos de pagamento desses serviços, para o estabelecimento de novos marcos legais de remuneração das comunidades que preservam esse vasto patrimônio genético. Uma empreitada que exige vontade, ciência e ambição. Seria um esforço do qual o país poderia se orgulhar.

Dada a beleza da floresta, não deveria ser difícil escolher o caminho do orgulho. Mas é preciso insistir: o primeiro passo é conhecê-la. Saber, por exemplo, que a floresta se alimenta da floresta. Que ela vive de si mesma, reciclando ininterruptamente o material biológico que é devolvido ao chão. O que existe ali vive, morre e, ao virar serrapilheira, alimenta o que ainda não morreu e o que está em vias de nascer — esse é o ciclo, o contrato social da floresta. As conexões e as interdependências são de uma complexidade que desafia os mais avançados modelos computacionais. Tudo depende de tudo. É lindo e é também precário. Empobreça-se a floresta, e ela deixa de funcionar.

A fragilidade costuma produzir, quando se presta atenção, o sentimento de empatia e ternura que pessoas decentes dedicam às coisas que correm o risco de desaparecer. Somos moralmente inclinados a escolher o lado de quem está em perigo. Não há por que essa compaixão pela fragilidade não se transformar em compaixão pela floresta, por suas criaturas todas, humanas e não humanas.

"A floresta de pé tem valor", afirmam com crescente insistência pesquisadores, ativistas e (alguns) empresários, preocupados que estão com a sobrevivência da floresta. Ocorre que *valor* é uma palavra semanticamente rica, com sentidos que transcendem o elemento econômico. A beleza tem valor, a variedade das coisas vivas tem valor, tem valor a certeza de que asseguramos a todos esses seres o direito de continuar a existir. Seria ingênuo achar que isso basta, pois nunca bastou, mas é preciso repisar: seria um erro e uma imoralidade tratar a floresta como mero ativo econômico, reduzi-la a objeto de uso e domínio. Ela é um bem coletivo e, como tal, possui valor intrínseco. Não precisa servir a nada nem tem obrigação de ser útil.

Ocorre que ela é. Essa utilidade precisa ser identificada, estudada, descrita, qualificada. Isso é projeto de Estado, dever de país. A ciência demonstra que a Amazônia é essencial à estabilização do clima. Ela está na convergência de pelo menos três sistemas globais que sustentam a vida como a conhecemos: biodiversidade, água doce e carbono. Imagine-se o valor disso — a palavra vai aqui no seu sentido mais amplo — nas próximas décadas.

Tudo somado, a Amazônia nos convoca a ser otimistas. Não só em relação a ela, mas em relação a nós mesmos, brasileiros, curadores de 60% desse patrimônio universal. Protegê-la é dar sentido a um país periférico e à deriva. A Amazônia oferece a possibilidade de o Brasil ser o que jamais foi: um país à altura de uma tarefa global. Nunca tínhamos sido chamados a enfrentar um problema dessa dimensão, capaz de afetar a coletividade humana. Agora fomos.

Na medida em que o otimismo se contrapõe ao desânimo, ao fim e ao cabo ele também se torna uma estratégia, quando não uma obrigação. Escrevendo em outro contexto, Lea Ypi, uma cientista política albanesa, refletiu sobre um período duríssimo vivido por seu país. Depois dos anos felizes que se sucederam à queda, em 1990, do regime totalitário sob o qual Ypi crescera, a Albânia agora mergulhava num vale-tudo em que os mais fortes se impunham aos que nunca haviam tido poder. Nesse quadro de injustiça e promessas desfeitas, Ypi defendia que era preciso não desesperar: "Combater o cinismo e a apatia política transforma-se no que alguns poderiam chamar de dever moral; sinto que para mim é mais como uma dívida que contraí com todas aquelas pessoas do passado que sacrificaram tudo porque *elas* não eram apáticas, *elas* não eram cínicas, *elas* não acreditavam que, para as coisas entrarem nos eixos, basta deixar que sigam seu curso".

Vale para a Amazônia. Não são poucas as pessoas que, ontem como hoje, se dispuseram a defender a floresta, algumas delas pagando um preço alto demais. Elas são, de fato, legião. Nem todos nós temos como nos dedicar assim à Amazônia, nem seria o caso. O que a floresta pede é mais simples: a nossa atenção.

NOTA SOBRE A VIAGEM

Arrabalde: Em busca da Amazônia resultou de uma estadia de seis meses na região Norte. Cheguei em agosto de 2019, fiquei até meados de dezembro e voltei para lá em fevereiro de 2020, concluindo assim uma longa viagem cujo objetivo era tentar compreender o que se passava na floresta. Àquela altura, o bioma dominava o noticiário internacional sobre o Brasil, e por razões muito claras: intensificavam-se as violências de toda sorte sobre a Amazônia. Suas árvores ardiam, suas terras públicas eram ocupadas por ladrões, seus rios vinham sendo sistematicamente envenenados pelo mercúrio do garimpo, invadiam-se as unidades de conservação e os territórios indígenas. Em suma, um quadro de descontrole no qual a criminalidade se espalhava por toda parte, impulsionada por um Estado que decidira abdicar de seu dever para com a região. Como cidadão do país responsável por esse cenário desolador, minha ideia era escrever sobre o que visse e, na medida do possível, prestar testemunho.

A Amazônia de *Arrabalde* é a Amazônia paraense. Meus roteiros se iniciavam sempre em Belém, onde aluguei um apartamento, e não se estendiam além das fronteiras do estado. Imenso, do tamanho da África do Sul ou de duas Franças, o Pará é uma espécie de metonímia da região. Não uma metonímia perfeita — a Amazônia é grande e diversa demais para que uma de suas partes seja tomada pelo todo —, mas na impossibilidade de dedicar uma vida inteira à maior floresta tropical do planeta, o estado é um bom ponto de partida para começar a entender o que o Brasil tem feito dela. O Pará contém todas as glórias e misérias do bioma; o que a floresta é e como a estamos transformando se manifesta ali com clareza — o bom tanto quanto o mau, o belo e o feio, o sublime e o sórdido. Ali existem zonas desmatadas e zonas protegidas, pastos e selva, bois e onças, soja e castanha, fogo e chuva, extensões onde a vida deixou de existir e paisagens onde ela é exuberante, mineração industrial e garimpo, cidades consolidadas e cidades de fronteira, grandes obras de infraestrutura e estradas clandestinas, terras indígenas, terras quilombolas, terras invadidas e terras abandonadas. Tudo isso existe no Pará.

A viagem deu origem a sete artigos publicados na revista *piauí* entre outubro de 2020 e abril de 2021. Aquele conjunto de textos, bastante expandido aqui, forma a base deste livro.

Rio de Janeiro, 12 de setembro de 2022

1. A floresta difícil

Um grau e meio de latitude separa Belém da linha do Equador. De dia, o sol fustiga a cabeça, os ombros, o rosto, os postes, as casas, os prédios, as calçadas, os carros, os ônibus. O sol fustiga tudo.

Numa manhã de dezembro de 2019, no bairro Castanheira, um segurança da Igreja Universal do Reino de Deus olhava os carros passarem pela via expressa. No alto da escadaria que leva ao templo, em meio às buzinas, à fumaça e à feiura, lá estava o homem em seu posto, sem nenhuma sombra a protegê-lo. Eram oito da manhã, fazia 36 graus e ele vestia camisa, gravata e terno pretos, o paletó fechado até o último botão.

Temos visto isso, esse empréstimo de protocolos criados para outras culturas e outros climas. A incongruência da cena, contudo, não é apenas um verbete a mais no rol das nossas imitações malfeitas; é algo impraticável. O segurança de terno preto debaixo do sol equatorial é viável por muito pouco tempo. Se permanecer ali toda a manhã, desmaia; se não for acudido, morre. O que significa duas coisas: que a paisagem natural, eliminada ao longo das décadas, já não é capaz de protegê-lo e que a paisagem que a substituiu, construída à custa de muito trabalho, não é aliada da vida.

Em 1848, dois naturalistas ingleses, Henry Walter Bates e Alfred Russel Wallace, desembarcaram em Belém. No livro que Bates publicaria sobre os onze anos que passou na região, *Um naturalista no rio Amazonas* — considerado por Charles Darwin a melhor obra de história natural até então surgida na Inglaterra —, ele anota: "Na manhã do dia 28 de maio chegamos ao nosso destino. O aspecto da cidade ao amanhecer era extremamente aprazível". Pela primeira vez tinha os trópicos diante de si, mas, para surpresa do leitor contemporâneo, Bates não reclama do calor, pelo contrário: "O clima nunca se mostra seco demais, pois jamais decorrem três semanas consecutivas sem algumas pancadas de chuva". Ele elogia o viço das folhagens e a atmosfera amena da cidade, qualidades que atribui "ao frescor e à sombra proporcionada por sua exuberante vegetação".

Bates e Wallace logo deram com borboletas. Amarelas, azuis, multicolores, "em quantidade nunca vista por nós". Era impossível percorrer os caminhos à beira-rio sem que bandos delas levantassem voo, num espetáculo tão espantoso que Bates achou necessário informar: "O leitor terá uma ideia da diversidade das borboletas se eu disser que podem ser encontradas cerca de setecentas espécies delas numa caminhada de uma hora nos arredores da cidade, ao passo que nas Ilhas Britânicas o número total conhecido não excede 66, e em toda a Europa não vai além de 321".

Oitenta anos depois, o escritor Mário de Andrade também esteve na cidade. Em 20 de maio de 1927, anotou em seu diário de viagem: "O calor aqui está fantástico porém o paraense me falou que embora faça mesmo bastante calor no Pará o dia de hoje está excepcional. De cinco em cinco minutos saio do banho e me enxugo todo…". Apesar do calorão que lhe batia na cabeça "que nem

um remo", Mário gostou da cidade e foi se entusiasmando à medida que andava pelas ruas e provava as comidas nos mercados populares. Ficou até "lustroso de felicidade".
 A Belém de Mário é muito mais urbana que a de Bates. Ali pouco se fala de flora e ainda menos de fauna, salvo a aprisionada no zoológico do Museu Goeldi. Mário admite ter mais prazer em admirar a natureza do que em descrevê-la, o que ajuda a compreender o sabor essencialmente citadino de suas anotações. Mas é possível que essa sua Belém de sol, calor e tumulto não seja fruto apenas da sensibilidade de um modernista mais à vontade no burburinho das cidades. Em parte, a explicação para que a capital paraense tenha se descolado de seu meio natural pode ser encontrada não no diário do escritor paulista, mas nas observações do viajante inglês de meados do século XIX que o precedeu.
 Bates deixou registrado o rápido processo de eliminação da natureza. Onze anos depois de chegar a Belém e a poucos dias de retornar à Inglaterra, escreveu: "Ao andar pelas matas das redondezas — minhas velhas conhecidas — notei que haviam sofrido muitas mudanças [...]. O espesso tapete de plantas rasteiras, arbustos e trepadeiras que em outros tempos — quando os arredores da cidade ainda não tinham sido mutilados pelo machado e a enxada [...] — tinha sido quase todo arrancado [...]. As majestosas árvores da floresta tinham sido cortadas, e os restos de seus troncos semicarbonizados se projetavam do meio das cinzas, das poças de lama e dos montes de galhos partidos". Desolado, Bates concluiu: "Os naturalistas, a partir de agora, terão de ir muito mais longe da cidade para encontrar o soberbo cenário da selva virgem, que ficava tão perto em 1848; precisarão também trabalhar muito mais arduamente para reunir as grandes coleções que o sr. Wallace e eu conseguimos obter nos arredores do Pará".

O sol que hoje nasce em Belém bate numa cidade separada de sua paisagem. Segundo dados de 2012 do Instituto Brasileiro de Geografia e Estatística (IBGE), Manaus e Belém são as duas capitais menos arborizadas do país. De manhã cedo, o que se vê do alto de um prédio é uma bola de fogo que martela o concreto e o aço. Por trás das ondas de calor que o asfalto refrata, surge a silhueta incerta dos espigões, centenas deles, espalhados por toda parte sem ordenamento urbanístico aparente. A cena é monocromática, baça, e nela os trópicos foram eliminados. Calhou de a cidade estar ali, mas poderia estar em outro lugar. A impressão é de que Belém já não sabe onde está.

"Uma cidade com cara de nada", na expressão do fotógrafo Luiz Braga, que vem documentando sua terra natal há décadas. No passado, Braga fotografou a vida nos bairros ribeirinhos, com seus bares coloridos e paredes em que artistas populares pintavam a floresta. A cidade empurrou várias dessas comunidades para as periferias e muitas sucumbiram ao processo de degradação que marca a vida urbana brasileira. "Voltei a esses lugares e eles estavam bege." Sumiram as cenas da mata.

Ainda assim, Belém é uma cidade amazônica, e pelas manhãs, no Mercado Ver-o-Peso, é possível assistir ao espetáculo da floresta que chega pela baía do Guajará, trazido por embarcações que despejam suas mercadorias no cais: cupuaçu, uxi, taperebá, açaí, bacuri, murici, andiroba, tucunaré, pirarucu.

Não muito longe dali, num dos maiores supermercados da cidade, não seria fácil encontrar a maioria desses produtos. As gôndolas centrais da seção de frutas terão maçãs, peras, morangos, tamarindos, romãs e pitaias, todas espécies exóticas; as amazônicas, com exceção da papaia e do abacaxi, não estão à vista. Dentre as muitas geleias, apenas duas de fruta nativa, a de goiaba e a de abacaxi. Para alcançar a castanha-do-pará, é preciso esticar o braço e, dependendo da altura do interessado, ficar na ponta dos pés — o produto é estocado na prateleira mais alta; à altura dos olhos, Fandangos, Ruffles, Cheetos e fileiras de amendoim japonês. Rente à boca do caixa, além de chicletes e aparelhos de barbear, amêndoas importadas dos Estados Unidos, nas variedades *honey roasted* e *wasabi and soy sauce*.

Ao abrir o frigobar de um dos maiores hotéis da cidade, o hóspede poderá encontrar suco de uva, Nescau, Coca-Cola, Red Bull, cerveja, vinho. Para não dizer que a floresta está ausente, haverá uma lata de guaraná Antarctica, embora ela não esteja ali para celebrar a maior biodiversidade do planeta, um complexo ecológico cuja abundância ainda ignorada começa a poucos quilômetros dali, nas ilhas florestadas do Guamá, rio que banha Belém.

O problema, claro, não é a Coca-Cola, a geleia de framboesa ou as peras trazidas do Chile, mas a ausência conspícua dos produtos nativos. É um sintoma de descompasso das pessoas em relação a seu entorno e da dificuldade que uma economia florestal enfrenta para superar o consumo de nicho e a produção de subsistência. Num encontro de jovens empreendedores ocorrido em novembro de 2019 no Serviço Brasileiro de Apoio às Micro e Pequenas Empresas (Sebrae) de Belém, Hortência Maria Osaqui Floriano, proprietária de uma indústria de processamento de frutas nativas em Augusto Corrêa, município paraense com um dos menores Índices de Desenvolvimento Humano (IDH) do Brasil, falou dos obstáculos que precisa vencer para escoar sua produção de geleias de bacuri, cupuaçu, açaí e buriti: "Quando você coloca no armazém, é vendido como suvenir. Só turista compra. Não consigo vender pra supermercado porque não tem público. Tentei e o produto perdia a validade na prateleira. Escoo alguma coisa para os empórios frequentados por um público AA". A empresária desistiu do esforço de vender localmente para se concentrar na prospecção de mercados no Sudeste do Brasil e no exterior — Suíça, Reino Unido, Canadá e Estados Unidos.

"O outro lado do rio" — o lado dos ribeirinhos — "tem uma inteligência que não chega aqui, que não se incorpora ao conhecimento", diz Luiz Braga. A floresta sumiu da vida das pessoas. Quando era menino, conta, toda casa burguesa na cidade tinha um quadro de Arthur Frazão. Eles "traziam a floresta para dentro das residências da elite. Na década de 1960, eu me lembro de ver esses quadros na casa dos amigos dos meus pais". Naquelas imagens acadêmicas e muitas vezes ingênuas, o elemento essencial era a conexão ao menos simbólica com o entorno, um sentimento de lugar. "Hoje essas cenas desapareceram. Existe um deslocamento das pessoas que têm dinheiro em relação ao lugar onde elas estão."

Não que representações da mata nas paredes de casa fossem garantia de uma relação mais harmoniosa com a floresta. A ausência de vínculos com o mundo natural é um fenômeno que Henry Walter Bates já identificara na elite local. Ao voltar para Belém depois de anos embrenhado na mata, foi cumulado de atenções por seus amigos: "Fiquei bastante surpreendido com o grande apreço que as pessoas mais importantes da cidade deram aos trabalhos que eu havia realizado", registrou. "A verdade é que o interior do país ainda é considerado 'sertão' — uma terra incógnita para a maior parte dos habitantes da orla marítima —, e um homem que havia passado sete anos e meio explorando esse sertão com objetivos exclusivamente científicos não deixava de ser uma curiosidade."

Transcorridos 160 anos desde essas observações, um ex-governador do Pará, Simão Jatene, não acha que muita coisa tenha mudado: "A Amazônia é periferia não só econômica, mas também de pensamento. O Brasil não se preocupou em produzir uma ideia sobre a floresta". Nas palavras de Luiz Braga, a Amazônia é "o que se esquece do Brasil". "É resto", resume Jatene.

Resto também para boa parte de quem planta nela, cria gado nela, extrai minério dela, mora nela. O homem de terno preto sob o sol do Equador é o retrato desse desconcerto, a figura de um impasse. Ele é o boi, a soja, o garimpo, o machado, a serraria, o modo como essas coisas ocuparam a floresta e substituíram uma paisagem por outra sem nunca pôr em questão a viabilidade da troca.

Em sua biografia do naturalista alemão Alexander von Humboldt, *A invenção da natureza*, a historiadora Andrea Wulf observa que, no século XVIII, ideias de perfectibilidade da natureza dominavam o pensamento ocidental. Era preciso aperfeiçoá-la, expurgá-la do que fosse confusão. Campos cultivados refletiam a civilização, enquanto matas densas representavam o que ainda escapava à empresa humana. Nada encarnava tão bem esse descontrole quanto as florestas do Novo Mundo, "uma 'selva desolada' que tinha de ser conquistada", escreve Wulf.

Euclides da Cunha viajou pela Amazônia no início do século XX, chefiando a missão incumbida de demarcar os limites territoriais entre o Brasil e o Peru na região do rio Purus. O título do livro que escreveu sobre o ano que passou na região — *À margem da história*, publicado postumamente — sugere que as ideias setecentistas permaneciam vivas em 1905: a floresta continuava a ser um lugar sem passado, virgem de acontecimentos e à espera de quem lhe desse destino.

Nas quatro primeiras páginas de seu relato, Euclides emprega palavras como "desapontamento" (o rio Amazonas), "monotonia" (a paisagem), "vazios" (os horizontes), "desordem" (a natureza), "imperfeita" (a flora), "monstruosa" (a fauna), "paleozoica" (a aparência dos anfíbios), "desprezível" (um pássaro), "incompleta" (a natureza). "A impressão dominante que tive", escreveu, "é esta:

o homem, ali, é ainda um intruso impertinente." Não apenas impertinente, mas também indesejado, que é a sina de todos os intrusos: "Aquela natureza soberana e brutal, em pleno expandir das suas energias, é uma adversária do homem".

A floresta não é mesmo hospitaleira ao homem que chega de fora. Até os naturalistas reconhecem a dificuldade. Bates, tão à vontade nas matas a ponto de andar descalço por elas, escreve sobre a "sensação de solidão" da selva. Tudo soa primitivo, tudo assusta. "Pela manhã e ao entardecer, os uivos dos macacos compõem uma arrepiante algazarra, tornando difícil para quem os escuta conservar a animação de espírito", diz ele. "A sensação de inóspita solitude que a selva forçosamente dá é decuplicada por essa horrenda gritaria."

Humboldt, talvez o mais extraordinário explorador da Amazônia, exemplo para todos os que vieram depois dele, maravilhou-se desde o primeiro instante em que pôs os pés na floresta. Esse prussiano festejado por todas as cortes europeias e recebido com honras na Casa Branca de Thomas Jefferson nunca foi tão feliz quanto em seus anos nos trópicos. Viera para a atual Venezuela na companhia de um botânico francês e, em carta ao irmão, escreveu sobre o primeiro contato dos dois com a flora e a fauna locais: "Corremos de um lado para o outro feito bobos". Era tanta vida, contou, que seu amigo, geralmente circunspecto, declarara que "enlouqueceria se as maravilhas não acabassem logo".

Tudo crescia, se espichava, alçava voo, deglutia, procriava, apodrecia, dava bote, mordia, grudava, fundia, picava, feria. Nesse mundo de potência vital, "o homem não é nada" — a mesma ideia que será explorada por Euclides cem anos depois, embora para Humboldt não se trate de um lamento, mas de um espanto admirado.

O relato inaugural do desajuste entre a floresta e os forasteiros foi escrito por um dominicano, frei Gaspar de Carvajal, integrante do que a história reconhece como a primeira travessia do rio Amazonas por europeus. Sob o comando do explorador Francisco de Orellana, o grupo consistia no padre e 57 soldados. Iniciada em 1541, a viagem desde a nascente peruana até o deságue no Atlântico levaria oito meses. Foi um inferno.

A cada dobra dos rios, os espanhóis eram atacados por indígenas que apareciam "por água e por terra" para lhes fazer a "crua guerra", a ponto de os bergantins em que navegavam ganharem um aspecto de "porco-espinho". Por mais que matassem os inimigos e destruíssem impiedosamente suas aldeias, "todos os dias os índios se reformavam e refaziam", tornando a atacar. A guerra, contudo, era apenas um dos problemas, e talvez não o maior deles. Como dizem as passagens mais marcantes do relato de Carvajal, os piores tormentos da expedição foram obra de outro inimigo: a fome.

Lá estavam eles, em meio à maior concentração de vida do planeta — uma em cada dez espécies conhecidas no mundo vive na Floresta Amazônica —, mas incapazes de ler a floresta. Numa transecção de 150 metros de um pequeno igarapé são encontradas cinquenta espécies de peixe, o equivalente a todas as espécies da Dinamarca. Aproximadamente 20% da fauna planetária está na Amazônia, e são tantas e tão variadas as espécies de árvores que, segundo estudo publicado no periódico *Nature Scientific Reports*, três séculos de trabalho não foram suficientes para catalogar todas. Para azar de Carvajal e seus companheiros, nada dessa abundância de nutrientes se oferecia — nem se oferece — à vista destreinada. Não estamos nas savanas africanas nem nos prados da Europa ou da América do Norte.

Apenas iniciada a viagem, os espanhóis se viram numa encruzilhada, sem saber se deviam seguir adiante ou voltar atrás. Decidiram avançar, certos de que logo poderiam pilhar alguma aldeia indígena a jusante do rio. Erraram no cálculo. Nem naquele dia nem no seguinte encontraram comida ou sinal de povoado. Carvajal anota que, àquela altura, estavam verdadeiramente em perigo de morrer da "grande fome" que padeciam, tanto que, diante da tripulação reunida no convés, ele houve por bem rezar uma missa para encomendar a Deus "nossas pessoas e vidas", embora suplicando que Ele os "tirasse de tão manifesto trabalho e perdição".

Frei Carvajal detalha os esforços para enganar o estômago: "À falta de outros mantimentos [...] chegamos a tal extremo que só comíamos couros, cintas e solas de sapatos cozidos com algumas ervas, de maneira que era tal a nossa fraqueza, que não nos podíamos ter em pé. Uns de gatinhas, outros arrimados a bordões, meteram-se pelas montanhas em busca de raízes comestíveis, e houve alguns que comeram algumas ervas desconhecidas, ficando às portas da morte, pois estavam como loucos e não tinham miolo; mas como Nosso Senhor era servido que continuássemos a nossa viagem, nenhum morreu". (Sete morreriam mais adiante, vítimas da "fome passada".)

Foi na altura do rio Nhamundá, na divisa dos atuais estados do Amazonas e do Pará, que frei Carvajal entrou para a história. O nome do maior rio do mundo teria origem no que ele escreveu em seguida: "[...] e foi servido Deus que, dobrando uma ponta que o rio fazia, víssemos alvejando muitas e grandes aldeias ribeirinhas. Aqui demos de chofre na boa terra e senhorio das amazonas".

Os nativos, como de hábito, saíram no encalço dos europeus, os quais logo notaram que os novos adversários se mostravam especialmente ferozes e encarniçados. "Quer que saibam [...] o motivo de se defenderem os índios de tal maneira", explica Carvajal. "Hão de saber que eles são súditos e tributários das amazonas, e conhecida a nossa vinda, foram pedir-lhes socorro e vieram dez ou doze. A estas nós as vimos, que andavam combatendo diante de todos os índios como capitãs, e lutavam tão corajosamente que os índios não ousavam mostrar as espáduas, e ao que fugia diante de nós, o matavam a pauladas. Eis a razão por que os índios tanto se defendiam."

Cada amazona guerreava como dez índios. Muito altas e alvas, tinham cabelos compridos que enrolavam em tranças na cabeça. "São muito membrudas e andam nuas em pelo, tapadas as suas vergonhas, com os seus arcos e flechas nas mãos." O dominicano não afirma que essas adversárias destemidas eram as amazonas da mitologia grega. Pode ter empregado o vocábulo apenas como analogia — não se sabe ao certo o que ele viu nas margens do Nhamundá. Os espanhóis haviam sido advertidos da existência de uma tribo de índias guerreiras antes mesmo da famosa refrega, e talvez estivessem impressionados pela possibilidade de encontrar mulheres parecidas com aquelas de que fala Homero. Não se descarta a hipótese de que, no fragor da batalha e condicionado por seu repertório de europeu, o dominicano tenha tomado homens amazônidas por mulheres mitológicas.

Não é implausível que tenha sido assim, uma projeção a mais dentre tantas outras ocorridas no período. O arqueólogo norte-americano Michael J. Heckenberger descreve o fenômeno: "Imagens desses ameríndios" — amazônidas ou descendentes deles — "se espalharam por meio de boca a boca e de documentos oficiais muito antes de Hernán Cortés deitar os olhos na capital asteca de Tenochtitlán ou de Pizarro desembarcar no Norte do Peru e lançar sua campanha contra o poderoso Império Inca de Tahuantinsuyu. As crônicas de Cristóvão Colombo e de outros navegadores pioneiros contavam de várias raças estranhas, de canibais, de 'homens com um só olho e homens com focinhos de cachorro' [...], além de, claro, tratarem de guerreiras amazonas. Ainda que exóticas, tais imagens não eram desconhecidas da mente ocidental. Eram as mesmas raças selvagens, a *hoi barbaroi*, que animara a mitologia e a geografia europeias desde antes de

Homero — os arquétipos dos 'Outros' da Europa". Assim, a região onde se encontra a maior floresta tropical do mundo foi batizada com um nome que, tudo indica, resultou de uma ilusão de ótica ou de um erro de interpretação — não importa se de Carvajal ou dos que tomaram ao pé da letra suas referências a supostas amazonas. Essencial é que, desde o primeiro momento, fez-se presente a dificuldade que iria amaldiçoar a floresta, nessa incapacidade do forasteiro de apreendê-la nos próprios termos, tal como ela é, não como ele gostaria que fosse.

Há algo de irônico, de metáfora cruel, no que aconteceu na batalha seguinte à das amazonas, em que nenhum espanhol se feriu salvo o próprio Carvajal. "E de toda essa gente só a mim feriram, que me deram um flechaço num olho, que passou a flecha para o outro lado. Desta ferida perdi um olho." Na última perna da viagem, não propriamente cego, mas reduzido a uma só vista, o dominicano de Estremadura olha para as margens do atual rio Amazonas e vê o próprio mundo: "É terra temperada, onde se colherá muito trigo e se darão todas as árvores frutíferas. Além disso está aparelhada para criar todo gado, porque há nelas muitas ervas como em nossa Espanha, tais como o orégão e cardos pintados e rajados, e outras muitas ervas boas. Os montes destas terras são azinhais e soverais com bolotas, porque nós as vimos, e carvalhais". O orégano é uma planta do Mediterrâneo, não existe na Amazônia, onde tampouco existem cardos europeus — há somente certos parentes distantes deles — e muito menos azinhais ou soverais. Como tantos outros depois dele, Carvajal viu o que queria ver. Mais precisamente, viu o que já conhecia.

Desenxergar a floresta, substituindo-a pelo que convém aos olhos de quem chega de longe, tem sido desde Carvajal o ato mais característico dos colonizadores que vieram ocupar a região. "Essa é uma terra de mitos", afirma com desgosto o ex-governador Simão Jatene. "Veja como passamos rápido de inferno verde a celeiro do mundo, de almoxarifado a santuário. São simplificações. Nada disso dá conta da nossa complexidade." A Amazônia, segundo ele, foi sempre chamada a suprir as carências do Brasil. Projeta-se nela o que falta no resto do país: terra para gente excluída, pasto barato para boi que perdeu espaço no Sul, energia para os grandes polos econômicos e para pessoas que, em sua imensa maioria, vivem em outro lugar.

As forças que avançaram sobre a floresta nunca tentaram compreender a real vocação da mata, aquilo de que ela é capaz. O processo de ocupação da Amazônia pode ser entendido como um grande fracasso epistêmico.

Não é fácil descrever a floresta. De modo geral, os autores acabam adotando uma (ou mais de uma) das três estratégias narrativas seguintes: adjetivismo apoteótico, panteísmo mágico ou derrotismo fatalista.

Um exemplo da primeira modalidade vem da ensaísta e crítica literária argentina Beatriz Sarlo, que viajou para a Amazônia em fins da década de 1960. Diante da mata, sua sensibilidade habitualmente sóbria se excita: "Sentimos, sem o confessar, uma coisa asquerosa, putrefacta, placentas vegetais, sementes a germinar, lagartas", registra no livro de memórias que publicou em 2014. Ela preparara o terreno na página anterior, citando, com admiração, o sociólogo e crítico francês Roger Caillois: "Embaixo, o feltro espesso de uma decomposição nauseabunda e prolífica. A morte, que aqui não é senão necrose, está presente, mas diluída numa química incessante. Ativa uma poluição geral que se confunde com uma fertilidade terrível".

O panteísmo mágico é a linha dos que enxergam estratos invisíveis na floresta, como o poeta paraense Vicente Franz Cecim, citado pela portuguesa Alexandra Lucas Coelho em livro de 2015:

"A Amazônia tem duas camadas de realidade. Uma é natural, visível, tangível. A outra é puramente imaginária, povoada por seres encantados do bem e do mal, que tanto protegem como punem".

Cecim está em boa companhia. Em 11 de junho de 1927, Mário de Andrade anotou coisa parecida em seu diário: "Eu gosto desta solidão abundante do rio [Amazonas]. Nada me agrada mais do que, sozinho, olhar o rio no pleno dia deserto. É extraordinário como tudo se enche de entes, de deuses, de seres indescritíveis por detrás, sobretudo se tenho no longe em frente uma volta do rio".

Ótimos escritores não hesitam em adotar a terceira estratégia, admitindo que, diante da floresta, as palavras lhes faltam. É, entre outras coisas, uma dificuldade de escala. Em seu discurso de posse na Academia Brasileira de Letras (ABL), Euclides da Cunha se referiu à tentativa penosa de encontrar a linguagem correta para descrever aquele "excesso de céus por cima de um excesso de águas".

No romance *A selva*, clássico de 1930 ambientado durante o ciclo da borracha, Ferreira de Castro acompanha os pensamentos de seu protagonista, um jovem português desterrado pelo pai para o Pará. Do barco que o levará à sua nova morada, um seringal no interior da floresta, ele avista pela primeira vez a baía de Marajó: "Depois de saber que toda aquela água não era pertença do oceano, mas sim o corpo da imensurável aranha hidrográfica da Amazônia, vinha-lhe o assombro da vastidão, do que pesa e esmaga pormenores e, pela sua grandeza, se recusa de começo à fria análise".

Três anos antes, sempre em 1927, Mário de Andrade, também a bordo de um barco, havia procurado em vão as margens do rio: "Não se vê nada!", exasperou-se. "A foz do Amazonas só é grandiosa no mapa; vendo, tudo é tamanho que não se pode ver."

Descrever esse excesso é um pouco como um gato tentando agarrar uma bola de basquete. Ela sempre escapará. Os relatos que mais nos aproximam da Amazônia são aqueles que prestam atenção ao discreto, ao pequeno — a curva de um rio, certo crepúsculo, o comportamento de um animal, um aguaceiro, a majestade de uma árvore. Passagens assim são mais comuns nos escritos dos naturalistas, cujo primeiro impulso é sempre observar.

É o que faz Henry Walter Bates descrevendo como uma lagarta constrói o casulo dentro do qual se transformará em borboleta: "Quando inicia o seu trabalho, a lagarta prende o fio na ponta da folha escolhida e o vai soltando e descendo, pendurada nele, até alcançar o comprimento desejado [...]. Sua feitura leva quatro dias. Terminado o casulo, a lagarta encerrada dentro dele se aquieta, sua pele se enruga e racha, e por fim só se vê lá dentro uma crisálida esguia, grudada num dos lados do invólucro de seda". Quatro dias de trabalho, quatro dias de atenção, um exercício de rigor tanto do inseto que tece como do naturalista que o observa.

É o que faz também o entomologista Edward O. Wilson, professor em Harvard por cinco décadas, sozinho, à noite, na mata dos arredores de Manaus: "Vasculhei o chão com o facho da minha lanterna em busca de sinais de vida, e encontrei — diamantes! A intervalos regulares, distantes alguns metros uns dos outros, pontos intensos de luz branca faiscavam a cada volta da lâmpada. Eram reflexos dos olhos de aranhas da família *Lycosidae*, à caça de insetos. Quando as aranhas se petrificavam ao ser iluminadas, permitindo que eu me aproximasse delas de joelhos e as estudasse quase no mesmo plano, podia discernir uma ampla variedade de espécies por tamanho, cor e penugem. Percebi como sabemos pouco sobre essas criaturas da floresta pluvial tropical, e como me daria satisfação passar meses, anos, o resto da minha vida neste lugar até conhecer todas as espécies pelo nome e todos os detalhes de suas vidas".

Ou Mário de Andrade diante deste amanhecer: "Antes de qualquer prenúncio de claridade no céu, é o rio que principia a alvorada e se espreguiça num primeiro desejo de cor. Bate um frio nítido. No conchego morno e mais que úmido positivamente molhado do noturno, sai brisando de uma volta do rio um ar quase gélido que esperta. Esperta os primeiros cochilos das cores apenas, nenhuma ave por enquanto. Um aroma vago, quase só imaginado, porque os rios da Amazônia não têm perfume, um perfuminho encanta os ares e se sente que o dia vai sair por detrás do mato. E então o horizonte principia existindo".

A pensadora francesa Simone Weil dizia que a atenção é a forma mais rara e mais pura da generosidade. A floresta sempre precisou de atenção, mas poucos lhe dispensaram esse cuidado simples. Populações indígenas e tradicionais, sim. Naturalistas, exploradores e cientistas, também. Ainda, alguns escritores. Mas a grande massa de gente que, ao fim e ao cabo, colonizou a Amazônia, não.

2. Ordem e desordem

Em setembro de 1978, o governo federal, por intermédio de seus órgãos fundiários — pelo menos quatro deles operavam na região, causando uma barafunda legal jamais resolvida —, abriu uma licitação para empresas interessadas em adquirir e explorar uma imensa extensão de terra nas margens do que viria a ser a rodovia PA-279 e em construir ali toda a infraestrutura necessária à vida de quem se dispusesse a desbravar aquele pedaço do sudeste do Pará. Venceu a Colonizadora Andrade Gutierrez (Consag), empresa criada pela empreiteira mineira homônima com o propósito de implantar uma proposta de colonização que seria batizada de Projeto Tucumã.

Há mais de uma versão para esse nome. Os norte-americanos Marianne Schmink e Charles H. Wood, ela antropóloga, ele sociólogo, cujo livro *Conflitos sociais e a formação da Amazônia* contém um capítulo notável sobre o projeto, afirmam tratar-se de uma homenagem a uma palmeira nativa da região. Já o advogado Luiz Otávio Montenegro Jorge, contratado como contador em 1978 pela Andrade Gutierrez, faz referência a uma história que circula na região e que não se confirmará: o nome seria uma alusão à província argentina de Tucumán, onde a filha de um dos fundadores da empreiteira teria se exilado durante a ditadura militar.

Marília Andrade — ou Lian Andrade, como ela prefere — e seu marido na época, Manoel Costa, militantes do PCdoB, haviam entrado para a resistência ao regime militar, mas nunca se exilaram. "Eu e o Mané estávamos dispostos a nos juntar à guerrilha armada, mas eu estava grávida e o partido não permitiu", ela conta. Sua voz é suave e pausada, as palavras amolecidas pelo sotaque mineiro, numa prosódia que evoca a serenidade bonita e triste de um fim de tarde. "Acabaram nos mandando para Londrina. Ele foi trampar numa metalúrgica, depois passou a vender remédio, e eu dava aulas de alfabetização no Mobral [Movimento Brasileiro de Alfabetização] para boias-frias, no que a gente chamava de processo de proletarização. Era trabalho político de base." Em 1970 conheceram Pedro Pomar, fundador do PCdoB, que se apresentou ao casal sob o codinome "Mário". Segundo as regras da clandestinidade daqueles tempos, marido e mulher levariam anos até conhecer a identidade do homem de quem se tornaram muito próximos. "Ele me orientava sobre escritos, sobre leituras." De 1974 a 1976, Lian Andrade seria motorista.

Em 1975 o partido mandou Manoel Costa para o Pará, de onde voltou entusiasmado. Trazia a missão de se empregar em algum projeto agropecuário para adquirir experiência no mundo rural, ambiente talhado para a ação política de um partido que tinha na reforma agrária uma de suas principais metas revolucionárias. Lian Andrade, sabendo que o pai comprara uma fazenda no norte de Minas Gerais, sugeriu que o marido estagiasse lá. A experiência durou um mês e foi bem-sucedida. Ainda na clandestinidade, o casal regressou a Belo Horizonte para entregar o relatório do estágio. "Meu pai faria tudo para que nós saíssemos da clandestinidade e nos propôs trabalho no Cerrado. E eu: 'Mas a gente quer ir pra Amazônia!'. Ele imediatamente disse sim." Do ponto de vista do pai, a solução resolvia dois problemas: punha filha e genro ao abrigo da repressão e vinculava a Andrade Gutierrez a ações de interesse do governo. Desde 1968 a construtora vinha realizando grandes obras de infraestrutura na região e havia pressão do regime para que participasse de iniciativas mais duradouras de ocupação do território. "Meu pai nos disse: 'Nós temos isenção de imposto, existem esses pedidos das autoridades, mas, ao contrário de vocês, nós engenheiros não temos talento para projetos que não sejam de estrada e hidrelétrica. Manoelzinho, você podia fazer um estudo sobre perspectivas de projeto.'" Enquanto a filha permanecia escondida em São Paulo, o genro partiu para o leste do Pará com o objetivo de aferir a viabilidade da empreitada. Seis meses depois, prestes a deixar a clandestinidade, trouxe de lá o estudo de um grande projeto de colonização social que viria a ser chamado de Tucumã. Para a empresa, seria um negócio; para o casal, um experimento social.

"'Colonização' era melhor do que 'plantation', né?", diz Lian Andrade. O Brasil caminhava para a abertura política e parecia possível entrever novas formas de luta por justiça social. Tucumã, ela esclarece, era "tarefa de partido", com o propósito de "organizar movimento de base como fizemos em Belo Horizonte, Contagem e Londrina". Outros projetos de ocupação da Amazônia propunham transformar a floresta em pastos e monoculturas. O casal imaginava que a futura Tucumã poderia ser diferente. Sem as limitações da clandestinidade, os dois teriam ali a chance de testar seus ideais políticos, assentando homens pobres numa região extraordinariamente fértil da Amazônia. Como informam Marianne Schmink e Charles H. Wood, os 400 mil hectares escolhidos por Manoel Costa para o plano, equivalentes a três vezes o município do Rio de Janeiro, abrangiam a maior extensão de terras roxas encontradas no sul do Pará. Não há solo mais fértil na Amazônia.

Tratava-se, sem dúvida, de uma operação comercial de vulto. O pesado investimento inicial — a ser materializado em água, luz, escolas, hospitais, igreja, hotel, centros comunitários, clube esportivo, aeroporto, rodoviária, três agrovilas, mil quilômetros de estradas — seria remunerado com a venda de 3 mil lotes, distribuídos em três seções ou glebas. Estes teriam tamanhos diferentes em função do uso; pelos padrões da região, seriam todas pequenas propriedades, e, para evitar a concentração de posses, ninguém poderia adquirir mais de um. Lotes relativamente pequenos, de quinze a 55 hectares — cada hectare equivale aproximadamente a um campo de futebol, ou 10 mil metros quadrados —, enlaçariam os centros urbanos e seriam dedicados à produção de hortaliças. Mais além, para lá dos limites das vilas, lotes um pouco maiores, de 55 a 280 hectares, seriam destinados a culturas variadas — café, seringueira, pimenta, cacau. Por fim, espalhadas ao longo do perímetro do projeto, haveria propriedades maiores para a criação de animais, sem previsão de pecuária de corte. "O projeto também estabelecia que uma parte da mata — 50% ou 60%, não lembro bem [50%, atestam os documentos] — fosse preservada como reserva florestal coletiva. Na época, isso era inédito", diz Lian Andrade, referindo-se ao uso compartilhado da mata.

Fruto do trabalho de Manoel Costa, as diretrizes do projeto foram reunidas em três volumes. Andrade acompanhou o trabalho do marido, mas não participou ativamente da concepção dessas diretivas. Estava triste demais para isso. Na manhã de 17 de dezembro de 1976, os dois esperavam em casa por Pedro Pomar, com quem iriam de Belo Horizonte até Belém de carro. Ao abrir o jornal, souberam que o amigo havia sido assassinado em São Paulo por agentes do regime militar. "Fiquei uns três anos inutilizada", revela.

Em 1978, faria sua primeira homenagem ao homem que aprendera a admirar, batizando o projeto social no Pará: "Que-

ria o nome de uma fruta da região. Ele era Pomar, né? Mas não encontrei nenhuma que soasse bem para um projeto de colonização, daí acabei escolhendo aquela palmeirinha que aparecia em algumas publicações do Museu Goeldi, o tucumã. Pusemos a foto de um lindo tucumã na capa do projeto. A imagem é do Goeldi e foi tirada pelo neto homônimo do Pomar, que na época vivia em Belém usando um nome falso. O gozado é que em Tucumã não tem tucumã", conta. Sua segunda homenagem ao líder do PCdoB seria o nome de sua segunda filha, a cineasta Petra Costa.

A Andrade Gutierrez certamente tinha mais de um motivo para se lançar à empreitada. Havia o aspecto político: para uma empresa cujas receitas dependiam em boa parte de contratos com o Estado, participar da ocupação da Amazônia representava um gesto simpático ao poder, na medida em que se alinhava ao Programa de Integração Nacional (PIN), uma obsessão do pensamento militar, que, a título de resguardar nossa soberania sobre a região, propunha um amplo programa de colonização da floresta por brasileiros recrutados em outras partes do país. O sul do Pará era um território particularmente sensível para os militares. As disputas pela terra na região do Araguaia traziam consigo o fantasma do retorno da guerrilha que o governo combatera e dizimara poucos anos antes. Um projeto como o de Tucumã, com seu viés de socialização fundiária, era uma forma de enfrentar o problema e distender o ambiente. Além disso, do ponto de vista econômico poderia ser um bom negócio. A empreiteira conhecia bem o terreno; já construíra uma estrada na área e saberia transferir a experiência para o projeto de colonização.

O jornalista Lúcio Flávio Pinto, referência de todos que buscam se informar sobre a Amazônia, sustenta outra visão: o Projeto Tucumã teria sido um biombo criado pela Andrade Gutierrez para poder extrair madeira das ricas florestas da região. "Talvez eu mesma tenha sugerido isso a ele [Lúcio]", diz Lian Andrade, "mas é apenas uma hipótese, não tenho nenhuma evidência disso. Acontece que, com aquela mentalidade de quem fazia hidrelétrica, eles começaram a construir muita estrada, mais de quinhentos quilômetros recortando todo o projeto — o que, aliás, foi um erro —, e talvez, nesse processo, tenham se dado conta de que havia muito mogno ali. O interesse pode ter surgido aos poucos."

Ou, quem sabe, tenha surgido da necessidade de impor ordem à desordem. Relatos do período indicam que, desde 1979, serrarias vinham incentivando a invasão de Tucumã com a finalidade de explorar as grandes reservas de mogno da região. A empresa colonizadora recorrera à Polícia Federal (PF) para expulsar os invasores, mas, numa dinâmica que marcaria a vida do projeto, os expulsos logo voltavam. Talvez para pôr fim a esse interminável jogo de gato e rato, talvez por perceber que Tucumã reunia uma das maiores concentrações de mogno da Amazônia, por dois anos a Consag assumiu sozinha a exploração da atividade madeireira. Organizada a confusão, logo passou a concessão para uma das grandes madeireiras da época, empresa integrante do grupo que, poucos anos antes, patrocinara a invasão do projeto. Sinal de que, na Amazônia, as fronteiras são fluidas. Se a Andrade Gutierrez lucrou muito ou pouco com tais movimentos é uma questão em aberto.

Parte dessas histórias ainda circula pela cidade de Tucumã. Velhos colonos oferecem suas versões e contraversões. O que ninguém contesta é o empenho de Lian Andrade e Manoel Costa para que o projeto fosse executado segundo as coordenadas sociais traçadas por eles. Todos os que viram Tucumã nascer atribuem ao casal a inspiração do projeto. "Eles foram os idealizadores", diz o advogado Montenegro Jorge. Muitos se lembram das visitas que fizeram para acompanhar o andamento das obras. Eram acessíveis e bons ouvintes. O elemento ideológico — a ideia de uma comunidade igualitária de pequenos agricultores, nascida das afinidades partidárias de dois militantes de esquerda — foi um vetor da criação de Tucumã tão determinante quanto a motivação política e econômica.

A *company town* que surgia no meio da selva teria o formato de uma borboleta. Era o que determinava o projeto urbanístico escolhido pela empresa colonizadora, que, segundo Montenegro Jorge, fora buscá-lo entre as propostas finalistas para a construção de Brasília. Em ruas planejadas, as residências seguiriam padrões arquitetônicos específicos — seriam todas de madeira, por exemplo —, formando um conjunto harmonioso.

Em 29 de agosto de 1981, data que ele não esquece, Valdir Rostirolla chegou a Tucumã. Tinha trinta anos e levara três dias e três noites para vir de sua cidade natal, Getúlio Vargas, no Rio Grande do Sul, até o empreendimento que o atraíra para o sudeste do Pará. Era o mesmo impulso dos milhares de colonos pobres de todo o país, que desde a década de 1960 haviam tomado igual rumo. "Terra lá no Sul é cara. Quem não tem condições vem pro Norte." Não conhecia nada da Amazônia. "Vim pra cá aventurando."

A promessa de Tucumã era grande: um projeto de colonização dirigido a gente modesta como ele, guiado por princípios de justiça social caros a seus dois idealizadores e implementado por uma empresa de reconhecida capacidade de gestão — embora sem experiência em execuções dessa natureza.

Essa foi a utopia que levou Valdir Rostirolla ao Pará. Seu pouso na primeira noite em Tucumã foi a sala de reuniões da Andrade Gutierrez. Desde o início, a empresa visou a colonos sulistas como ele, contratando corretores para circular pelas cidades do Sul do Brasil e promover o slogan "Vida nova no sul do Pará".

A empresa sabia que nem todas as pobrezas eram iguais no país. Pequenos agricultores do Rio Grande do Sul, de Santa Catarina ou de São Paulo podiam vender os respectivos palmos de chão e, com o dinheiro, comprar lotes bem maiores no Norte. Era um luxo inacessível aos paraenses. O custo de erguer Tucumã no meio da floresta precisava ser repassado, e o colono do Sul tinha duas coisas a oferecer: tradição agrícola e algum capital para investir.

"Claro que nós gostaríamos que o projeto fosse ocupado por colonos da região, mas quem iria financiar?", explica Lian Andrade. Àquela altura, abril de 1980, as tensões entre a empreiteira e o casal começavam a se acirrar. Fazia cinco anos que Manoel Costa vinha se dedicando ao projeto: encontrara a gleba que a Andrade Gutierrez ganhara em concessão, redigira os três volumes com a

descrição minuciosa de como os colonos ocupariam aquelas terras. Lian conta que foi "o melhor projeto de reforma agrária apresentado até então", segundo o Instituto de Colonização e Reforma Agrária (Incra), autarquia federal responsável por realizar a reforma agrária e administrar as terras públicas da União. Chegada a hora de implementá-lo, o casal encontrou resistências do corpo técnico da construtora. "'Nessa empresa não se aceita que projetos sejam dirigidos por não engenheiros', esse era o argumento", conta Andrade. Eram muitas as discordâncias. Ela achava que a cidade de Tucumã devia ser construída no centro da gleba para que seus serviços pudessem ser acessados com mais facilidade pelos futuros assentados; os engenheiros escolheram instalá-la na borda da propriedade, à beira da futura PA-279. Como também eram responsáveis pela construção dessa rodovia, economizariam assim os custos de um segundo barracão de obras — uma estrutura única serviria aos operários da vila e da estrada. Lian queria Tucumã perto de um rio ou um ribeirão para facilitar o acesso à água, aos peixes e ao lazer; os engenheiros argumentavam que havia risco de alagamento em períodos de chuva. "Era só escolher um local não inundável às margens do ribeirão Carapanã, que cortava o projeto quase ao meio", lamenta ela. "Acabaram construindo a cidade num declive, [mesmo] com tanta terra perto." O casal pediu demissão: "Nós não vamos nos subordinar à direção de engenheiros". Voltaram para o Sul, onde se engajaram nos movimentos em prol da redemocratização.

Valdir Rostirolla chegou ao Pará poucos meses depois de Lian Andrade e Manoel Costa deixarem o projeto. Vinha na companhia de outros dezesseis colonos, e o que trazia no bolso bastava apenas para dar entrada no lote. Ocupou a nova propriedade, olhou em torno e viu que tudo era floresta. Pôs-se a trabalhar imediatamente. "Dei sorte", conta, "logo encontrei mogno. Fui dos primeiros a chegar, ocupei o lote antes de a Andrade Gutierrez ter tido tempo de abrir a terra e ficar com as árvores. Cortei os mognos, só com seis deles paguei tudo e ainda sobrou dinheiro. Aí, desmatei." Cortou tudo.

Foi o início da próspera aventura amazônica de Valdir Rostirolla. Tendo limpado seu lote, começou a plantar arroz. "A saca subia dia a dia, milho também, tudo por causa do garimpo. Superfaturei muito", diz, usando um verbo que repetiria com naturalidade durante a conversa.

A Colonizadora Andrade Gutierrez não previa garimpo dentro dos limites de Tucumã. A atividade feria as regras do projeto. Para evitar invasões de madeireiros, grileiros e garimpeiros, a empresa passou a controlar o acesso às suas terras, erguendo para tanto uma barreira física na entrada de Tucumã: duas toras de madeira atravessadas por um correntão, obstáculo que logo ganharia o nome de "*gurita* [corruptela de 'guarita'] da Andrade Gutierrez". Quem vinha pelos trechos em construção da rodovia PA-279 era obrigado a se identificar e, conferidas as boas intenções, ganhava permissão para seguir adiante. O arranjo era pouco usual: uma empresa privada controlava quem podia ou não circular por uma estrada pública. A Andrade Gutierrez alegava que, como havia construído parte da rodovia e até então não recebera do governo, a obra ainda não passara para o domínio público.

Os garimpeiros deram de ombros e simplesmente contornaram a guarita, instalando-se à beira de um igarapé. Ao ocupar seu lote de 28 hectares, Valdir Rostirolla já tinha a quem vender tudo o que produzisse. "Depois do arroz e do milho, começou a correr a história de que a carne de boi estava com hormônio e que se o garimpeiro comesse ia nascer peito. Eles pararam de comer. Eu tinha suíno. Superfaturei suíno."

Enquanto Rostirolla prosperava, técnicos agrícolas da Consag tentavam estimular os colonos a cultivar espécies pesquisadas nos campos experimentais da empresa. O café até aquele momento era um fracasso, já que não fora encontrada nenhuma variedade adaptável à região, o que só aconteceria dali a uns anos. A pimenta, o guaraná e a seringueira também deram com os burros n'água; os colonos sulistas não as conheciam e tinham dificuldade em manejá-las. Produziam pouco e vendiam menos ainda, pois naquele ermo não havia mercado para absorver a safra. O cacau, planta nativa, tampouco deslanchara.

Laudi José Witeck, um dos pioneiros da região, conta que os parentes vinham visitar, viam que a casa não melhorara desde a última visita e decidiam que não era o caso de trocar o Sul pelo Pará. "E aí vem a pobreza", lembra, referindo-se às consequências de lotes vazios, força de trabalho minguada e pouco dinamismo econômico. A saída foi o garimpo. O homem que tinha vindo para cultivar a terra desistia de ser agricultor para se tornar motorista ou mecânico de "espanta-cão", um jipe movido a diesel do qual se arranca parte da lataria para facilitar a entrada na floresta. De pequeno produtor, passava a empregado. "Como o preço do ouro nessa época era bom, o cara ganhava mais puxando óleo do que plantando", explica Witeck. "Então, virou mão de obra do garimpo e esqueceu de ser colono."

A atividade ilegal crescia e gerava mais renda do que as iniciativas previstas no plano de desenvolvimento da Andrade Gutierrez. Segundo Lian, parte dessa atividade era estimulada pelas forças de segurança. Num e-mail em que reconstituiu uma linha do tempo de suas atividades no Pará, ela escreveu: "1981: minha primeira ida a Tucumã, em obras, acampamento; assisto nesse julho helicópteros cheios de soldados e PF para obrigar a empresa AG a liberar o movimento dos garimpeiros". A cena atesta o caráter ambíguo da ação dos agentes estatais na Amazônia daqueles anos. Estavam ora do lado da empresa, ora do lado dos invasores. Operando nas fronteiras do país e distantes dos centros de comando, acabavam por agir segundo as conveniências. Atentos à dinâmica cambiante do poder, prestavam serviço a quem, no momento, detinha a mão mais forte, pois, no drama que se desenrolava em Tucumã, a Andrade Gutierrez não era o único participante com influência política. O garimpo também contava com seus deputados e senadores. Num país que se redemocratizava, havia ali votos a serem cortejados.

Em meados da década de 1980, um dos garimpos no interior do projeto, o do Cuca, só não era mais famoso do que Serra Pelada. O ouro atraiu miseráveis de todo o país, que começaram a se aglomerar do lado de fora da guarita da Andrade Gutierrez. "Eram três quilômetros de barracas a partir da guarita", lembra Montenegro Jorge. Uma população formada por nordestinos pobres, paraenses sem recursos, gente que não podia passar para dentro por falta de dinheiro. Por exigência dos órgãos fundiários, a empreiteira separara 10% dos lotes para distribuir sem custo aos colonos mais pobres. A promessa de terra gratuita, aliada à chance de enriquecimento no garimpo, fez com que um ajuntamento de barracas surgisse espontaneamente às portas do Projeto Tucumã. Forjado pela anarquia e pela informalidade, esse acampamento logo ganhou o nome de Gurita, ou Guritaí, em alusão à barreira da Andrade Gutierrez. Anos depois, passaria a se chamar Ourilândia do Norte — "porque nasceu do ouro e da lama", segundo testemunhos do período.

"Quem ficou de fora da corrente era paraense, maranhense", diz Witeck. "Muita gente de Goiás também", lembra Lian. "Quase todas as prostitutas eram goianas" — um dos prostíbulos se chamava Recanto das Goianas. "Elas vinham de Goiás de táxi", conta ela. "Já chegavam com uma dívida grande com o dono do puteiro, uma situação que só piorava porque agora tinham que pagar quarto, comida etc. O sonho era conseguir um garimpeiro bamburrado [alguém que deu a sorte de encontrar ouro] para pagar a dívida e sair da vida de puta." Naturalmente excluída de Tucumã, foi essa multidão que fez Ourilândia. Desse povoado nascido do improviso, Witeck tem uma lembrança vívida: "Cabarés de um lado da rua e farmácias do outro". Ele ri. "Tinha 1200 raparigas aqui. Era tudo rancho de palha de babaçu, e, em Tucumã, casa boa. Elitizado. Quem quisesse fazer comércio lá passava por uma sabatina, eles avaliavam se tinha perfil para aquele tipo de investimento. Do lado de cá, não, bastava botar uma folha de babaçu por cima de uma lona preta e começar a vender."

"Tucumã só tinha três mulheres", conta Valdir Rostirolla: "a Inezita do açougue, a Rosilena da Emater [Empresa de Assistência Técnica e Extensão Rural] e a Benvinda da subprefeitura. Pra namorar, o pessoal da Andrade Gutierrez tinha que ir pra Ourilândia."

Havia ali dois mundos. O primeiro, concebido por engenheiros, fora imposto de cima para baixo, era organizado e pouco vital; o segundo, nascido do tumulto e da necessidade, era anárquico e pulsante. A separá-los, a guarita, que até hoje ocupa papel central na história de origem dos dois ajuntamentos. É o símbolo da segregação, a cunha entre a "cidade de rico" e a "cidade de pobre", expressões da época. Num livro de 2008 sobre a história de Ourilândia, os autores Antonio Ronaldo Alencar e William Gaia Farias reproduzem o depoimento oral de um dos excluídos de Tucumã: "Essa corrente foi colocada ali com a finalidade de os garimpeiros e das pessoas que não tinham condição nenhuma não habitarem em Tucumã, que era um projeto realmente de 'elites', elite trazida principalmente do Rio Grande do Sul, os agricultores que viriam de lá eram agricultores abastados, mais ou menos em condições de fazer aqui um projeto de grande estrutura. Para isso eles não queriam absolutamente nem garimpeiro e nem prostituta lá e aí nós ficamos do lado de cá, e começamos o movimento para começar abrir as nossas primeiras ruas, e eles continuavam ali com guardas e a corrente".

"Eles construíram uma cidade como se fosse uma hidrelétrica. Ninguém que não fosse da empresa podia entrar. Era artificial", conta Lian Andrade. "Ninguém entrava em Tucumã se não tivesse contrato de compra e venda", lembra Rostirolla, "os seguranças na guarita, com a ajuda da Polícia Federal, não deixavam." Agentes a serviço da empresa frequentemente adotavam procedimentos ilegais. Alencar e Farias contam que "entre 1981 e 1982 Ourilândia não tinha delegacia de polícia, portanto as pessoas eram detidas na guarita da Consag e aprisionadas nos troncos que sustentavam a corrente. O casal conhecido por Chicão e Mariza, donos de prostíbulo, foram presos no tronco da castanheira da corrente porque estavam comprando ouro clandestinamente".

Apesar da ação da Consag, as fronteiras de Tucumã eram constantemente vencidas. O mecânico industrial catarinense João Roberto da Silva viera do Sul com a intenção de fabricar os martelos empregados no garimpo para quebrar pedras. Como tantos outros que não tinham permissão para entrar, imprensou-se do lado de fora da guarita. Empreendedor, logo encontrou um jeito de contornar o problema: "A gente passava por cima, de avião". Silva fretava um monomotor, saltava a barreira e pousava numa das muitas pistas clandestinas que começavam a se espalhar por Tucumã. Seus clientes do garimpo Babaçu, à beira do rio Maria, nunca deixaram de trabalhar por falta de martelo.

Amazônidas e nordestinos continuavam a ser preteridos pela empresa colonizadora. Schmink e Wood mostram que "empresários locais foram rejeitados em favor de sulistas convidados pela companhia para administrar o hospital, o hotel e outros negócios. Empresários de Xinguara, Rio Maria e Redenção [municípios paraenses] foram convidados a se mudar para [o projeto], porém muitos não conseguiram bancar o alto custo de um lote em Tucumã e mais as taxas de licenciamento cobradas pela empresa".

Os problemas se acumulavam, e Lian ouviu do pai que a Andrade Gutierrez pensava em desistir de Tucumã e devolver as terras ao Exército. Era novembro de 1982, fazia menos de dois anos que ela voltara do Pará para Belo Horizonte. Omitindo do pai que estava grávida — sua segunda filha nasceria no ano seguinte, na capital mineira —, perguntou: "Deixa eu tentar salvar?". Era uma última tentativa, um compromisso moral com amigos seus de militância, "médicos humanitários" que haviam se mudado para Tucumã acreditando no experimento social concebido pelo casal. "Como é que trouxeram a gente pra cá e agora nos deixam?", questionavam.

Sua segunda temporada paraense duraria quase dois anos, um período difícil que implicaria separar-se fisicamente do marido — Manoel Costa se elegera deputado federal pelo PMDB de Minas Gerais no mesmo mês em que ela ia para o Pará. (A separação definitiva se daria em 1985.) De volta a Tucumã, Lian Andrade agora assumia o cargo de coordenadora do projeto, com autonomia para tomar decisões administrativas. "Assim que cheguei, soube que no garimpo do Cuca torturavam prostituta, elas eram obrigadas a se ajoelhar no milho. Minha primeira medida foi acabar com isso", conta. "A segunda foi proibir a Polícia Federal de entrar armada no restaurante coletivo, e a terceira foi criar um bairro para oferecer lotes de graça para o pessoal do lado de fora da guarita." A quarta medida foi fechar a serraria — segundo ela, havia uma só. "Ninguém tira mais uma tora daqui", ordenou.

Foram quinze meses de embates com garimpeiros e madeireiros ilegais, comerciantes que se recusavam a pagar pela energia que o projeto lhes fornecia, policiais que aterrorizavam qualquer um sem vínculo com a empresa colonizadora. Por fim, em março de 1984, certa de ter evitado que a empreiteira entregasse Tucumã ao Exército, Lian Andrade deixou o projeto em definitivo.

Por volta de 1985, a Colonizadora Andrade Gutierrez começou a virar o jogo da produção. Os técnicos agrícolas da empresa haviam aprendido com os insucessos iniciais e agora já compreendiam melhor as características regionais do solo e do clima. Segundo Schmink e Wood, a produtividade de certas variedades de café foi tão alta que superou em três vezes a média nacional por hectare. Cacau, pimenta-do-reino, seringueira e diversas frutas também apresentaram resultados promissores.

Era tarde. Um ano antes, espremida às portas do projeto, a população de Ourilândia já triplicara em relação à de Tucumã.

Dez mil pessoas de um lado, 3 mil do outro. Lá dentro, "a prestação de serviços ao garimpo era a maior fonte de renda dos comerciantes, advogados e médicos, e o ouro em si funcionava como uma espécie de moeda informal", escrevem Schmink e Wood.

Nilva Batista dos Santos Buratto chegou a Ourilândia com o marido em 1983. Os dois abriram um posto de gasolina do lado de fora da guarita e, pouco tempo depois, foram autorizados pela Consag a inaugurar um segundo posto dentro de Tucumã. "O de Ourilândia dava mais dinheiro por causa do garimpo", ela conta. A essa altura, Valdir Rostirolla já era uma liderança entre os colonos. Também em 1983, fundara a cooperativa de produtores locais e era chamado por todos de Marechal. A multidão que ia crescendo diante da corrente estava interessada em garimpo, terra fértil e madeira — ambições que estimulavam o comércio e favoreciam o escoamento da produção agrícola. Rostirolla-Marechal explorou cada uma dessas oportunidades. "Lá dentro não tinha gente nem pra dividir os mosquitos", conta, referindo-se a Tucumã. Já Ourilândia era um enxame, uma humanidade a ser alimentada, vestida, alojada.

O garimpo, do qual Marechal cobrava comissão, deixava para trás, nas barrancas roídas dos rios, uma paisagem lunar de rejeitos. Atilado, ele descobriu que os resíduos da devastação também eram mercadoria. "Por catorze anos vivi desse refugo. Vendia como material pra construção civil — areia fina, cascalho, saibro, brita e pedra bruta pra fundação." Também ali superfaturou muito. "E dei sorte de os garimpeiros invadirem a minha terra: eles descobriram ouro", explica, numa boa síntese do processo de ocupação da Amazônia, no qual a ordem atrapalha e a desordem facilita.

Com a desordem, veio a violência. Num texto de reminiscências sobre o tempo em que morou em Tucumã, para onde se mudara em 1983 estimulado pelo caráter social do projeto de sua amiga Lian Andrade, o economista Ricardo Gazel conta que os funcionários do hospital local faziam apostas sobre as mortes da semana: "quantas à bala, quantas à faca". Amigos das vítimas contratavam prostitutas para chorar ao lado do caixão, alguém "batia a chapa" e a fotografia era enviada para as famílias distantes, como prova de que o defunto "foi chorado, como é devido".

A Consag estava perdendo o controle da situação. Pelo menos 15 mil ilegais já operavam dentro de Tucumã, e não só garimpeiros, mas também madeireiros e grileiros. Rostirolla-Marechal percebeu que a empresa não era mais uma parceira de negócios; ao contrário, ela se tornara um obstáculo à sua prosperidade.

Para lá da guarita, grupos apoiados por uma ampla gama de políticos — de comunistas a fisiológicos ligados ao governador Jader Barbalho — começavam a se organizar para invadir a cidade. Lá dentro, Marechal passou a incentivá-los. Parecia absurdo: se ele pagara para ter um lote, por que queria que outros entrassem ilegalmente no projeto e ocupassem de graça terras que só tenderiam a se desvalorizar com a ação? "Não me arrependo", afirma. Marechal calculava que, se a invasão fosse bem-sucedida, o projeto fracassaria de vez e todos os protocolos restritivos da empreiteira desapareceriam instantaneamente.

A debacle veio em maio de 1985. Como relatam Schmink e Wood, o órgão fundiário convocou uma reunião com líderes comunitários em Ourilândia para estabelecer os critérios de distribuição de lotes gratuitos, tal como previsto na proposta da Consag. Uma multidão se aglomerou no pátio em frente ao posto governamental.

A tensão já ia alta quando alguém avistou ao longe um conhecido segurança da guarita, Alberto José Serra Luz. Conhecido como Serra, era truculento e odiado pelos moradores de Ourilândia. Quatro anos antes, expulsara com violência garimpeiros que operavam dentro de Tucumã; mais recentemente, junto com outros seguranças da companhia, humilhara um grupo de pessoas suspeitas de invadir a cidade. No livro de Alencar e Farias, a cena é relembrada por um colono: "O Serra, mais uns dois companheiros dele, pegaram uns crentes lá na corrente [do Picadão], e fizeram os crentes tirar a calça e dançar, dançaram um carimbó, porque eles atiraram no pé do cara, o cara pulava pra cima e eles ficavam achando graça e atirando nos pés dos coitados, até que chegou o ponto de mandar eles embora, não bateram neles, mas fizeram essa sacanagem toda, crente não gosta de tirar a roupa, foi muita humilhação".

O segurança devia saber do risco que corria ao aparecer sozinho num encontro que reunia centenas de excluídos de Tucumã. Ainda assim, foi. Queria conferir o tamanho da aglomeração e, eventualmente, fixar o rosto de alguns participantes. Alguém soltou um grito — "Ó o cara lá!" — e a turba se precipitou na direção dele.

Protegido por funcionários da colonizadora, Serra correu para dentro do posto e se trancou numa das salas. A multidão invadiu o prédio, arrebentou a porta e avançou sobre o segurança. "Pedrada, paulada", conta Laudi José Witeck, que não estava lá na hora, mas ouviu a história de fonte primária. "No final, um soldado da PM tirou um revolverzinho .38 'canela seca' do cinto, passou pra um dos linchadores e o cara deu o tiro de misericórdia."

É uma versão. Alencar e Farias registram outra: "Mais de quinhentas pessoas que cercavam o prédio gritavam palavras de ordem incitando os populares presentes: 'vamos pegar', 'vamos tocar fogo' etc. Nesse momento, o Serra saiu armado com a faca e desesperado investiu contra a multidão, mas foi atingido por pedradas, socos e pauladas de todos os lados. Serra ainda tentou correr, mas só conseguiu cruzar a avenida das Nações [...] e sucumbiu". "Ele quis ser valente, esfaqueou um colono e o pessoal matou ele à mão, jogando pau e pedra", contou um dos linchadores a Alencar e Farias.

A tiro ou a paulada, na rua ou na sede do órgão fundiário, para todos os efeitos acabava ali a aventura de colonização social da Andrade Gutierrez.

"Surgiram cinco frentes de invasão", relembrou Anivaldo Julião de Lima, conhecido como Savanas, então vereador de Tucumã pelo Partido Verde (PV) e dono da retransmissora local da Record. Ele contava, em outubro de 2019, sobre os últimos meses do projeto de colonização: "Lá em Brasília, o Alfredo Moreira, advogado da Andrade, falou assim: 'Então deixa invadir'. A empresa passou a levar as forças políticas da cidade pra Brasília, hospedava todo mundo no Hotel das Nações e pedia que eles pressionassem o Estado a aceitar o distrato". Sem energia ou capacidade para enfrentar a anarquia social que se instalara em Tucumã, a empreiteira jogara a toalha. Agora, queria ser indenizada pelo Estado e deixar o negócio.

Em setembro de 1985, iniciaram-se as negociações sobre o valor da indenização. "Numa carta ao ministro da Reforma e do Desenvolvimento Agrário", escrevem Schmink e Wood, "o Getat [Grupo Executivo das Terras do Araguaia-Tocantins, órgão fundiário ligado ao Conselho de Segurança Nacional] concluiu que a Consag tinha cumprido inteiramente com suas obrigações contratuais" e recomendava que os contratos de venda das glebas de Tucumã fossem rescindidos e que a empresa fosse reembolsada pelos gastos.

Seriam necessários mais três anos para que as partes chegassem a um acordo, período em que Tucumã ficou à mercê da própria sorte. Segundo Schmink e Wood, "a empresa continuou custeando os serviços de água e eletricidade, mas retirou a maioria de seus empregados por questão de segurança. As autoridades federais e estaduais também deixaram a comunidade abandonada". O resultado foi um acirramento dos conflitos de terra na região. Em junho de 1986, cerca de 5 mil famílias invadiram Tucumã de novo. Os proprietários reagiram com fúria. "Quando o número de mortes chegou a cem pessoas, a Comissão Pastoral da Terra e os sindicatos dos trabalhadores rurais passaram a referir--se a Tucumã como o mais recente 'barril de pólvora' na longa lista de lugares violentos do sul do Pará", escrevem Schmink e Wood.

Por fim, em setembro de 1988, o governo autorizou o pagamento de cerca de 20 milhões de dólares à Colonizadora Andrade Gutierrez, que, em contrapartida, abria mão de todos os direitos que tinha sobre Tucumã e transferia seus ativos para o governo municipal. "Quando os novos funcionários locais eleitos em 1988 assumiram a administração do recém-criado município", concluem os dois pesquisadores norte-americanos, "herdaram uma infraestrutura física que ultrapassava de longe tudo o que havia nas cidades surgidas espontaneamente ao longo da fronteira do sul do Pará."

Laudi José Witeck é uma das testemunhas do ocaso da Tucumã planejada pela Andrade Gutierrez. Chegou logo no início, conheceu Lian Andrade — "Mas só de cumprimentar, né? O pessoal gostava dela, ela andava no meio do povo". O projeto degringolou diante de seus olhos. "Pra mim, o maior erro da empresa foi trazer só colonos gaúchos", diz, empregando o gentílico como coletivo para migrantes oriundos da região Sul, como ele. "O gaúcho não tem experiência com mato. Ele é de trator, e aqui no começo só tinha floresta." O impulso do colono era adequar a paisagem às suas competências e habilitá-la a ser trabalhada com os instrumentos conhecidos. Tratores exigem pampas, cerrados, terra limpa e destocada. Puseram-se logo a construir essas novas vistas.

Outro erro, segundo Witeck, foi o excesso. "Fizeram infraestrutura demais, muita casa, muita estrada, abriram muita picada. Custo demais pra venda de menos." Não havia pequeno agricultor para pagar por aquilo tudo, só desesperados na corrente querendo entrar. "A Andrade Gutierrez não era uma empresa colonizadora experiente. Quando começaram as invasões eles perderam o foco, e em vez de persistir preferiram ser indenizados."

Houve um desencontro geral. Os colonos que a empresa atraíra desconheciam o mundo natural de Tucumã e não se interessavam por ele; por sua vez, a empresa colonizadora não compreendia o funcionamento social do lugar. Dadas essas ignorâncias fundamentais, o plano não vingou. Venceu o improviso, coisa que, na Amazônia, acaba por se tornar um plano — o dos mais astuciosos, o dos que se adaptam melhor, o dos que aproveitam a oportunidade.

Lian Andrade não testemunhou de perto o ocaso do projeto. Era dolorosa a distância entre o que havia sido pensado e o que se realizou. "O que eu sei é que durante anos tive pesadelos com Tucumã. Me sentia responsável, e como eu fugi da raia... E pra me consolar eu me dizia que esse tinha sido o maior projeto de reforma agrária do governo Sarney, 3 mil assentados. E que tentei ir lá salvar do Exército, e ao menos isso eu consegui. O projeto também criou uma faixa de segurança para a área dos xikrins e dos kayapós, o que os protegeu um pouco da invasão. Assim eu me consolava. E perante minha família, como eles conseguiram indenização, também fiquei tranquila por não me sentir tendo levado a empresa ao prejuízo, embora a decisão de gastar muito tivesse sido deles. Eu era contra." Meses depois de dar esse depoimento, Andrade fez questão de acrescentar por escrito: "O que mais senti além da destruição da mata e dos rios pelo garimpo foi o desmatamento quase total, o pasto. Nunca imaginamos que faríamos algo de sonho, na minha cabeça era apenas uma tentativa na linha do 'quem pode muito pode pouco', um lema do Pomar. A desilusão veio de não alcançar nem 10% do pouco". Ela voltou à região mais de vinte anos depois, em 2006, acompanhada pela filha Petra: "Visita rápida e triste".

O município de Tucumã foi criado em 10 de maio de 1988. Seu primeiro hino é uma peça importante para compreender a formação das cidades na fronteira da Amazônia. Seus versos ao mesmo tempo celebram a epopeia das origens — "É fruta/ É terra/ É chão/ Caminho de muita esperança/ De luta/ De ouro/ Muita gente buscando/ Um novo torrão" — e traem a hipocrisia cívica que caracterizou, e caracteriza, a tomada da floresta, ao festejar retoricamente o que a prática destrói:

Tradições e costumes diversos
Irmanando povos do Norte e do Sul
Onde as matas ainda são verdes
O ar é puro e saudável
E o céu azul.

O primeiro prefeito de Tucumã, João Roberto da Silva, foi aquele catarinense empreendedor que pulava de avião a guarita da Andrade Gutierrez para que não faltassem martelos no garimpo ilegal. Como de hábito, o que venceu foi a infração, não a regra. Um clássico da Amazônia.

Valdir Rostirolla é hoje um homem que conta sua história com a serenidade de quem sabe que jogou o melhor que pôde com as cartas que recebeu. Veio de quase nada, foi mais bem--sucedido do que muitos e menos do que alguns. Fez-se por si próprio e chega à quadra final da vida respeitado pela comunidade que ajudou a criar. A julgar por suas convicções, o jovem que dormiu no chão da Andrade Gutierrez na sua primeira noite em Tucumã não é essencialmente diferente do senhor que despacha todos os dias num clube da cidade. Foi a floresta que se adaptou ao homem, não o homem à floresta. Aos 69 anos, dedica boa parte do tempo ao Clube dos 50, associação recreativa de Ourilândia que presidiu por catorze anos e da qual hoje é tesoureiro. Pode ser encontrado ali na parte da manhã, inspecionando com seu andar lento as quadras de futebol, a piscina e o salão de festas onde se reúne parte das lideranças locais.

São amplas as instalações do clube, mas não há luxo nem beleza. Ourilândia e Tucumã não conseguiram se livrar da precariedade das respectivas histórias de origem. O improviso está impregnado no arruamento confuso, nas calçadas esburacadas, na poluição visual do comércio, nos loteamentos insalubres e nos prédios mal-acabados que servem ao descanso daqueles que construíram tudo aquilo com trabalho, esforço e astúcia. É o legado de uma elite.

Barba por fazer, boné vermelho da Nike enterrado na cabeça, Rostirolla termina de contar sua história no escritório que ocupa no clube, uma sala pequena tornada ainda menor pela quantidade de coisas que abriga — arquivos de metal, pilhas de documentos amarelecidos pelo tempo, taças de futebol, cpus obsoletas, uma máquina de escrever, restos de um ventilador, frascos de odorizadores e repelentes.

Ele não se arrepende de ter deixado o Sul. "De jeito maneira", diz com sua voz mansa, marcada pela melodia do sotaque gaúcho. "Lá eu ia ser um colonozinho. No máximo, teria uns dez alqueires de chão. Ia manter uma suinocultura, quem sabe uma avicultura, mas não ia passar disso daí." Não se considera um homem rico, mas "um cara que tem um patrimônio bom, em torno de 12 milhões, mais ou menos por aí".

Cria gado, planta cacau e investe em loteamentos. Quando a Andrade Gutierrez desistiu do negócio, não havia mais restrições impedindo os colonos de acumular terras no perímetro do projeto. Marechal comprou logo três lotes e pôs lá a pecuária. Não demorou a mudar de ideia. Por ser próximo dos limites entre Ourilândia e Tucumã, o terreno se valorizou e em 2010 ele decidiu loteá-lo. Batizou o projeto de Residencial Marechal. "São 818 lotes, já vendi cerca de duzentos", conta.

O empreendimento imobiliário fica ao lado de um quartel da PM. Sabendo que o destacamento sofria com o fornecimento irregular de água, Marechal foi até lá levar uma boa notícia: "Aqui é por minha conta: vou furar um poço artesiano e se não der água eu pago por ela igual, porque vocês estão comprando água mineral pra tomar banho e cozinhar". A 160 metros de profundidade, a água jorrou em abundância, "cem litros por hora". Feito o gesto de boa vizinhança, Marechal trouxe à tona o assunto das invasões, fenômeno comum na região que muito o preocupava. Encarando os policiais, perguntou: "E se inventarem de invadir os meus terrenos aqui?". Ele se orgulha da resposta que recebeu: "'Os caras vão apanhar tanto que eu vou ter até dó deles'. Sabe por que falaram assim? É porque eles têm muita gratidão pela minha pessoa".

Em 2018, quando garimpeiros voltaram a entrar em suas terras, Rostirolla foi até lá, negociou e "eles me passaram uma porcentagem de 12%, uns 200 mil reais, tudo assim ligeirinho". É um garimpo diferente daquele que o tirou da pobreza na década de 1980. "Antigamente era manual. Agora virou moderno, com peças todinhas", diz, referindo-se às máquinas pesadas que hoje mastigam com mais eficiência os barrancos e os leitos dos rios. Ferida maior significa mais refugo: "Conseguimos remover bastante material e está tudo estocado. Areia grossa e fina, brita. Eu vou mexer nisso daqui a uns dias". A Amazônia tem sido pródiga com Marechal.

Seu relato é desarmado e sincero. Homem de modos simples, já um pouco alquebrado pelos anos, veste-se modestamente e narra seus feitos sem empáfia ou constrangimento. No mundo em que se lançou, sua história é o que é: não um triunfo retumbante, mas a aventura bem-sucedida de um homem que soube compreender as leis não escritas que desde sempre regem a ocupação da floresta. É possível lucrar mesmo quando a própria terra é invadida e os rios que correm por ela são destruídos. Pode-se viver dessa devastação. E transformar a ruína em espólio.

Tucumã, ao se emancipar, não herdou apenas a infraestrutura construída pela Andrade Gutierrez. O experimento deixara outros legados: ao menos dois rios, o Fresco e o Branco, profundamente afetados pelo garimpo e a caminho da morte biológica; 90% da floresta desmatada, quando o projeto original previa que pelo menos metade da área se destinaria a reservas de mata coletiva; uma economia que, apesar de próspera se comparada à de outros municípios do Pará, depende essencialmente da pecuária e do garimpo predatório; uma barafunda fundiária ainda mais espantosa, considerando que o município nasceu de um projeto de colonização cujo princípio básico era estender a cada colono a propriedade legal da terra. "Só 10% das pessoas aqui têm título", informa o atual prefeito de Tucumã, Adelar Pelegrini, um catarinense de sotaque cantado. "Nunca conseguimos regularizar por causa da invasão e do distrato com a Andrade Gutierrez."

A borboleta do traçado urbanístico original permanece apenas na memória dos pioneiros. Desmanchou-se no processo de ocupação desordenada que caracteriza as cidades brasileiras. Tucumã, a cidade planejada, e Ourilândia, o povoado nascido da carência e da exclusão, são hoje indistinguíveis. Passa-se de uma para a outra sem perceber. "Do projeto inicial, só sobrou a igrejinha católica e uma ou outra casa de madeira", conta Savanas, o vereador do Partido Verde em Tucumã. Sentado ao lado dele, o prefeito Pelegrini se espanta: "Ah, é? Sobrou casa?".

Savanas entra em seu carro e estaciona junto dos remanescentes da cidade que um dia a Andrade Gutierrez começou a construir na selva. O prédio decrépito onde se instalou a primeira Câmara de Vereadores e, depois, a Fundação Nacional do Índio (Funai). O edifício em mau estado do primeiro hotel da cidade. Algumas lindas casas de madeira que no passado sediaram seções da empresa colonizadora ou serviram de moradia para seus funcionários. Sem grades ou muros altos, hoje essas casas abertas para a rua estão rodeadas por construções muradas que afastam qualquer contato; como últimas sobreviventes de um projeto generoso, parecem estender a mão em amizade.

No centro de um descampado, por fim, a capela São José Operário. Inaugurada em 27 de setembro de 1982, foi uma das primeiras edificações de Tucumã. Está muito bem conservada e, na sua tocante modéstia, tão própria ao santo carpinteiro a que foi consagrada, vislumbra-se o sonho desfeito de dois jovens idealistas que imaginaram ser possível, na Amazônia, isolar a ordem da desordem.

3. Sete bois em linha

Em outubro de 2019, uma conferência internacional na Universidade de Princeton, em Nova Jersey, reuniu cientistas, políticos, líderes empresariais, promotores do Ministério Público brasileiro e membros do terceiro setor para discutir o futuro da Amazônia. Numa sala lotada da Escola de Políticas Públicas e Relações Internacionais, os cientistas Stephen Pacala e Elena Shevliakova ocuparam o palco. Ele, professor de ecologia, membro do conselho de ciência e tecnologia do governo Biden e um dos grandes especialistas mundiais em mudanças climáticas; ela, modeladora sênior do Laboratório de Dinâmica de Fluidos Geofísicos (GFDL, na sigla em inglês), um centro avançado de modelagem climática que Princeton divide com o órgão do governo norte-americano responsável pela previsão de intempéries.

Pacala e Shevliakova estavam ali para anunciar em primeira mão os resultados preliminares de um exercício de simulação para responder à seguinte pergunta: o que aconteceria com o mundo se a Amazônia desaparecesse? Mais precisamente, como estaria o clima em 2050 supondo-se dois cenários distintos: com 50%

da Amazônia convertida em área agriculturável ou, ainda mais radical, com toda a floresta tomada pela pecuária e pela agricultura?

Simulações dos efeitos da redução do bioma começaram a ser feitas no Brasil na década de 1990, mas concentradas no clima do país. Já o modelo de Pacala e Shevliakova foi concebido para trabalhar em escala global. Rodado num dos poucos supercomputadores do planeta que processam a quantidade de dados que uma simulação dessa envergadura requer — o mesmo equipamento usado pelo serviço meteorológico norte-americano para prever eventos climáticos extremos, como furacões e tornados —, naquela tarde os pesquisadores mostrariam o que os distúrbios na Amazônia poderiam provocar em cada recanto do planeta — terra firme ou oceanos, planícies ou montanhas, florestas ou desertos — ao longo das três décadas seguintes, hora a hora, desde o próprio dia da conferência até o ano 2050.

Mapas começaram a ser projetados na tela, todos eles portadores de más notícias para o Brasil e para o mundo. Mesmo que se faça um grande esforço global para reduzir a pegada de carbono, o desmate completo da Amazônia põe em risco a viabilidade do planeta. Ocorrerá um aumento acentuado de temperatura no Meio-Oeste norte-americano — aumento significativo, ainda que mais brando na Europa e na Austrália — e um aumento agudo no Ártico, de quase 2°C. Isso levará ao degelo acelerado da calota polar e, muito provavelmente, a uma mudança radical no regime dos ventos. A conversão de toda a floresta para o agronegócio lançará na atmosfera o equivalente a quinze anos de emissão mundial de gases de efeito estufa, considerando o padrão atual de uso de combustíveis fósseis.

A temperatura média global subirá 0,25°C para *além* do aumento de 1,5 a 2,5 graus já previstos pelo Painel Intergovernamental sobre Mudanças Climáticas (IPCC, na sigla em inglês), no cenário otimista em que o planeta faz a sua parte e reduz de maneira drástica a emissão global de carbono. Menos de trinta anos nos separam de 2050. Se o modelo fosse rodado até 2100, veríamos provavelmente um aumento de meio grau acima dos valores estabelecidos pelo IPCC, e *esse meio grau*, nessas circunstâncias, pode ser a diferença entre um mundo com e sem corais — todos eles morreriam, levando embora mais de um terço da vida marinha, cerca de 10% de toda a pesca em países tropicais e o sustento de meio bilhão de pessoas (estima-se, por exemplo, que 25% do trabalho de pesca do mundo esteja relacionado com os recifes).

É preciso considerar também que se trata de uma temperatura *média*, ou seja, ponderada pelas variações em todos os quadrantes do planeta. Ocorre que as pessoas não moram em localidades médias, e o que elas sentem é a temperatura local. Na Amazônia, por exemplo, a eliminação completa da floresta praticamente inviabilizará a vida, já que os termômetros poderão subir até 4,5°C, soma dos aumentos projetados pelo IPCC e pelo modelo de Pacala e Shevliakova. Quase toda a América do Sul será afetada. Só parte da Patagônia e dos Andes se safam.

Na hipótese de que o mundo siga na toada atual e não consiga reduzir a emissão de carbono, o cenário com 50% da Amazônia produz para o Brasil um quadro climático ainda mais desastroso do que o descrito no parágrafo anterior. Partes da região Norte experimentarão um aumento de temperatura semelhante, de 2 a 2,5 graus, que se somarão aos 4 a 5 graus previstos pelo painel das Nações Unidas na hipótese de o planeta seguir emitindo nos padrões atuais. O Centro-Oeste acrescentará 1°C às estimativas do IPCC — ou seja, Cuiabá, Campo Grande ou Sinop poderão ficar até 6 graus mais quentes.

Igualmente catastrófica é a situação das chuvas. Mesmo no cenário luminoso de um mundo que consiga cumprir as metas da

Organização das Nações Unidas (ONU), se a Amazônia se vai, o estado de Goiás, o norte de Mato Grosso, o norte da Bahia e boa parte do Sudeste brasileiro perdem de 0,6 a 1,8 milímetro de chuva *por dia*. No coração da floresta, a queda pode chegar a 2 milímetros, o que corresponde a quase 30% da precipitação anual. Na média brasileira, a redução será de 25% no país. O agronegócio ficará à míngua.

Rios ficarão escassos e os fluxos hídricos se tornarão débeis, o que acarretará o colapso sazonal da geração de energia hidrelétrica, da qual depende boa parte da matriz energética no país.

Shevliakova resumiu as lições do modelo: sem a Amazônia, o mundo terá muita dificuldade em manter-se nas metas do IPCC. O sofrimento maior, contudo, será do Brasil e de seus vizinhos.

Notícias recém-chegadas da Amazônia tornavam esses cálculos ainda mais perturbadores. A região atravessava meses difíceis, marcados por grandes queimadas e aceleração do desmatamento. A imprensa internacional vinha dando destaque à catástrofe ambiental em curso, quase sempre salientando o papel da pecuária na dinâmica de ocupação da floresta. Imagens de satélite atestavam a rápida conversão da mata em pasto — as pastagens representam hoje 75% de toda a área desmatada do bioma Amazônia.

Participantes brasileiros, entretanto, alertaram os colegas estrangeiros sobre as sutilezas desse processo. O gado muitas vezes não passava de artimanha para fazer crer que certa propriedade já tinha dono e que ali se produzia. Desde o início do novo século, disseram, e particularmente nos últimos anos, o desmatamento pouco tinha a ver com atividades produtivas. Sua natureza seria especulativa. Ocupava-se a floresta pública com o intuito de incorporá-la ao patrimônio pessoal — não necessariamente para produzir, mas para vendê-la mais à frente, quando as condições políticas se tornassem favoráveis à regularização do delito fundiário. Enquanto isso não acontecia, sempre era possível — e prudente — marcar posição salpicando uns bois na terra roubada ou mesmo arrendando a propriedade para quem quisesse criar lá o seu gado.

Um mês antes do encontro, um dos palestrantes do evento, o procurador do Ministério Público Federal (MPF) Daniel Azeredo, explicara em Brasília a dinâmica singular do desmatamento no Brasil: "O bandido rouba o banco, a polícia vai lá, prende o bandido e confisca o produto do crime. Idem com os carros: quando o ladrão é preso, o veículo é devolvido ao dono. Roubo de terra é diferente: o cara recebe uma multa e fica com o produto do crime, que é a terra". Não só toma para si o que antes era propriedade dos brasileiros, mas aposta na possibilidade de um dia legalizar o espólio do qual se apropriou criminosamente. As sucessivas anistias promulgadas pelo Estado para perdoar os delitos fundiários do passado são um forte incentivo para que o criminoso do presente acredite que também será beneficiado no futuro. Some-se a isso o fato de que as terras públicas sem destinação na Amazônia Legal obedecem a mais de um regramento temporal — são áreas que não foram delimitadas como Unidade de Conservação (UC), terras quilombolas ou indígenas, mas que pertencem ao poder público, e que representam um terço da região ou três vezes o estado de Minas Gerais. É que 60% dessas terras pertencem aos estados, não à União, e nelas vale o que determina a legislação estadual específica.

Em 2019, por exemplo, Roraima aprovou uma nova Lei de Terras. No texto antigo só era permitido regularizar propriedades ocupadas até 2009; com a nova lei, bastará que o produtor apresente "uma licença de ocupação, produção e ter morada efetiva para ter regularização do lote, independentemente da quantidade de anos que ele vive no local", conforme explicou a deputada estadual à frente da comissão que avaliou a mudança. A maioria dos estados amazônicos não usa o marco temporal como critério de regularização, preferindo o do tempo de permanência no terreno grilado. No Amazonas, quem invade e consegue ficar na terra por cinco anos pode pedir a legalização do imóvel. E é permitido contar o tempo desde o antigo invasor, compondo assim a chamada *cadeia dominial*: um produtor que compre a posse de um imóvel rural invadido e ocupado há três anos conseguirá regularizá-lo daí a dois. Basta comprovar que a cadeia dominial é de cinco anos. Tais incentivos à ocupação de terras que pertencem ao Estado produzem um "desmatamento institucional". A legislação praticamente produz os fenômenos da grilagem e do desmatamento. Florestas públicas não podem ser destinadas à produção, por isso desmatar é tornar possível a titulação.

Mesmo que a regularização leve anos, o invasor logo terá se inserido no mercado, misturando sem muita dificuldade o legal com o ilegal, a madeira boa com a madeira ruim, o gado que pasta em fazendas legítimas com o gado que ocupa áreas griladas. Quando finalmente conseguir o título de propriedade, terá um bem valioso para negociar. "O arcabouço legal e as práticas administrativas o favorecem", resume Azeredo. De fato: "A propriedade privada é sagrada", declarou o presidente Jair Bolsonaro em novembro de 2020, mandando o seu vice retirar de um documento de trabalho a proposta de expropriar imóveis rurais localizados em terras públicas ocupadas criminalmente. Tampouco permitiu o confisco de propriedades nas quais se praticam crimes ambientais. Da janela do gabinete do procurador, cortinas de fumaça subiam do Cerrado, que, àquela altura, também queimava.

"Na Amazônia, crime é investimento", anotou a escritora portuguesa Alexandra Lucas Coelho em seu livro *Vai, Brasil*. Ouvira a frase de um advogado da Comissão Pastoral da Terra: "O cara não paga as multas ambientais e é anistiado. O cara manda matar e não é punido".

Em Princeton, Azeredo deu exemplos: "Quem botou fogo na floresta para ocupar consegue documento oficial. Pede nota fiscal e o governo emite. Consegue Guia de Trânsito Animal, um documento fitossanitário. Consegue Cadastro Ambiental Rural. O Estado é carinhoso com os criminosos". Segundo o procurador, são cometidos anualmente 23 mil crimes de desmatamento na Amazônia; somando-se a tráfico ilegal de animais, biopirataria e extração ilegal de madeira, chega-se a mais de 100 mil crimes ambientais. "Não existe força policial ou MP no mundo capaz de resolver isso", diz. O problema exige ações "estruturais", afirmara na conversa em Brasília: "A solução é rastrear o boi, a madeira, a soja. Já existe tecnologia para isso. Você precisa de 300 milhões de reais para rastrear todo o rebanho brasileiro na Amazônia com brincos e GPS. Avançou para dentro da floresta, o sistema apita. Mas o setor pecuário é contra e não existe vontade política". Uruguai e Austrália, concorrentes diretos do Brasil, além de União Europeia, Canadá, Japão, Coreia do Sul, Botsuana e Namíbia, adotam essa tecnologia e monitoram eletronicamente cem por cento dos rebanhos.

O professor de geociências Michael Oppenheimer, diretor do Centro de Pesquisa de Políticas sobre Energia e Meio Ambiente de Princeton, foi sintético quando o mediador o chamou para comentar o que vinha escutando: "Finalmente compreendi a lógica da ocupação da Amazônia: não é o boi, é a terra". Sempre fora a terra. Era ela que explicava Tucumã e Ourilândia, no Pará, exemplos de experiências que vinham se repetindo na Amazônia desde a década de 1960, quando se iniciou a grande onda migratória do Sul para o Norte do país.

Uma última apresentação em Princeton ressaltaria esse ponto. Ao cabo de dois dias de conversas, o físico teórico Robert Socolow, professor emérito do Centro de Estudos Ambientais da universidade, ocupou o pódio e projetou uma pintura a óleo de 1872, *Progresso americano*, de autoria de John Gast.

Na tela, uma jovem descalça caminha no ar, flutuando, coberta por uma diáfana túnica branca. Inclinada para a frente, avança resolutamente da direita para a esquerda do quadro, do Leste luminoso, onde já amanhece, para o Oeste escuro, onde ainda é noite. Ao redor dela, seguindo-a como quem segue uma estrela guia, vêm os homens brancos, aqueles que civilizarão as extensões de terras brutas até o Pacífico. Trazem consigo as ferramentas do domínio e do progresso: a pá, o arado, o correio, a diligência, a locomotiva a vapor. A jovem, a quem Gast chamou *Progresso*, segura entre os dedos um fio de telégrafo e, como uma tecelã, leva-o de poste em poste, cosendo assim o progresso. O livro escolar que traz na mão direita assinala a chegada da educação. À frente dela, apavorados com o fulgor de sua luz, povos originários e bestas selvagens fogem em direção à noite.

Progresso americano é a mais conhecida representação visual do conceito de destino manifesto, pilar da doutrina expansionista que forneceu o combustível ideológico para o avanço dos colonos em direção ao Oeste. Alcançar o Pacífico, ocupando todas as terras "do mar ao radioso mar", seria não só um direito divino, mas também uma obrigação moral dos novos habitantes da América. A colonização de terras virgens por imigrantes europeus que haviam deixado para trás o peso morto da história, das tradições claustrofóbicas, dos sistemas políticos envelhecidos, significava a possibilidade de "começar o mundo novamente", na frase do revolucionário Thomas Paine.

Olhando a imagem de *Progresso americano*, Robert Socolow disse: "O Oeste americano é o Norte brasileiro".

Sim e não.

Cem anos separam as políticas de ocupação do Oeste norte-americano das ações brasileiras para povoar a Amazônia. Certo, o deslocamento demográfico ocorreu em escala muito diferente — lá, cerca de metade da população acabaria por se fixar no Oeste; aqui, migraram para o Norte algo como 1 milhão de pessoas, nem 1% da população na década de 1980 —, mas, em ambos os casos, contingentes humanos deixaram para trás o pouco que tinham e, estimulados pelos governos, recomeçaram a vida em outro lugar. Nesse sentido, a despeito das singularidades de cada experiência histórica, a analogia de Socolow funciona.

Contudo, é menos que perfeita. Uma de suas falhas diz respeito não tanto a questões políticas, sociológicas ou econômicas, mas à matéria simbólica. Pode-se resumi-la assim: não temos um correlato nacional da tela *Progresso americano*.

A expansão do território norte-americano produziu uma épica que se espalhou mundo afora. Nós a conhecemos muito bem.

É feita de diligências, ferrovias, fortes militares, cavalos, apaches, desertos, pradarias, bisontes, bandidos, John Wayne, carabinas, flechas, xerifes e *saloons*. Uma epopeia que principalmente o cinema — mas não só — ajudou a fixar na imaginação moderna; a música, as artes visuais e a literatura, tanto a popular como a erudita, também contribuíram para essa construção. A paisagem do Oeste se tornou patrimônio comum da nação. É uma geografia que confere pertencimento. A beleza e a escala da topografia se converteram em atributos espirituais que imantaram a identidade nacional. Ser um cidadão dos Estados Unidos da América é saber que aquela paisagem corre dentro de você — ela é sua.

O contraste com o Brasil não poderia ser maior. Onde estão nossas construções simbólicas da Amazônia? Que papel a floresta ocupa na economia mental da nação? As respostas não são boas. Em *Minha formação*, um dos livros essenciais para compreender o pensamento das elites brasileiras, Joaquim Nabuco escreve: "O sentimento em nós é brasileiro, a imaginação europeia. As paisagens todas do Novo Mundo, a floresta amazônica ou os pampas argentinos, não valem para mim um trecho da Via Appia, uma volta da estrada de Salerno a Amalfi, um pedaço do cais do Sena à sombra do velho Louvre. No meio do luxo dos teatros, da moda, da política, somos sempre *squatters* [possuidores], como se estivéssemos ainda derribando a mata virgem". Esse alheamento faz com que tenhamos muito mais lacunas do que ideias potentes sobre o nosso maior patrimônio natural. Não desenvolvemos uma épica amazônica para compartilhar entre nós.

Não se trata, é claro, de nenhuma carência de material. Seja das cosmogonias indígenas, seja da vasta biblioteca formada pelo testemunho de naturalistas, viajantes e escritores sobre a floresta, seja da rica tradição dos pesquisadores das ciências humanas que reinventaram seus campos de saber a partir de estudos na região, de todas essas fontes e de outras mais — da Guerra dos Cabanos, do ciclo da borracha, da construção da Madeira-Mamoré e, mais tarde, da Transamazônica, da colonização das décadas de 1960, 70 e 80 —, teria sido possível extrair os elementos para construir uma Amazônia simbólica que fizesse parte do nosso sentimento comum de povo. Se isso não aconteceu, não parece ter sido por acidente. É mais provável que o modo como escolhemos ocupar a floresta tenha determinado essa ausência de representação. Exercemos uma espécie de colonialismo indiferente, ocupamos sem querer conhecer. É mais fácil destruir o que não está investido de curiosidade ou afeto.

"Numa terra, primeiro vem o bandido, para amansar, depois vem o mocinho", diz o jornalista paraense Lúcio Flávio Pinto a Alexandra Lucas Coelho. "Só que na Amazônia o mocinho nunca chegou. Quinze por cento da Floresta Amazônica já foi destruída" — em 2022, os números se aproximam de 21%. "Nunca o homem derrubou tantas árvores. A Amazônia era a última esperança de uma civilização florestal, e isso está acabando."

Deslocando o terreno de comparação do Oeste norte-americano para o Sul escravocrata, outro tipo de contraste vem à tona. Num ensaio sobre as raízes econômicas do racismo nos Estados Unidos, o sociólogo Matthew Desmond escreveu: "O que fez a economia do algodão prosperar mais no Sul dos Estados Unidos do que em outras partes do mundo com clima e solo igualmente adequados à lavoura foi a disposição incansável da nossa nação para usar de violência em pessoas não brancas e para fazer valer sua vontade sobre estoques aparentemente infinitos de terra e mão de obra. Dada a possibilidade de escolher entre modernidade e barbárie, prosperidade e pobreza, legalidade e crueldade, democracia e totalitarismo, a América escolheu todas as alternativas acima".

O caso brasileiro é outro. Na corrida rumo ao Norte, optamos quase sempre pelo segundo termo dessas dualidades. Destruímos muito em troca de pouco e a um custo imenso. Em relação a indicadores do restante do país, os índices sociais são decisivamente piores na Amazônia Legal, divisão administrativa que engloba nove estados — Amazonas, Pará, Tocantins, Acre, Amapá, Rondônia, Roraima, Mato Grosso e parte do Maranhão —, correspondendo a 58,9% do território nacional.* "Dos municípios com os vinte maiores IDHs do Brasil, nenhum está na Amazônia. Já dentre os vinte com os piores IDHs, quinze estão na região", lembra Marcello Brito, presidente do Conselho Diretor da Associação Brasileira do Agronegócio (Abag).

"Das cem melhores cidades para se investir no Brasil, nenhuma está na Amazônia [um ranking de 2019 inclui cinco cidades da região Norte: Palmas (22ª posição), Araguaína (61ª), Manaus (70ª), Porto Velho (86ª) e Paragominas (99ª)]. Das cem cidades com melhor desenvolvimento social, nenhuma está na Amazônia. Dos estados que mais investem em ciência e tecnologia, o Amazonas aparece em quinto lugar, e isso por causa da Zona Franca de Manaus, que é inteiramente desconectada da economia florestal — os outros estados da região Norte estão no fim da lista. Oitenta e dois por cento dos que vivem na Amazônia não têm acesso a saneamento básico."

Brito é capaz de seguir assim por muito tempo, empilhando estatística em cima de estatística, desenhando o retrato de um

* O conceito de Amazônia Legal existe desde o início da década de 1950. Integram o território regiões com problemas socioeconômicos semelhantes. Seus limites foram alterados várias vezes, na esteira de mudanças na divisão política do país. Hoje ela engloba o território integral de oito estados — Acre, Amapá, Amazonas, Mato Grosso, Pará, Rondônia, Roraima e Tocantins — e parte do estado do Maranhão, compondo uma área que corresponde a 58,9% do território brasileiro. Decorrente de um conceito político, e não de um imperativo geográfico, a Amazônia Legal não se confunde com o bioma Amazônia, o qual se estende por 49% do território brasileiro. Além de abrigar toda a floresta tropical, a Amazônia Legal também abarca 20% do bioma Cerrado e parte do Pantanal mato-grossense.

fracasso nacional: "O terceiro setor falhou ao não apresentar um projeto de desenvolvimento viável, o setor empresarial foi nocivo e o poder público não conseguiu deter a destruição", disse. Lamentou que a região estivesse sendo roubada debaixo dos nossos olhos: "Temos duas Alemanhas de terras devolutas na Amazônia, terras públicas, que pertencem a todos nós, e é nelas que acontece a grilagem, o roubo. Impressionante como a população não se mobiliza. Estão roubando o que é nosso".

A Doutrina de Segurança Nacional (DSN), que até hoje informa o pensamento militar, embasou políticas públicas que, tal como na experiência norte-americana, carrearam milhões de pessoas de áreas já consolidadas do país para territórios de fronteira tidos como vazios e incultos. Foi o caso do Programa de Integração Nacional, lançado pelo regime militar em 1970 com o slogan "Uma terra sem homens para homens sem terra", dístico eloquente na desconsideração das dezenas de milhares de habitantes autóctones da floresta. Como mostra um estudo de 2007 dos pesquisadores Danielle Celentano e Adalberto Veríssimo, "a Amazônia evoluiu de um relativo vazio demográfico em 1960 (apenas 5,4 milhões de habitantes) para 11,2 milhões em 1980, até atingir 22,5 milhões em 2004". (Segundo estimativas do IBGE, hoje eles são 27,7 milhões.)

Gestada durante a Guerra Fria, a DSN ocupa-se da integridade e proteção do espaço nacional, percebido como objeto de incessante cobiça por parte de estrangeiros. Reza a doutrina que os ermos do país são o nosso flanco vulnerável, o calcanhar de aquiles da nossa soberania. Quanto mais vazias de gente forem as nossas terras, mais frágil será a nossa segurança. Não é possível dissociar a DSN de certo pendor paranoico que, à falta de evidências robustas, fabrica inimigos imaginários que mudam com o tempo, apenas para que suas más intenções permaneçam iguais. O pensamento conspiratório é pródigo em atualizá-los a cada reacomodação da ordem mundial. Dos comunistas da Guerra Fria aos globalistas de hoje, do fantasma das nações ricas do Norte, sedentas por recursos naturais, à atual ameaça chinesa, passando sempre pelas ONGs a soldo de corporações multinacionais, parece não haver limite para o número de forasteiros que, movidos por interesses neocoloniais, almejam roubar a Amazônia dos brasileiros. Seria ingenuidade imaginar que uma região de tamanha riqueza estaria imune à disputa econômica. A ironia evidente, contudo, é que o imenso patrimônio natural da Amazônia vem sendo, sim, subtraído aos brasileiros, mas não por agentes do capital internacional. Há uma correspondência quase perfeita entre a destruição da floresta e os fluxos populacionais que se dirigiram para a área. Até 1975, apenas 0,5% do bioma Amazônia havia sido desmatado. Dez anos depois, já eram 5%, índice que salta para 17% em 2007 e chega à estimativa atual de um quinto da floresta. A Amazônia está sumindo no tempo de vida de uma geração, por obra de brasileiros. É uma história de poucas décadas.

"A Doutrina de Segurança Nacional, que é a matriz da nossa geopolítica para a região, é a madrasta intelectual da Amazônia", diz o jornalista Lúcio Flávio Pinto, que dedicou a vida a cobrir a região. O mal, segundo ele, é que a doutrina barra o diálogo com o exterior: "A Amazônia só terá saída em conversa com o mundo. O medo dos estrangeiros é uma falácia".

Durante toda a sua carreira, Pinto, de 72 anos, desagradou aos poderes que tentaram impor seus interesses à Amazônia, fossem mineradoras, empreiteiras, empresas de energia, produtores rurais ou oligarquias políticas. É um homem de aspecto mais frágil do que se suporia, dada a bravura com que sempre exerceu a profissão, ainda mais numa região perigosa como essa. Com seus óculos redondos de intelectual, sua voz baixa e suas belas concordâncias da segunda pessoa do singular, tão típicas do falar pa-

81

raense — "Se tu prestares atenção..." —, ele lembra um professor emérito a quem se recorre para elucidar pontos que seus sucessores mais jovens ainda não dominam inteiramente. A Amazônia é a sua matéria. Do breve encontro que tivemos, sobressaiu nele a dor diante de um Pará continuamente espoliado não por estrangeiros, mas por conterrâneos, numa reprodução, com sinal invertido, do modelo de dominação colonial a que a história nos acostumou — aqui, fugindo à regra, é o Sul que subjuga o Norte, e não o contrário.

"O Pará é o estado que mais sofreu intervenção do governo federal durante a ditadura", diz o ex-governador Simão Jatene. Uma das consequências da mão forte da União sobre o estado foi a progressiva anemia das forças locais. "Não gosto dessa palavrinha, mas paciência, vamos com ela mesmo: *elites*", segue ele. "Pois bem, essa presença federal esmagou todas elas." A submissão dos poderes locais, explicou, podia ser aferida pelos exemplos tão diferentes da Superintendência do Desenvolvimento do Nordeste (Sudene) e da Superintendência do Desenvolvimento da Amazônia (Sudam): "Toda vez que queriam mexer na Sudene, a elite nordestina pulava. Jamais tiveste isso com a Sudam. E por que não? Os movimentos eram opostos. É como eu sempre disse: a Sudene era a presença do Nordeste no Planalto e a Sudam era a pata do governo federal na Amazônia. Durante décadas o superintendente da Sudam foi muito mais importante do que qualquer governador da região, quer dizer: quem dava as cartas era um cara ligado ao governo federal".

Não foram somente as forças políticas que sofreram com esse arranjo. O fato de as decisões mais relevantes sobre o desenvolvimento da região serem tomadas em centros de poder longe dali esmagava também a elite empresarial. "Te dou um exemplo concreto dessa desconexão: durante anos, a sede da Associação dos Empresários da Amazônia ficava em São Paulo!" Enquanto existiu, não se tem notícia de que a entidade tenha transferido o seu escritório — avenida Presidente Juscelino Kubitschek, 1830, Torre 1, São Paulo — para a região Norte.

O jugo federal chegou ao paroxismo com o decreto-lei nº 1164, de 1971. "De uma só tacada, a União federalizava cem quilômetros à direita e à esquerda de toda rodovia federal já existente ou só planejada. Veja que coisa maluca: valia também para estradas *planejadas*", explica Jatene. A medida se aplicava a toda a Amazônia Legal. "Bastava alguém riscar um traço no mapa e dizer: 'Aqui vai passar uma rodovia'. Pronto, duas faixas de cem quilômetros correndo ao lado desse risco imaginário saíam da jurisdição estadual!" Deixavam de pertencer aos paraenses.

O resultado foi a federalização de mais de 70% do patrimônio do Pará. "Ninguém mais sabia o que era de quem. Por onde é que passavam aqueles duzentos quilômetros em volta de uma estrada que podia nem vir a existir?" Estava contratado o caos fundiário que até hoje amaldiçoa o estado. Jatene lembra que, além do Incra, outros quatro órgãos outorgavam títulos de propriedade: Getat, Grupo Executivo para a Região do Baixo Amazonas (Gebam), Instituto de Terras do Pará (Iterpa) e Secretaria do Patrimônio da União (spu). Não havia coordenação entre eles. "Quando o decreto 1164 foi revogado, era impossível saber o que tinha voltado para o estado, o que tinha sido distribuído pela União, o que tinha sido privatizado ou o que ainda era público."

As coisas foram sendo implantadas por quem via a Amazônia apenas como um território vazio e uniforme, por estrangeiros ao lugar. "Até hoje, quando se fala em Amazônia, quase sempre se desconsideram as Amazônias da Amazônia", lamenta Jatene. "Tu tens a Amazônia das estradas e a Amazônia dos rios. Aqui no Pará, se tu quiseres floresta, tu tens. Se tu quiseres campo, tu tens. Se tu quiseres mar, tu tens o mar. Se tu quiseres montanha, tu tens a montanha. E aí veio a migração e tentou apagar toda essa diversidade. Os que chegavam tinham outra relação com o território. Eles queriam homogeneizar a Amazônia. Eu sempre digo: diferença tempera, desigualdade dói, porra! Diferença é ótimo, e foi a diferença que sumiu."

Com raras exceções, os colonos obedeceram ao impulso de transformar em poucas coisas — pasto, boi, soja — o que originalmente eram muitas. Com trabalho, empenho e ajuda do Estado brasileiro, começaram a desbastar a imensa variedade da floresta tropical, simplificando-a.

Luiz Gonzaga tem uma propriedade em Capitão Poço, município a cerca de trezentos quilômetros de Belém. Ali, planta uma árvore das florestas tropicais do Sudeste Asiático — a teca — cuja madeira é empregada na indústria moveleira. Antes ele se dedicava à atividade dominante na região, a pecuária, coisa que "dá pra fazer em qualquer lugar", diz.

Em dezembro de 2004, sobreveio a seca — três anos consecutivos de estiagem — e "a safra da pecuária quebrou". Foi o que fez Gonzaga decidir que não queria mais aquilo. Ou vendia a propriedade e voltava definitivamente para sua cidade natal, Araçatuba, no interior de São Paulo, onde ficara sua mulher, ou dava um novo destino à fazenda. Como gostava do Norte — "Eu trabalhava no Citibank em São Paulo e era muito infeliz" —, resolveu arriscar e virou silvicultor. Escolheu a teca, muito apreciada no exterior, para não depender do mercado doméstico. Quase toda a sua produção é exportada para a Índia.

Os bosques formados por fileiras e mais fileiras da espécie exótica estão a poucas centenas de metros da Floresta Amazônica. A fazenda de 2400 hectares tem cerca de 55% de sua cobertura vegetal preservada, extensão equivalente a 1300 mil campos de futebol. Gonzaga entra na caminhonete e, dez minutos depois, chega a uma área de tecas rente à floresta. O que as separa da selva é apenas a estrada de terra que o levou até lá. O fazendeiro aponta para o bosque, que em breve estará maduro para o corte: "Esse talhão é um dos três mais produtivos do mundo", informa. Em seguida, aponta para a floresta: "Por causa dela". As matas nativas fazem chover e controlam as pragas, tudo ali cresce numa velocidade difícil de ser replicada em outros lugares. A natureza faz um bom trabalho para Luiz Gonzaga.

Na sua época de pecuarista, a floresta era um estorvo. Certo dia, em anos de seca, levou um agrônomo até um pasto. Embora lhe tivessem dito que a área havia sido limpa pouco tempo antes, encontrou-a coberta de mato. Gonzaga se virou para o empregado responsável pelo serviço: "Não roçou?". "Rocei, seu Luiz, mas já sujou de novo", o homem respondeu. Foi quando o agrônomo fez uma observação que Gonzaga nunca esqueceria: "Olha só a energia dessas plantas nativas em relação ao capim. Não tem competição possível". A frase tinha o fulgor de uma revelação. "Mudou tudo", recorda-se Gonzaga. "Foi nessa hora que eu me virei para a floresta." Passaria a ser parceiro da mata, não adversário dela. O gado era um intruso, não cabia ali.

Essa história ilustra parcialmente o que aconteceu depois. Sim, Gonzaga trocou a pecuária — para a qual a floresta constitui um obstáculo — por uma atividade que, em essência, é o oposto: criar e recriar bosques. Contudo, foi buscar do outro lado do mundo a espécie arbórea para plantar. "É porque não tem espécie nativa domesticada, não tem pesquisa", justifica. Grande parte da riqueza botânica da Amazônia ainda é desconhecida. "Não tem Embrapa para a economia florestal", ele diz, referindo-se à Empresa Brasileira de Pesquisa Agropecuária, unidade pública sem a qual o agronegócio brasileiro não seria o que é hoje.

Gonzaga tem razão, ao menos em parte. Por exemplo, a cultura da soja no Brasil resulta de um projeto de Estado. A planta não foi simplesmente trazida das regiões temperadas, de onde é nativa, e depois jogada no solo tropical para ver se crescia. Foram necessários ciência, trabalho e apoio governamental para adaptá--la ao novo clima. No entanto, em aparente contradição com o que afirmou o fazendeiro, existe, sim, uma Embrapa para a floresta: foi criada em 1978 e leva, inclusive, o nome de Embrapa Florestas. É revelador, contudo, que sua sede fique em Colombo, município que não se localiza em nenhum estado amazônico, mas no Paraná, a 1500 quilômetros de distância da primeira mancha de floresta equatorial. A unidade nasceu com a missão de aprimorar a silvicultura brasileira. Leia-se: fornecer subsídios técnicos para fortalecer a indústria madeireira e de papel e celulose. Para tanto, suas equipes se dedicaram a estudar a fundo espécies como o eucalipto e o pinheiro, nenhuma delas amazônica.

O pesquisador Milton Kanashiro se descreve como "um engenheiro florestal que vê as árvores por dentro". Formado em 1978 pela Escola Superior de Agricultura Luiz de Queiroz (Esalq), unidade de excelência da Universidade de São Paulo (USP) para estudos agronômicos, Kanashiro chegou a Belém no ano seguinte. Contratado como pesquisador da Embrapa, vinha para se juntar a um grupo que investigava formas de desenvolver uma economia florestal, ou seja, de gerar riqueza a partir dos produtos da mata. Tratava-se de plantar florestas com espécies nativas e exóticas para a exploração sustentável da madeira. No entanto, diz Kanashiro, "as empresas já procuravam o instituto com o intuito de plantar eucalipto ou pínus [pinheiro]", duas árvores sobejamente estudadas e sobre as quais já existia um vasto cabedal de conhecimento. As pesquisas em torno das nativas não encontravam acolhida e, portanto, não prosperavam. Era uma questão mais cultural do que propriamente econômica, sugere ele, dando como exemplo a castanheira-do-pará, que, embora tenha uma taxa de crescimento equivalente à das espécies exóticas, nunca despertou o interesse da indústria madeireira. O reflorestamento com espécies nativas não vingou.

"Quando a gente fala de negócios consolidados da floresta, para os quais existe uma base de conhecimento sólido e um esforço grande em organizar cadeias de valor, isso só existe em relação a florestas homogêneas, plantadas", explica o engenheiro agrônomo e geneticista Maurício Antônio Lopes, ex-presidente da Embrapa entre 2012 e 2018. É o que se vê na Finlândia, uma potência da indústria florestal. "São paradigmas muito diferentes do que temos aqui. A nossa floresta é muito mais complexa do que a deles, o nosso solo é outro. Não que no Brasil inexista pesquisa relacionada ao manejo florestal, a ciclos hídricos, à biodiversidade. Existe, e muita. O que falta é o lado indutor do Estado."

Kanashiro comanda um portfólio florestal na Embrapa Amazônia Oriental, sediada em Belém. Seu trabalho consiste em estudar processos de recuperação de áreas degradadas e investigar o potencial econômico de florestas naturais e plantadas. "Estou aqui porque o Estado brasileiro investiu em pesquisa florestal", diz. O problema é que o desenvolvimento de uma economia da floresta é imensamente complexo, e o esforço do país nesse campo sofre de dois males: é modesto e recente. Kanashiro comenta: "Quando cheguei a Belém, me dei conta de que nada do que eu conhecia de ecologia das árvores e do modo de reprodução delas me servia aqui. Minhas referências eram pínus e eucalipto. Pínus usa o vento para se reproduzir, eucalipto depende dos insetos. Acontece que nas espécies arbóreas tropicais esses sistemas são muito mais complexos. Veja a araucária, o pinheiro do Sul do Brasil: para se reproduzir, ela precisa do macho e da fêmea, e apenas do vento. Aqui na Amazônia muitas espécies têm outros sistemas de reprodução. Sugerir um programa de manejo sustentável sem saber disso pode causar um desastre" — como um colapso de espécies, capaz de prejudicar dramaticamente a dinâmica populacional de árvores tropicais como a castanheira, o cumaru, o cedro, o jatobá, o pequiá, a maçaranduba, o freijó-cinza.

Estudos mais sistemáticos sobre a ecologia das plantas amazônicas datam dos anos 1990. É quase ontem, por isso ainda estamos muito longe de saber o que a floresta encerra. Estima-se que existam 16 mil espécies de árvores na Amazônia, e alguns pesquisadores chegam a falar em 30 mil. "Sendo otimista, a gente conhece no máximo trezentas espécies", diz Kanashiro. Que chance a mata poderia ter?

As ciências agrônomas no Brasil se desenvolveram *contra* a floresta. É o que ensina a história da nossa agricultura tropical. Tudo começa em 6 de outubro de 1973, data inaugural, segundo Maurício Lopes, do longo processo que levaria o país a ocupar lugar de destaque entre os produtores mundiais de alimentos. Naquele dia do feriado judaico de Yom Kippur, o Egito e a Síria lançaram uma campanha militar contra Israel. Seis dias depois, o presidente norte-americano Richard Nixon providenciou o fornecimento de armas para o aliado agredido. Em resposta, os países árabes anunciaram um embargo petrolífero contra os Estados Unidos, o Japão e alguns países da Europa Ocidental. Em poucos meses, o preço do barril passou de três dólares para doze, um salto de 400%. O mundo entrou em recessão.

Embora o Brasil não tenha sido incluído no rol dos embargados, os efeitos da crise de 1973 por aqui foram devastadores. O país importava 70% do petróleo que consumia, e a explosão dos preços abalou profundamente sua balança comercial. Com escassez de moeda forte, a carestia deu as caras. Para piorar, como o Brasil importava os gêneros alimentícios mais básicos, de súbito se viu em dificuldade para garantir a oferta de alimento à população.

Os jornais publicavam manchetes alarmantes sobre o preço da carne, do trigo e do arroz. "Aquilo foi um trauma", lembra Lopes. "Um país dessa dimensão depender do programa americano que mandava leite em pó para a merenda das nossas escolas."

O florescimento do agronegócio brasileiro nasce de uma decisão de Estado sobre segurança alimentar. O governo imediatamente fortaleceu a Embrapa, criada poucos meses antes, em abril de 1973, assim como centros de pesquisa agronômica em universidades federais espalhadas pelo país. "É preciso reconhecer que os militares fizeram o investimento certo", diz Lopes. "Criaram instituições, mandaram uma carrada de gente para as melhores escolas de agronomia do mundo." O objetivo era adquirir as competências necessárias para modificar em profundidade os padrões da agricultura brasileira. "Sou o resultado disso", afirma Lopes, que se doutorou nos Estados Unidos. "Investimos em cérebros, em gente treinada, em instituições de pesquisa, em assistência técnica." No Brasil da época, o autoritarismo e o pensamento de direita se opunham apenas à democracia, e não à ciência, convocada pelo regime para solucionar um problema estrutural do país.

Três obstáculos precisavam ser vencidos. O primeiro dizia respeito às terras brasileiras. "Os nossos solos são naturalmente muito pobres", explica Lopes. "Isso aqui é velho pra caramba. No Brasil Central, eles ainda são remanescentes do tempo em que os continentes estavam juntos. Aqui não acontece movimento tectônico, os solos foram lavados durante milênios. Todos os nutrientes foram carreados para fora e só ficou o alumínio, que é altamente tóxico; não tem fósforo nem potássio" — dois elementos que, somados ao nitrogênio, formam a base da agricultura moderna. A primeira tarefa foi, então, "aprender a construir a fertilidade do solo".

Em seguida, era necessário adaptar ao clima do Brasil as espécies de maior circulação no comércio mundial de alimentos: milho, soja e arroz, plantas de outras partes do globo. Por razões várias — econômicas (cadeias produtivas e de insumos já estabelecidas), geopolíticas (influência das grandes multinacionais de sementes) e culturais (a condição de país periférico que traz de fora seus modos de vida) —, não houve esforço semelhante para desenvolver espécies nativas. Uma natureza foi trocada por outra.

Por fim, a pesquisa brasileira teve de buscar técnicas de cultivo que protegessem o solo contra a violência das chuvas tropicais. "A gente começou com um modelo de arar todo ano, o que funciona bem em país de clima temperado, com chuva mais amena e mais bem distribuída", explica Lopes. Aqui, o modelo resultava em erosão. O problema foi enfrentado desenvolvendo-se novos métodos de manejar o solo.

Ao cabo de cinco décadas, esse esforço transformou solos pobres e ácidos em terras férteis, tropicalizou lavouras exóticas e adaptou sistemas de produção às circunstâncias locais. "O Estado funcionou como locomotiva limpa-trilhos. Ia na frente e fazia o investimento de alto risco e de mais longo prazo, para que depois o setor privado viesse atrás e botasse os vagões nos trilhos. Os empresários encontraram o caminho livre para fazer as coisas", diz Lopes.

Alcançada a segurança alimentar, criou-se a possibilidade de produzir excedentes e ganhar espaço nos mercados internacionais. Para tanto, o agronegócio pôde contar não só com o conhecimento técnico desenvolvido e financiado pelo Estado, mas também com crédito dos bancos públicos e com o zelo especial dos governantes — em suma, cinquenta anos de interesse público e privado tiraram da mediocridade uma cadeia produtiva que já existia. O país é hoje o maior produtor mundial de soja e lidera o ranking de exportações de açúcar, café e suco de laranja.

Maurício Lopes lamenta que nunca se tenha feito esforço igual para desenvolver uma economia da floresta.

"Ninguém sabia nada de floresta", diz o silvicultor Luiz Gonzaga, como que ecoando o lamento de Lopes. Referia-se especificamente a seu pai, mas a afirmação vale para a maioria dos que tomaram parte na grande migração para o Norte, na segunda metade do século XX. O pai de Gonzaga saiu de São Paulo para o Pará em 1964. Estava atrás de terras para explorar e, como todo mundo na época, nos anos seguintes receberia financiamento do Estado para abrir a floresta — era um homem sem terra atraído, conforme a propaganda oficial, para a terra aparentemente sem homens. O programa, financiado pela Sudam, concedia empréstimos a juros subsidiados a quem desmatasse o bioma com o intuito de ocupá-lo.

"A pessoa vinha até aqui a cavalo, avançando pelos igarapés porque não tinha estrada. Meu pai nos trouxe com ele, éramos meninos pequenos. E só aqui ele se deu conta de que o cavalo ia morrer. Não existia capim no meio da floresta. Durante três dias o cavalo comeu banana." É um relato típico daqueles anos. Centenas de milhares chegaram à Amazônia sem ter noção do que ela era.

Cada migrante trazia dentro de si sua paisagem de origem e, tão logo chegava, arregaçava as mangas e tratava de recriá-la no novo território. As bonitas varandas das fazendas do Pará geralmente dão vista para colinas, pastos e plantações. No alto das colinas, algumas árvores; nas terras planas, a lavoura; nas encostas dos morros, o gado branco. Para o pesquisador e engenheiro agrônomo Adalberto Veríssimo, essas varandas são a realização de um projeto bem-sucedido de metamorfose. Depois de uma vida de trabalho, o colono tem finalmente diante de si o mundo que via quando era jovem: uma natureza organizada, construída, em tudo oposta à desordem inculta da selva.

A BR-163 corta o Brasil de Sul a Norte. Partindo do Rio Grande do Sul, chega a Cuiabá e de lá segue até Santarém, cidade portuária do Pará. Esse último trecho une o Cerrado à Amazônia, ligando as áreas já consolidadas do agronegócio brasileiro no Centro-Oeste às novas fronteiras de expansão do gado bovino e da soja no bioma amazônico.

Tomando a estrada em Santarém e seguindo na direção sul, as janelas de um lado e do outro do carro dão para cenários muito diferentes entre si. À direita, quase ao alcance da mão, o viajante verá correr a Floresta Nacional do Tapajós, Unidade de Conservação criada em 1974 com uma área de 527 mil hectares, equivalente a duas vezes os municípios do Rio de Janeiro e de São Paulo somados. À esquerda, os olhos não encontrarão nenhuma barreira. Campos de soja se alongarão até onde a vista alcançar. A paisagem mudará pouco durante uma hora, e então será outra. Não à direita, onde a floresta seguirá margeando a estrada ainda por duas ou três horas. A grande transformação acontecerá nas janelas da esquerda. A topografia mais acidentada e as condições climáticas menos favoráveis à soja farão com que a lavoura se torne mais rara à medida que o carro avança. Então desaparecerá por completo. O que ocupará o lugar dela é nada.

É preciso descrever a qualidade desse nada. A primeira impressão é de uma vasta extensão de terra abandonada. Aqui e ali surgem algumas benfeitorias características do ambiente rural — um curral, um cocho, um casebre —, mas nenhuma criatura viva que delas se sirva. Algumas dessas construções ou não foram terminadas ou já estão se desfazendo. A impressão é de desistência e falta de vitalidade, como se o lugar não justificasse nem o empenho em criar, nem a tenacidade em manter o que se criou.

Mas seria errado dizer que não existe nada ali. De quando em quando, alguns pontos brancos se destacam contra o solo marrom no qual o sol bate como um punho. São os bois. Parecem poucos para o tamanho da paisagem. Reúnem-se sempre em formações determinadas menos por instinto gregário ou hierarquias sociais do que pela existência de sombras. Se uma castanheira solitária sobreviveu no meio do descampado — a castanheira é uma espécie protegida, requer autorização do Ibama para ser cortada —, então a manada estará debaixo de sua copa. Se um renque de arbustos cresce à beira de um corpo de água, os animais se perfilarão ao longo da vegetação. Em certo ponto da estrada, o tronco de uma árvore morta era a única estrutura vertical à vista. A risca escura que projetava no chão lembrava um relógio de sol. Sete bois faziam fila indiana em cima dessa sombra, o focinho de um no rabo do outro. Olharam com indiferença quando o carro diminuiu a velocidade para observá-los. O essencial era não se mexer. Pareciam uma trupe de equilibristas.

Lideranças do agronegócio e autoridades políticas costumam dizer que o Brasil alimenta o mundo e que, para alimentar o mundo, o Brasil precisa da Amazônia. Mas *disso* certamente não precisa, não dessas terras mortas — o que é um problema, pois aonde os pioneiros chegaram esses baldios não são uma exceção. São a regra.

Dados recentes mostram que o país tem mais de 40 milhões de hectares de vegetação natural em regeneração, o equivalente aos estados de São Paulo e Paraná somados — de um terço a metade disso, só na Amazônia Legal. "O que parece ser uma excelente notícia é, na verdade, uma constatação desoladora", escreveu o engenheiro florestal Tasso Azevedo no jornal *O Globo*, em setembro de 2019. "Mais de 95% desta área não são resultado de um processo virtuoso de restauração. De fato, são áreas degradadas que foram abandonadas." Azevedo lembra que, nos últimos trinta anos, de cada dez hectares de florestas primárias desmatadas na Amazônia Legal, seis viraram pastagens de baixa produtividade, três foram abandonados e apenas um hectare se tornou terra agrícola produtiva ou infraestrutura urbana.

É como se, de dez palavras, só uma fizesse sentido. Como se a frase anterior, de dez palavras, fosse reduzida a uma.

Assim: ,   ,   fizesse   .

Todo esse espaço agora em branco — toda essa floresta, todas as criaturas que nela habitavam, todas as riquezas que escondia —, foi tudo destruído por nada. É um exemplo eloquente de fiasco. "Não faz nenhum sentido", conclui Azevedo.

A margem esquerda da BR-163 não deixa dúvida de que não estamos derrubando a Amazônia para construir a Califórnia. A pecuária extensiva praticada na região é constrangedoramente pouco produtiva. No Pará, cada hectare de pasto é ocupado por apenas um animal, índice que piora ainda mais quando se leva em conta que muitas terras abandonadas serviam à pecuária no passado e hoje, degradadas e inúteis para a produção, não entram nas estatísticas de pastagem do censo agropecuário nacional. Se entrassem, a lotação se aproximaria de meio animal por hectare — um boi solitário a cada dois campos de futebol, índice de uma improdutividade que não encontra paralelo em muitas partes do mundo. O valor bruto por hectare da produção agropecuária no Paraná é nove vezes superior ao que se registra no Pará. Em 2018, o estado sulino produziu 77 bilhões de reais em 12,7 milhões de hectares, enquanto no Norte foi preciso quase o dobro da área — 21 milhões de hectares — para gerar um quinto do valor, 14,4 bilhões de reais. Faz-se muito pouco da floresta derrubada.

No início do século XX, Euclides da Cunha já descrevia certo modo de colonizar a Amazônia em que o pioneiro dá "a tudo quanto pratica, na terra que devasta e desama, um caráter provisório". De fato, não se imagina que a terra triste e empobrecida à beira da rodovia tenha sido amada por quem se apossou dela. Cobiçada, sim; querida, não.

Nos últimos anos, vem-se acelerando a transformação da paisagem à beira da BR-163. Segundo um relatório do Greenpeace e da Rede Xingu+, uma aliança que reúne comunidades tradicionais e organizações da sociedade civil, de janeiro a abril de 2021 o desmatamento no entorno do trecho paraense da estrada aumentou 359% em relação ao mesmo período no ano anterior. Não se respeitam mais nem as Unidades de Conservação. Numa delas, a Reserva Biológica Nascentes da Serra do Cachimbo, o desmate cresceu 558% de um ano para outro. A única razão para ocupar terras protegidas da União é a crença de que o governo vai retirar o estatuto de proteção da área ocupada.

Dias antes da viagem pela BR-163, num evento na Universidade Federal do Oeste do Pará (Ufopa), em Santarém, o padre Edilberto Sena, um franciscano de oitenta anos que dedicou a vida à defesa dos pequenos agricultores da Amazônia, pintara um quadro sombrio da situação do campo: "Vocês me perguntam sobre o futuro do meio rural. Pois eu vou lhes falar do triste futuro do meio rural. Setenta e cinco por cento da população que trabalha no campo não mora mais no meio rural. As periferias incham em Monte Alegre, em Belterra". Em sua fala, as perspectivas do futuro se estreitaram ainda mais: "Então, eis a pergunta: Quando as commodities caírem de preço, com as nossas terras saqueadas, contaminadas, o que sobrará? Os forasteiros vão voltar para o lugar de onde vieram, nós ficaremos aqui. E o que será de nós?".

Monte Alegre e Belterra, dois municípios vizinhos a Santarém. Se os nomes guardassem alguma correspondência com a realidade, a paisagem seria outra, mas a toponímia amazônica, claro, não difere da de tantas partes do Brasil. A admiração pela natureza, o projeto civilizatório, a domesticação gentil e cuidadosa da terra se encerram e se esgotam no ato de batismo, liberando a obra para o descaso. Primavera, Aurora do Pará, Floresta do Araguaia, Eldorado do Carajás, Concórdia do Pará, Água Azul do Norte, Nova Esperança do Piriá: todos esses municípios contam com extensas áreas degradadas nas quais se produz pouco e mal. A incongruência entre a palavra e a coisa é uma medida da nossa derrota, quando não da nossa dissimulação. Um pouco como os animais em risco de extinção que exaltamos nas cédulas do real.

Se, como quer o poeta paraense João de Jesus Paes Loureiro, a natureza pode revelar emoção e conhecimento no observador, se é capaz de provocar em quem a contempla "um sentimento destituído de interesse", "o sentimento gratuito de estar diante de uma coisa que emociona e confere prazer em sua fruição", então a transformação da margem direita da BR-163 em margem esquerda é uma espécie de alquimia que transmuda um "bem humano" em "bem material". É muito difícil se enternecer diante de um pasto arruinado. A natureza agora vale apenas por sua utilidade econômica. Nas palavras de Loureiro: "A beleza é substituída pelo preço". A floresta vira mercadoria, e barata.

Sete horas depois de deixar Santarém, chega-se a Itaituba. Sinais de abandono acompanham o viajante por todo o trajeto de 370 quilômetros que separa as duas cidades. Basta tomar qualquer estrada vicinal para vê-los de perto: pontes inacabadas sobre pequenos igarapés, tubulações interrompidas no meio do nada, barracos em ruínas, cercas derrubadas, mourões apodrecidos, currais tombados, porteiras quebradas. Não há vestígios de permanência, de coisa feita para durar.

Entra-se em Itaituba ladeando um grande conjunto habitacional do programa Minha Casa Minha Vida: centenas de casas dispostas em fila, umas coladas nas outras e todas viradas para o mesmo lado. Lembram uma tropa de soldados em ordem-unida. Afora a monotonia, o que imediatamente chama a atenção é a inexistência de sombra. Não há árvores, apenas concreto, telha, asfalto e poeira. Vistos à distância, os telhados de duas águas vibram no calor da tarde — parecem bater asas, um modo de fugir dali. A Amazônia sem a Amazônia é um lugar irreal.

Com cerca de 100 mil habitantes, Itaituba é uma cidade de garimpeiros. No passado, seu modesto aeroporto foi um dos mais movimentados do país. Alguns registros falam em cem pousos e decolagens por dia, um fluxo contínuo de aviões de pequeno porte carregados de combustível e mantimentos para os garimpos espalhados ao longo do rio Tapajós. Em 2019, a cidade inaugurou um monumento ao garimpeiro — a estátua de um homem de chapéu de palha segurando uma bateia. É a representação romântica de um personagem que já não existe. O garimpeiro de hoje é um assalariado sem direitos, trabalhando em condições insalubres a bordo de máquinas pesadas que exigem capital. De acordo com a ONG Repórter Brasil, "em Itaituba, garimpeiros compram cerca de cem escavadeiras por ano de uma única empresa — cada máquina chega a custar 1 milhão de reais. [...] Estima-se que o faturamento dos garimpos ilegais varie de 3 a 4 bilhões de reais anuais [no país]".

O site da prefeitura informa que Itaituba deve muito à "classe garimpeira que há décadas são [sic] responsáveis pela maior parte da economia do município". Grande parte dessa atividade é ilegal. Eis alguns resultados dessa opção de desenvolvimento: comparando com a média dos municípios da região Norte, Itaituba tem índices piores de desmatamento recente, de violência contra indígenas e de mortalidade por doenças infecciosas. Menos de 2% da população urbana tem acesso à rede de esgoto.

Essas mazelas estão ligadas não à pobreza, mas ao tipo de prosperidade que se buscou ali. Itaituba é um dos principais centros econômicos do oeste paraense, porém a riqueza não se traduz em melhoria do entorno, em conquistas cívicas. O descuido com a arborização de ruas e praças, as calçadas intransitáveis, o desrespeito às regras de trânsito, a inexistência de ordenamento urbano e, principalmente, a incompreensão da cidade em relação à geografia em que está inserida, nada disso destoa do padrão encontrado nos ajuntamentos urbanos mais pobres do Norte. A riqueza, quando existe, é privada, e a devastação, pública. A estátua do garimpeiro foi erguida na única atração turística da cidade, o calçadão que margeia o Tapajós, rio que vem sendo envenenado pela atividade celebrada pelo monumento.

O médico Antonio Marcos Mota Miranda trabalha na seção de Meio Ambiente do Instituto Evandro Chagas, órgão vinculado ao Ministério da Saúde com sede em Ananindeua, Pará. Seu departamento estuda os impactos da degradação ambiental na região amazônica, considerando a saúde pública. Nos últimos dezoito anos, Miranda tem se dedicado a monitorar a presença de mercúrio no organismo de ribeirinhos e garimpeiros do Médio Tapajós, região da qual Itaituba é referência urbana. "O mercúrio é usado pelo garimpo porque ele se junta ao ouro", explica o médico, "se tem ouro a reação é imediata, a molécula de um se gruda à molécula do outro — a gente chama isso de reação covalente." Por ser mais pesado que os demais sedimentos trazidos à tona pelas dragas que mastigam os rios, esse amálgama é facilmente identificado.

A contaminação acontece de dois modos. A primeira, no momento em que se reverte o processo, ou seja, quando o ouro é separado do mercúrio. Isso geralmente acontece no *baixão*, nome dado pelos garimpeiros a seus acampamentos. "'Fazer a queima', é como eles dizem: alguém com um maçarico põe o composto numa bacia metálica e aplica a chama. O mercúrio volta ao estado líquido e evapora, fica o ouro. No processo, o trabalhador inala o vapor do mercúrio metálico. A gente chama essa forma de contaminação de *mercúrio ocupacional*. Todo mundo num raio de cem metros da queima é exposto e se contamina: a mulher que faz a refeição, os garimpeiros dormindo em redes", explica Miranda.

A segunda forma de contaminação é a mais grave. Depois de usado várias vezes, o mercúrio já não pode ser reaproveitado e é jogado nos rios. "É quando ele entra em contato com bactérias metalogênicas. Lá no fundo do rio, acontece uma reação bioquímica que produz um novo composto. O que era mercúrio metálico agora vira metilmercúrio." É a forma mais agressiva e neurotóxica do metal e já provocou calamidades de saúde pública em várias partes do mundo. A intoxicação se dá principalmente por via alimentar. O metilmercúrio será absorvido pelas algas, alimento de peixes não piscívoros, os quais, por sua vez, serão devorados por peixes maiores e assim por diante, numa sucessão alimentar que, a cada nova etapa, concentra mais metal no organismo do consumidor mais recente. Para muitas comunidades ribeirinhas e indígenas, o pescado costuma ser a principal fonte de proteína animal, quando não a única.

Um estudo de 2003 publicado na *Revista Brasileira de Epidemiologia* por pesquisadores do Instituto Evandro Chagas/Fundação Nacional de Saúde (Funasa) constatou teores elevados de mercúrio nas populações ribeirinhas do Tapajós. Em oito localidades às margens do rio, o resultado das análises em peixes verificou que, salvo por um pequeno distrito mais ao norte, as amostras de Itaituba continham as maiores concentrações de mercúrio — mas ainda abaixo do limite máximo estabelecido pela Organização Mundial da Saúde (OMS). Apenas oito anos depois, em 2011, já não era assim. Uma dissertação de mestrado apresentada ao Programa de Pós-Graduação em Neurociências e Biologia Celular da Universidade Federal do Pará (UFPA) verificaria que os peixes comercializados no mercado municipal de Itaituba apresentavam "níveis de metilmercúrio acima do limite preconizado pela OMS". Uma das espécies chegou a ultrapassar "até cinco vezes o limite de tolerância da OMS".

A altíssima neurotoxicidade do metilmercúrio foi identificada em 1956, no Japão, onde provocou o envenenamento maciço de pessoas e animais numa pequena cidade portuária. Os sintomas do chamado mal de Minamata surgiram vinte anos após o início da contaminação provocada por uma fábrica de fertilizantes que despejava o metal na baía que deu nome à cidade. Primeiro, foram os animais: gatos começaram a perder o equilíbrio, corvos e aves marinhas passaram a cair do céu. Logo apareceram as pessoas, trôpegas — "de marcha ebriosa", na expressão do médico Antonio Marcos Mota Miranda —, com danos na visão e na audição, acometidas por surtos psicóticos, vítimas de sérios distúrbios cerebrais. São sintomas duradouros, que podem permanecer até trinta anos depois do último contato com o metal.

O metilmercúrio tem propriedades muito semelhantes às da metionina, um aminoácido responsável por fortalecer o nosso sistema imunológico, dentre outras funções essenciais. Ao entrar no corpo, a molécula do metal é confundida com a do composto orgânico, e ambas são capazes de atravessar a barreira hematoencefálica que protege o sistema nervoso central. Eis a gravidade da contaminação pelo metal. As doenças tropicais que a saúde pública costuma combater e que os pacientes sabem identificar — febre amarela, dengue, malária — não afetam o sistema nervoso central, portanto não causam distúrbios neurológicos. O mercúrio, sim.

Entre 29 de outubro e 9 de novembro de 2019, cientistas da Fundação Oswaldo Cruz (Fiocruz) e de outras sete instituições de pesquisa visitaram o Médio Tapajós para avaliar o impacto da contaminação por mercúrio em habitantes da Terra Indígena Sawré Muybu, situada nos limites administrativos dos municípios de Itaituba e Trairão. Foram entrevistados e avaliados duzentos mundurukus. Era um grupo bastante jovem, com idade média de catorze anos. Um ano depois, os resultados foram publicados em nota técnica. Com base na análise dos peixes piscívoros consumidos por essas comunidades, os pesquisadores estimaram que as doses de ingestão diária de mercúrio pelos participantes foram "de quatro a dezoito vezes maiores que os limites seguros, preconizados pela Agência de Proteção Ambiental norte-americana

[EPA, na sigla em inglês] e de duas a nove vezes maiores do que o limite tolerado pela Organização das Nações Unidas para a Alimentação e a Agricultura (FAO/OMS)". Seis em cada dez participantes apresentaram "níveis de mercúrio acima dos valores de referência", ultrapassando os limites máximos estabelecidos pelas organizações de saúde. Numa única aldeia, a prevalência de contaminação se estendeu a 87,5% da população. O maior nível de mercúrio em todo o grupo foi registrado numa criança de dez anos. Vestígios de mercúrio foram detectados em *todos* os participantes, sem exceção.

Muitos indígenas já mostram algum grau de comprometimento neurológico. Em artigo sobre o impacto do garimpo sobre o povo munduruku publicado na revista *piauí* em maio de 2021, a antropóloga Aparecida Vilaça escreve sobre um professor indígena que se surpreendeu com o alto nível de reprovação escolar nas várias aldeias da região. Constatou então que diversas crianças já apresentavam problemas motores. O mercúrio tem "a capacidade de atravessar duas importantes barreiras: a do córtex cerebral e a da placenta", escreve Vilaça. "De modo que, neste caso, afeta particularmente as mulheres grávidas, podendo causar abortos espontâneos ou doenças neurológicas severas nos bebês. Estudos mostram que cada 1,0 µg de mercúrio encontrado no cabelo de uma mulher grávida compromete 0,18 ponto no cociente de inteligência (QI) de seu bebê." Um dos alunos do professor indígena, um rapaz munduruku de dezessete anos, deixou de frequentar as aulas porque não conseguia mais andar.

O estudo da Fiocruz sobre a contaminação no Médio Tapajós conclui com a advertência de que, caso as autoridades nada façam, "uma geração inteira de pessoas que vive na Amazônia pode ter seu futuro gravemente ameaçado".

O garimpo dos séculos XVII e XVIII ao menos nos deixou Aleijadinho e as cidades barrocas de Minas. O garimpo dos séculos XX e XXI nos deixa Itaituba.

* * *

"Quando eu cheguei, aqui não tinha nada."

A frase acima, ou alguma variação dela, ocorre com frequência nas conversas com pioneiros que colonizaram a Amazônia a partir da década de 1970. As sociedades indígenas espalhadas por todo o bioma, as populações ribeirinhas, as comunidades quilombolas, a infinidade de criaturas da selva, os processos de retroalimentação entre floresta, água e clima — a complexidade de tudo isso se reduz a pouca coisa aos olhos de quem chegou para ocupar e não se preparou para ver. Sendo razoável supor que é mais fácil destruir o que não se enxerga, a cegueira pode ser uma opção desejável. Ver tem uma dimensão ética. Não ver, também. É uma escolha.

O processo histórico de ocupação da Amazônia se caracteriza pela convicção de seus protagonistas de que conquistar é destruir. É o que o colono aprendeu do passado e é o que tentará repetir no presente, a despeito das leis em vigor. Seu constrangimento em transformar radicalmente o bioma será temperado pelo ambiente político do momento; sua cautela em desfazer será calibrada pela maior ou menor disposição das autoridades para coibir suas ações. Destruir muito ou destruir pouco, essa tem sido a escolha, pois o que a história mostra é isto: a floresta não cresce, só diminui.

O hábito do triunfo ameniza a dúvida, dizia Balzac, acrescentando em seguida que o pudor talvez seja uma forma de dúvida. Aplicada à Amazônia, a observação é precisa. A ocupação da floresta vem sendo marcada pela convicção e pelo orgulho, nunca pela hesitação e muito menos pelo pudor. Brasileiros de outros cantos do país sempre avançaram para dentro da mata movidos pela certeza e pela confiança. Alacid Nunes, governador do Pará durante o regime militar, chegava numa frente de desmatamento, subia no tronco de uma árvore caída e anunciava: "Aqui o documento é o machado!". "Era assim que funcionava", lembra um fazendeiro de Paragominas, pioneiro da ocupação do município localizado no sudeste do estado: "Você vinha, abria a terra e a terra era sua".

Os homens a quem a pregação de Nunes se dirigia não tinham como se interessar pela floresta. A história e o governo lhes ensinaram que não havia o que conhecer ali. A ambição que os movia tornava a lição conveniente. Acreditar que a floresta era inútil, improdutiva e desinteressante facilitava a obra — podiam modificar profundamente o novo mundo de que agora se apropriavam sem lidar com o fardo moral da destruição. Parafraseando uma formulação de Michel Foucault citada pelo pensador camaronês Achille Mbembe, a transformação da floresta em terreno baldio é uma forma específica de poder: o de decidir soberanamente o que deve viver e o que deve morrer. Esse é o sentido de "aqui não tinha nada".

Nesse processo, nós, estranhos à floresta, destruímos aquilo que ainda não conseguimos ver — nenhum de nós, nem mesmo os que se dedicam a enxergar: a ciência vem descobrindo uma nova espécie animal ou vegetal na Amazônia a cada dois dias. "O desconhecido e o prodigioso são drogas para a imaginação científica, despertando uma fome insaciável depois de um único bocado", escreve o entomologista Edward O. Wilson. "Esperamos de coração que nunca venhamos a descobrir tudo. Rezamos para que haja sempre um mundo como esse, em cuja fronteira eu estava sentado na escuridão. A floresta pluvial tropical, com sua riqueza, é um dos últimos repositórios na Terra desse sonho imemorial."

Surpreendido na floresta amazônica por uma pancada de chuva que levou todas as criaturas da mata a irromper "numa simulação de vida violenta", Wilson dimensiona o tamanho de sua ignorância: "A respeito das orquídeas desse lugar sabíamos muito pouco. Sobre as moscas e besouros, praticamente nada. Acerca dos fungos, nada. Nada a respeito da maior parte dos organismos. Cinco mil tipos de bactérias podiam ser encontrados numa pitada de solo, e a respeito delas não sabíamos absolutamente nada". Escrevendo essas linhas na última década do século XX, ele se vê na mesma situação dos exploradores portugueses, cujas mentes se deixaram inflamar por aquele "mundo bravio e agreste", "cheio de plantas e animais estranhos e inspiradores de mitos".

Não à toa, Wilson publicou suas observações sobre o mundo amazônico num livro intitulado *Diversidade da vida*. A espantosa variedade de tudo o que vive é a primeira característica de uma floresta tropical; é uma abundância que não cessa de assombrar nem mesmo o pesquisador calejado: "Ali nas proximidades eu sabia que morcegos-de-ferradura voavam em meio à coroa das árvores em busca de frutos, víboras arborícolas enrolavam-se nas raízes de orquídeas, prontas para dar o bote, jaguares caminhavam pelas margens do rio. Em torno deles, oitocentas espécies de árvores, mais que todas as nativas da América do Norte, e mil espécies de borboletas, 6% de toda a fauna do mundo, aguardavam o amanhecer".

Para homens que chegam de fora e não pertencem à floresta, a curiosidade é um divisor — a falta ou a abundância dela, no caso de quem destrói ou de quem quer compreender. "Em todas as culturas, classificação taxonômica significa sobrevivência. O princípio da sabedoria, como dizem os chineses, é chamar as coisas pelo seu nome correto", escreve Wilson. A observação serve como mais um parâmetro do nosso fiasco. Em ritmo cada vez mais acelerado, optamos por extinguir incontáveis formas de vida antes mesmo que possamos nomeá-las.

O processo pelo qual as coisas desaparecem antes de serem conhecidas desafia até mesmo a lógica utilitária. Em seu livro *Revolução das plantas*, o botânico italiano Stefano Mancuso lembra que os princípios ativos dos remédios são, em grande parte, de origem vegetal. Apenas em 2015 foram descobertas 2034 novas espécies de plantas, muitas delas na Amazônia. Quantas podem nos oferecer benefícios? "Mais de 31 mil espécies diferentes [de plantas] têm uso documentado; entre elas, quase 18 mil são utilizadas para fins medicinais, 6 mil para alimentação, 11 mil como fibras têxteis e materiais de construção, 1300 para usos sociais (como em rituais religiosos e como drogas), 1600 como fonte de energia, 4 mil como alimento para animais, 8 mil para propósitos ambientais, 2500 como venenos etc. A conta pode ser feita rapidamente: cerca de um décimo das espécies tem uso imediato para a humanidade."

A Amazônia produz 20% da água doce do planeta. O biólogo Antonio Nobre informa que todos os dias o bioma lança na atmosfera, via transpiração das árvores, uma quantidade maior de água do que a do rio Amazonas. A usina de Itaipu precisaria operar na potência máxima durante 145 anos para conseguir evaporar o mesmo volume de água que a floresta exala em 24 horas. "[Uma só] árvore na Amazônia, com uma copa de 10 a 20 metros, bombeia cerca de 600 a 1000 litros de água por dia para a atmosfera", explica o físico Ricardo Galvão, ex-diretor do Instituto Nacional de Pesquisas Espaciais (Inpe). É chuva que cairá Brasil afora.

Olhar para cima pode ser um aprendizado. Em Cachoeira Porteira, distrito do município de Oriximiná, no norte do Pará, comunidades quilombolas operam pequenas pousadas dentro do maior bloco contínuo de áreas protegidas do mundo tropical, mais que o dobro do estado do Rio de Janeiro. Da varanda de uma delas, no alto de um dos morros que margeiam o rio Trombetas, tem-se uma vista panorâmica da selva. A massa compacta da mata se estende até onde o olho alcança. Quando a tarde cai, um espectro começa a se erguer do dossel verde-escuro, libertando-se dos galhos, das folhas, dos cipós, das trepadeiras, lentamente subindo aos céus. É um espetáculo silencioso, uma respiração. E, de fato, as plantas estão devolvendo para a atmosfera a água que absorveram e não usaram. A floresta produz o clima de que precisa para existir. Metade das chuvas na Amazônia é gerada pela transpiração da mata. Como diz Antonio Nobre, "não existe floresta porque chove, chove porque existe floresta".

Destruir a floresta é destruir também a chuva que cai longe dela. "[Na] principal região desmatada da Amazônia, que começa no Maranhão, desce pelo Pará e vai até o norte do Mato Grosso, o período de seca já dura de uma a duas semanas a mais do que no resto da Amazônia", diz Ricardo Galvão. "Outro efeito grande é [a interferência] no regime pluviométrico em todo o Brasil e na América do Sul, afetando fortemente nossa agricultura. Até o governo agora entende que os chamados 'rios voadores' de umidade da Amazônia [e vão] para Sul e Sudeste são essenciais para os agricultores brasileiros."

A capacidade de regular o clima é outro aspecto da floresta a ser levado em conta por quem faz cálculos utilitários. Não parece haver dúvida de que a preservação da Amazônia é condição necessária para evitar os efeitos mais agudos do aquecimento global — esta é, afinal, a conclusão do modelo desenvolvido por Princeton. Mantê-la de pé significa, portanto, preservar um ativo cujo valor não fará senão aumentar diante das crescentes emergências climáticas.

De que maneira os serviços ecossistêmicos prestados pela floresta serão recompensados, eis uma questão ainda em aberto que será tratada no último capítulo. Certo, contudo, é que as terras nuas e abandonadas que já dominam grandes extensões do bioma não têm valor hoje e não terão amanhã. O Brasil vem trocando por desertos o que constitui potencialmente um de seus mais valiosos patrimônios. Renuncia, assim, a ser uma potência ambiental num século em que o meio ambiente se instalou definitivamente como tema central da agenda planetária. E isso para proveito de alguns poucos ganhadores, ocupantes que nem sequer pensaram em compreender onde estavam e o que viam.

A diferença entre a floresta e o pasto — entre a margem direita e a margem esquerda da BR-163 — representa para o observador um contraste em termos de exigência cognitiva. À direita, a complexidade; à esquerda, a simplicidade. Melhor: a descomplicação. É mais fácil compreender os descampados do que as matas tropicais. Como lembra o antropólogo Carlos Fausto, numa floresta como a Amazônia há muitas formas de vida, mas o intervalo entre elas é pequeno. É vida demais, demasiado próximas. Para a imaginação ocidental, tamanho emaranhado biológico pertence ao reino da desordem. Quase uma forma de loucura — como se vê, por exemplo, nos filmes do alemão Werner Herzog passados na selva. "Florestas assustam as pessoas. Coisa demais acontecendo ali. Seres humanos precisam de um céu", diz um personagem do romance *The Overstory*, do norte-americano Richard Powers.

A floresta e a não floresta representam dois modos de organizar o mundo: o do múltiplo e o do discreto, o do contínuo e o do separado, o da civilização da floresta e o da civilização do colonizador. Carlos Fausto observa que o modo de ver dos ameríndios privilegia os pequenos intervalos; o do colonizador, os intervalos largos, discretos. "O reino do contínuo é uma selva", dizia um matemático citado por ele. Para compreender, é preciso abrir clareiras. A plantação faz isso: separa, desfaz desemaranhados. O pasto separa ainda mais. Enquanto a mata une.

Por tudo isso, a floresta não é hostil apenas ao corpo e ao espírito; ela também afronta o intelecto — ao menos o intelecto ocidental, destreinado, como quer Fausto, na "estética dos pequenos intervalos", condicionado a ver apenas uma massa uniforme "de verdes e marrons" onde há excesso de tudo. Tamanha abundância impõe dificuldades imensas ao entendimento. "Do ponto de vista da compreensão, os ecossistemas tropicais representam um desafio comparável ao entendimento do universo", diz Simon Levin, diretor do Centro de Biocomplexidade do Instituto Ambiental de Princeton e um dos mais conceituados ecólogos contemporâneos. "A complexidade da floresta é infinita", afirma. E sorrindo: "Ir à Lua é uma brincadeira...".

As espécies desconhecidas de uma floresta tropical não são seu maior enigma. A rigor, bastaria força taxonômica bruta para identificar todas elas. Estamos longe, muito longe disso, mas teoricamente seria possível. Ainda que, na prática, sejam cada vez mais raros os taxonomistas, o desafio da classificação não é de natureza intelectual. Sabemos como fazer, falta apenas quem faça. "Na Embrapa que se ocupa da Amazônia Oriental, temos só cinco pessoas para classificar todas as plantas e quatro estão se aposentando, o que significa que haverá um colapso botânico", lamenta a ecóloga Joice Nunes Ferreira. Cinco bibliotecários conscienciosos levariam mais de uma vida para indexar todos os livros da Biblioteca de Alexandria, mas um milhar deles talvez desse conta da tarefa em poucas décadas — e assim também com taxonomistas e as formas de vida que ainda carecem de identificação.

O grande obstáculo à compreensão fina da floresta, a verdadeira complexidade a ser enfrentada, está na *relação* entre as espécies, no modo como elas interagem entre si. Uma floresta tropical é essencialmente uma cadeia de interdependências. A começar pelo fato extraordinário de ela viver de si mesma. Passeando pela mata densa do Parque Estadual do Utinga, um remanescente florestal dentro de Belém, Joice Ferreira aponta para o chão. Uma camada espessa de matéria orgânica — folhas, ramos, flores — recobre o solo. É a serrapilheira. "Tudo aqui se decompõe muito rápido", ela explica. "Uma folha vive cerca de dois anos; o que vem depois é a *retranslocação*, a devolução para a floresta. O solo é muito pobre, então não é dali que as plantas extraem a maioria dos nutrientes de que precisam. É da serrapilheira. A árvore mais alta e a menor herbácea vivem dela. Ou seja, a floresta se alimenta da floresta."

O etnobotânico canadense Wade Davis deu à floresta tropical a alcunha de "paraíso falsificado", descrevendo assim um edifício de extraordinária complexidade biológica erguido sobre fundações de areia. Joice Ferreira conta que, certa vez, foi interpelada por um migrante nordestino que mantinha uma roça magra à beira da Transamazônica. "Mas como é que essa floresta tem todas essas árvores enormes e o meu feijãozinho não cresce?", queria saber o homem. "Simples", ela respondeu, "o feijão precisa dos nutrientes do solo; a floresta, não."

Cinquenta milhões de anos de evolução ensinaram à mata tropical como subsistir de si mesma. Sendo o solo amazônico tão pobre, o sistema desenvolveu estratégias para lidar com a baixa disponibilidade de recursos. Aprendeu a extrair o máximo do irrisório e a evitar desperdícios: alimenta-se diretamente da serrapilheira, reabsorve nutrientes das folhas velhas antes que caiam, firma associações com fungos e, em alguns casos, com bactérias, grandes aliados das plantas no processo eficiente de captura do indispensável para viver. Já o feijão evoluiu de outro modo e precisa obter do solo todos os recursos necessários. Cortam-se as árvores, abre-se a clareira para o roçado e o que sobra é uma camada pobre e rala.

Ferreira estuda a resiliência da Floresta Amazônica a distúrbios como fogo e seca. O processo de dispersão de sementes, por exemplo, diminuiu com a seca provocada pelo fenômeno do El Niño de 2015. O revolvimento da terra por besouros que misturam nutrientes e enriquecem o solo também foi prejudicado. Passada a estiagem, tais processos se restabeleceram. Já as rupturas provocadas pelas queimadas se mostram bem mais profundas. Florestas tropicais são úmidas, o fogo não faz parte da vida natural delas. Trata-se sempre de um fenômeno resultante da ação humana, à diferença do que sucede com florestas temperadas, para as quais o fogo é parte do ciclo e pode ter efeitos regeneradores. A Amazônia não compreende a queimada e não tem defesas contra ela. O fogo produz uma quebra de ciclo: reduz a presença de mamíferos, o que reduz as fezes, que por sua vez reduz os besouros, reduzindo também a mistura de nutrientes do solo. Tudo depende de tudo. Altere-se um elemento, altera-se a série.

Hoje, além do que já foi destruído, outros 20% da floresta estão em processo de degradação. Degradar a mata significa torná-la progressivamente inviável. A saúde do sistema depende do tumulto que o constitui. Uma lei em defesa das castanheiras é letra morta enquanto a lei não considera o que *cerca* as castanheiras. Duzentas espécies de insetos visitam um único pé de açaí; 25% da produção de seus frutos estão relacionados ao trânsito dessa multidão de seres. Formigas-de-correição avançam pela floresta consumindo cada inseto, aranha ou pequeno réptil no caminho. Aves formigueiras aproveitam-se dessa balbúrdia; ao longo de milhões de anos, especializaram-se em acompanhar do alto esse exército, alimentando-se dos invertebrados que fogem do avanço. Fechando o cortejo, chegam borboletas que vivem exclusivamente das fezes dessas aves. Se as formigas desaparecem, desaparecem também as aves e as borboletas — um exemplo daquilo que os ecologistas chamam de *extinção em cascata*.

Um informe da Rede Amazônia Sustentável (RAS), iniciativa que congrega cientistas de trinta instituições do Brasil e do exterior, dá a medida de como tudo está interligado na floresta. "As comunidades de aves amazônicas são incrivelmente ricas em espécies", começa o texto, que indica haver mais de seiscentas só ao redor da cidade de Santarém. O que explica essa abundância? Em parte, a grande variedade de hábitats, como florestas inundadas e de terra firme, savanas e ilhas fluviais; em parte, a diversidade nos próprios hábitats — na copa vive-se de um modo, no chão de outro; a borda não é igual ao interior; os bambuzais são diferentes das clareiras que surgem com a queda de árvores. Cada um desses nichos estimula a especialização. Um pequeno pássaro de dorso vermelho, a choquinha-do-rio-negro, busca *todo* o seu alimento em folhas mortas que, ressecadas, se enrolam como charutos.*

Tamanha riqueza de espécies em cada palmo de mata pode levar a um baixo número de indivíduos. É o preço da especialização e do acúmulo de vida num mesmo lugar. Com isso, "muitas espécies são raras e distribuídas em manchas" e sua existência estará ameaçada se houver redução na diversidade de paisagens — simplificar o bioma é também simplificar quem nele habita. "A conversão do hábitat florestal em agricultura resulta em uma mudança quase completa das espécies de aves", informa a RAS, pois, "à medida que a complexidade estrutural do hábitat é reduzida, a riqueza de espécies também diminui." Em se tratando de aves, pode parecer surpreendente. Afinal, elas são capazes de voar. Por que não batem asas em direção às imensas florestas que ainda existem na região? Ocorre que essa possibilidade não está aberta a todas as espécies. Alguns pássaros da família da choquinha-do--rio-negro, por exemplo, são "fisiologicamente incapazes de voar mais do que algumas dezenas de metros e passam a vida inteira no sub-bosque úmido e escuro da floresta tropical". Esperar que voem "por [cima de] uma plantação de soja sob o escaldante sol tropical é o mesmo que esperar que você entre em um prédio em

---

* É o que explica o seu nome científico, *Epinecrophylla pyrrhonota*: *epi* = das; *nekros* = morte; *phullon* = folha; e *purrhos* = da cor da chama do fogo; *-nötos* = costas. Ou seja, ave das folhas mortas com as costas da cor da chama.

chamas". Para cada espécie que perde seu nicho, e muitas vezes sua capacidade de sobreviver, perdemos os serviços ambientais por ela prestados. Certas sementes não serão mais dispersas, certas flores não serão mais polinizadas, certas pragas não terão mais um predador. Todo o ecossistema sai perdendo. A floresta é um organismo único.

Se são naturais, os distúrbios são facilmente superados — mas apenas se o ecossistema não tiver sido privado das ferramentas necessárias à sua recuperação. O poder restaurativo será uma consequência da variedade da fauna e da flora existentes em determinada área. O único arsenal de que a natureza dispõe para se restabelecer é a heterogeneidade de suas espécies. "A diversidade biológica — 'biodiversidade', como se diz hoje em dia — é a chave da preservação do mundo como o conhecemos", explica Edward O. Wilson. "A vida num local assolado por uma tempestade passageira se recupera logo porque ainda existe bastante diversidade. Espécies oportunistas que evoluíram justamente para tais ocasiões correm para preencher os espaços vazios, dando início a uma sucessão que acabará por retornar a algo semelhante ao estado original do meio ambiente."

Uma tempestade abre uma clareira na floresta. A luz bate no solo, onde uma grande variedade de plantas espera sua vez. Estabelecida a competição, crescerão as espécies mais rápidas. Ao fazer isso, elas criarão sombra, condição para que as mais lentas prosperem. Outras formas de vida se aproveitarão da vida já existente. Numa árvore de grande porte podem viver de seiscentas a setecentas espécies florísticas. Tudo compete, se mistura, colabora.

Quem sabe por influência de uma interpretação pobre de Darwin, quem sabe pela tendência a atribuir ao mundo natural traços do nosso contrato social, costumamos dar mais ênfase à competição do que à ajuda mútua, como se a natureza fosse um jogo de soma zero em que cada vitória produz simultaneamente uma derrota. A realidade é bem mais sutil.

"A cooperação entre plantas e formigas pode atingir níveis de sofisticação difíceis de imaginar", escreve Stefano Mancuso. Tome-se a parceria entre insetos e certas árvores do gênero *Acacia*, nativas da África e da América Latina. A depender dos pendores políticos do observador, será possível interpretar a interação como exemplo de altruísmo socialista (entre a planta e o inseto) ou de individualismo capitalista (entre a planta e quem pretenda roubar o seu sol). Começando pelo altruísmo: "Algumas acácias [...] produzem corpos de frutificação específicos para alimentar as formigas e lhes fornecem espaços, obtidos dentro de determinadas estruturas das árvores, onde esses insetos vivem e criam suas larvas". Receber alimento e abrigo de uma planta já seria um bom negócio, mas os benefícios não acabam aí. Mancuso explica: "Como em um programa de televendas em que o apresentador não para nunca de acrescentar produtos para incentivar a compra, assim as acácias oferecem, além de comida e de alojamento, também bebidas gratuitas, na forma de deliciosos néctares extraflorais". Essa é a parte em que socialistas de matizes vários poderiam enxergar a partilha de riquezas.

Contudo, tantas bondades não são estendidas de graça. A acácia espera uma compensação e a recebe na forma de um exército aguerrido de seguranças: "Em troca, as formigas se encarregam da defesa contra qualquer animal ou planta agressora que possa danificar de qualquer forma a planta em que estão alojadas. E elas fazem isso com grande eficácia. Não apenas mantêm longe da árvore todos os outros insetos que tenham a infeliz ideia de se aproximar como também atacam animais bilhões de vezes maiores do que elas. Portanto, não é incomum ver formigas picando herbívoros do tamanho de um elefante ou de uma girafa para dissuadi-los".

O que já seria notável se torna ainda mais espantoso quando Mancuso observa que "a defesa ativa implementada pelas formigas [...] não se limita a afastar os animais, qualquer que seja o tamanho deles". Inimigos da árvore habitam também outro reino, o vegetal, fato que as formigas são capazes de compreender: "Toda planta que ousa emergir do solo em um raio de poucos metros de sua hospedeira é picada sem misericórdia. Assim, não é incomum, no meio da Floresta Amazônica, ver campos perfeitamente circulares sem nenhuma vegetação em torno de uma acácia". Inexplicáveis para as populações locais, essas áreas podem ser chamadas de "jardins do diabo", diz o autor. Ao oferecer uma cornucópia de delícias para as formigas, as acácias cuidam dos seus interesses.

Em "Os subterrâneos", ensaio de 2019, o escritor inglês Robert Macfarlane descreve o processo colaborativo entre plantas e fungos, ideia que começou a ser explorada em profundidade no início da década de 1990 por uma ecologista canadense, Suzanne Simard. Trabalhando em plantações de pinheiro, a jovem Simard, na época com 22 anos, quis compreender um fenômeno que, embora observado com frequência, ainda era um mistério para a ciência: quando certas plantas sem valor eram arrancadas do solo para evitar que competissem por recursos com as árvores comercializáveis, sua remoção coincidia com a deterioração e posterior morte prematura dos brotos de pinheiro. Como quem levanta um tapete, Simard e seus colaboradores ergueram "a pele do solo" para descobrir o que se passava lá embaixo.

"O que eles viram ali", relatou Macfarlane, "foram os claros e finíssimos filamentos que os fungos espalham pelo solo. Conhecidos como 'hifas', esses filamentos se interligavam e criavam uma rede de complexidade e extensão atordoantes. Uma colher de chá de solo florestal [...] podia conter até dez quilômetros de hifas." Essa rede se conectava a cada radícula de cada planta, levando e trazendo informações não só entre espécies iguais, mas entre toda a população botânica presente naquele solo. Cada árvore da floresta estava ligada a todas as outras. Mas por quê?

Uma grande pergunta começou a ocupar a cabeça da jovem pesquisadora: as florestas se organizariam pelo princípio da competição ou da cooperação? Era uma dúvida radical que ela tentaria esclarecer durante o doutorado. No seu livro de memórias, *A árvore-mãe: Em busca da sabedoria da floresta*, publicado em 2021, Simard explica como a sua inquietação afrontava verdades estabelecidas da ciência da evolução dos organismos biológicos. "Enfatizamos a dominação e a competição no manejo das árvores nas florestas. E dos cultivos nos campos agrícolas. E dos animais nos estabelecimentos pecuaristas. Enfatizamos facções em vez de coalizões. Na silvicultura, a teoria da dominância é posta em prática com as remoções, o espaçamento, o desbaste e outros métodos que promovem o crescimento de indivíduos valorizados. Na agricultura, essa teoria embasa programas multimilionários que recorrem a pesticidas, fertilizantes e genética para promover cultivos de alto rendimento em vez de plantações diversificadas."

Estudos em laboratório haviam constatado que moléculas de carbono eram capazes de viajar de uma planta para a outra através da rede subterrânea de fungos. Tratava-se, contudo, de experimentos controlados, distantes da realidade complexa de uma floresta viva, e indicavam apenas o trânsito de nutrientes entre espécies iguais. Simard queria testar a hipótese de uma colaboração mais geral, intraespécies, que correria silenciosa sob o chão da mata. Caso identificasse o fenômeno, estaria diante de um paradoxo: pensava-se que as árvores evoluíam competindo entre si, e não colaborando umas com as outras.

Havia ali uma ousadia científica que implicava riscos para a carreira de uma cientista iniciante. Em primeiro lugar, sabia-se muito pouco sobre as redes simbióticas que conectavam fungos e árvores nos subterrâneos do solo. Existiriam em qualquer floresta? Em caso afirmativo, com que propósito? Além disso, a pergunta não era bem-vista pelo Serviço Florestal da Colúmbia Britânica, instituição em que Simard trabalhava e que financiava suas pesquisas. Na silvicultura, havia uma regra de ouro: nas florestas cedidas à exploração era preciso eliminar sumariamente as espécies sem valor comercial para evitar que competissem por recursos com as árvores visadas pela indústria madeireira. Propor a existência de uma cooperação entre espécies diferentes desafiava não só o consenso científico, mas também a prática industrial. "No entanto, minha teoria era totalmente plausível para mim", escreve Simard, "fazia sentido que elas tivessem o interesse egoísta de manter um bom desenvolvimento de sua comunidade para que assim também pudessem ter suas necessidades atendidas."

Simard dividiu a floresta em parcelas e, durante um ano, preparou-as para o experimento. Em algumas, nada fez. Em outras, eliminou as espécies consideradas indesejáveis pela indústria. Em outras ainda, plantou mudas de abeto-de-douglas, um pinheiro de grande valor comercial, ao lado de mudas de bétula, árvore considerada daninha pela indústria, estendendo uma tenda por cima dos abetos para imitar os locais com sombra nas florestas. Definidas as características das várias parcelas — havia mais combinações do que as descritas aqui —, Simard injetou isótopos de carbono radioativo nas plantas e esperou.

Horas depois, voltou com um contador Geiger, aproximando-o das folhas de uma bétula que recebera a carga radioativa. A agulha do medidor saltou para o lado direito do mostruário — sim, a planta havia incorporado os isótopos. E o que aconteceria se encostasse o aparelho nas folhas de um abeto vizinho, uma planta que *não* recebera a injeção de carbono? Provavelmente nada, especulou o assistente de Simard, "faz só algumas horas que começamos a marcação". Mesmo que a hipótese da cooperação se confirmasse, a viagem subterrânea das moléculas radioativas entre as duas plantas levaria no mínimo alguns dias para acontecer. Não custava nada tentar, arriscou Simard. Quando o contador se aproximou da árvore, os pulsos sonoros dispararam. Surpresa. "Estávamos ouvindo a bétula se comunicar com o abeto!", escreve Simard, recordando o momento da descoberta.

A confirmação definitiva precisaria esperar por análises laboratoriais rigorosas de amostras retiradas das plantas. A jovem cientista recebeu os resultados sentada no seu escritório minúsculo, seu refúgio. "Verifiquei várias vezes os números, para ter certeza. Incrível. Bétulas e abetos *permutavam* carbono fotossintético através da rede. E ainda mais impressionante: os abetos recebiam muito mais carbono das bétulas do que doavam em retribuição. As bétulas, longe de serem uma 'planta daninha do diabo', generosamente forneciam recursos aos abetos." E não só: a quantidade de carbono doado aumentava quanto maior fosse a sombra sobre os abetos. A bétula era capaz de detectar as necessidades do abeto. Estava atenta a elas.

Simard verificaria que o trânsito de carbono mudava de intensidade e de direção com as estações. No verão, bétulas doavam mais para abetos; na primavera e no outono, era a vez de abetos aumentarem a intensidade de suas doações. Um sistema de trocas altamente sofisticado que, segundo a pesquisadora, provavelmente se equilibra quando se considera o resultado de um ano inteiro. As árvores estavam entrelaçadas num "tango mais sofisticado do que apenas uma competição por luz".

A dança só era possível graças à rede de fungos, seus filamentos espalhados pela terra como tarrafas lançadas no mar de árvores. Cada radícula era envolvida na trama, formando associações simbióticas chamadas micorrizas, um sistema vascular que une não só espécies diferentes, como a bétula e o abeto, mas também reinos biológicos diferentes, como os fungos e as plantas.

A colaboração beneficia ambas as partes. Fungos, por exemplo, não são capazes de fotossíntese. Contudo, moléculas de carbono viajam pelo sistema, e, ao longo do trajeto, os fungos extraem e metabolizam parte dos recursos gerados pela fotossíntese que são transportados pelas hifas. É o prêmio pago a quem estabeleceu a rede.

Fungos serão recompensados pelo sequestro judicioso do carbono que retiram para si. Caso uma árvore esteja doando mais nutrientes do que o fungo necessita para sua sobrevivência, será sensato repassar esse excesso a outro indivíduo ou espécie em situação desfavorável. Com isso, na expressão de Simard, estará diversificando seu portfólio de investimento e garantindo um seguro de recursos para o futuro. "No alto verão o fungo poderia passar carbono produzido por um álamo rico para um pinheiro pobre, a fim de assegurar dois hospedeiros sadios diferentes — fontes de carbono fotossintético — para alguma eventual calamidade e caso algum desses hospedeiros morresse. É como investir em ações e títulos de dívida para o caso de um crash no mercado de ações."

A colaboração produz uma comunidade saudável. Isso interessa às espécies, pois garante que sempre haverá indivíduos robustos com recursos a doar. Em "Os subterrâneos", Macfarlane reproduz a linda síntese com que Simard apresentou sua descoberta: os fungos e as árvores haviam "forjado uma unidade a partir de sua dualidade, gerando assim uma floresta". Esse sistema natural que estamos apenas começando a conhecer é de grande beleza. "Por exemplo, uma árvore moribunda pode despejar seus recursos na rede em benefício da comunidade, ou uma árvore em dificuldades pode ser sustentada por recursos adicionais das vizinhas", escreve Macfarlane. Aqui, pacifistas e socialistas teriam todo o direito de se atribuir uma vitória epistemológica. A metáfora da rivalidade, do livre mercado capitalista, fracassa como modelo interpretativo, dando lugar ao que Macfarlane descreve como uma comunidade organizada num sistema socialista de redistribuição dos meios necessários à vida: "Em vez de ver as árvores como agentes individuais que competiam por recursos entre si, Simard considerou a floresta um 'sistema cooperativo' no qual as árvores 'conversam' entre si, produzindo uma inteligência colaborativa que ela chamou de 'sabedoria da floresta'".

"Não há indivíduos. Não há nem mesmo espécies separadas. Tudo na floresta é a floresta", escreveu Richard Power, em *The Overstory*, uma fábula ecológica que não existiria sem as descobertas de Suzanne Simard, que inclusive inspirou uma das personagens. A constatação faz com que a castanheira solitária no meio do pasto seja uma cena ainda mais triste. O que está ali é um organismo social cuja comunidade foi dizimada. Incapaz de estabelecer as conexões de que depende para existir, a planta é uma prisioneira na solitária.

Em *A planta do mundo*, de 2021, Stefano Mancuso faz um longo desabafo contra a infeliz prevalência, nas ciências biológicas, do modelo competitivo sobre o da colaboração:

> Embora hoje em dia haja muito mais evidências que sustentam o papel fundamental da cooperação na evolução das espécies vivas, a ideia continua a ser percebida como marginal diante da solidez da defesa da competitividade. Por quê? A maioria das evidências — quase todas — que sustenta essa teoria vem do mundo das plantas, e por isso não é considerada relevante. Estou convencido de que essa é a principal causa do desinteresse em estudar a cooperação como força evolucionária. O antropocentrismo, ou, para ser magnânimo, o animalcentrismo que domina o mundo da ciência é um problema sério. Um exemplo clássico dessa distorção animal é nossa visão do mundo como um lugar onde os conflitos e as privações são forças básicas que dominam a evolução. Mode-

los matemáticos importantes, como o da competição interespecífica, são projetados para descrever uma relação semelhante à de um animal. Penso em Vito Volterra e Alfred Lotka, que desenvolveram em 1926 o modelo predador-presa, que se tornou a base de qualquer estudo de ecologia.

Levando em conta que nós, animais, representamos apenas 0,3% da biomassa da Terra — ou seja, do conjunto de tudo o que vive no planeta —, enquanto as plantas representam 85%, Mancuso prossegue:

> Gostaria de deixar claro o absurdo da questão. Descobertas realizadas no mundo vegetal não são creditadas como dignas de atenção até que sejam validadas no campo animal; ao contrário, os modelos encontrados no mundo animal são, pelo mesmo fato, considerados universalmente válidos. Pensemos na irracionalidade dessa posição. Para serem consideradas válidas em escala universal, as descobertas feitas em 85% dos seres vivos (plantas) precisam ser confirmadas em 0,3% do mundo animal [...]. É como se, para ser definitivamente aprovada, uma lei proposta por 85% dos deputados do nosso Parlamento tivesse de ser examinada por 0,3% da mesma representação parlamentar, que, a seu critério, pode aprová-la ou rejeitá-la.

Para não deixar dúvidas sobre o que considera um despropósito, Mancuso dá número aos bois, por assim dizer. Numa câmara de quinhentos parlamentares, a bancada das plantas teria 425 deputados; já a dos animais, um deputado e meio (o restante seriam deputados dos fungos, bactérias e protozoários). "Portanto, um representante e meio (vamos arredondar para dois) decide por todos. Quando algo assim acontece em nossos parlamentos, chamamos de ditadura."

É preciso alguma cautela antes de dar essas descobertas por certas. A nova compreensão do mundo das plantas é demasiado recente para ser objeto de convicção universal. Como é comum nos avanços científicos, há um debate saudável em torno das evidências apresentadas pelos trabalhos citados anteriormente. Incontestável é o fato de que o mutualismo fungo-árvore revelado por Suzanne Simard originou um dos atos de batismo mais felizes da ciência moderna: a *wood wide web*, expressão cunhada pela revista *Nature* em agosto de 1997 para descrever o artigo de capa daquele mês — o texto seminal em que a canadense descrevia seu achado.

Talvez a descoberta mais fascinante da nova ciência das florestas seja esta constatação: as árvores são capazes de alertar umas às outras sobre riscos iminentes. Fazem isso enviando pela rede subterrânea "compostos de sinalização imunológica entre si. Uma planta atacada por pulgões pode avisar uma planta próxima de que deve fortalecer sua resposta defensiva antes que os pulgões cheguem", segundo Macfarlane. Sabe-se "há algum tempo que as plantas se comunicam acima da terra de maneira semelhante, através de hormônios difusores"; contudo, "esses alertas aéreos, acima da terra, têm destinos imprecisos. Nas redes fúngicas, pode-se identificar tanto o emissário quanto o destinatário dos compostos" — sistema que está mais para telegrama do que para sinal de fumaça.

O subsolo de uma floresta é um circuito integrado biológico. Bilhões de conexões interespécies acontecem a poucos palmos das nossas botas. Tabular e compreender essas conexões exauriria a capacidade computacional de que dispomos. Macfarlane cita a antropóloga Anna Tsing, que no ensaio "Arte da inclusão, ou, Como amar um cogumelo", escreve: "Da próxima vez que você caminhar por uma floresta, olhe para baixo. Uma cidade está sob seus pés".

Mal começamos a compreender a riqueza prodigiosa desse mundo subterrâneo — a complexidade de seus sinais, a urgência de seus alertas, a elegância de sua arquitetura, a dimensão de suas possibilidades. A floresta continua a nos escapar e seguirá assim: parcialmente inapreensível, corolário e virtude de sua prodigalidade. Que essa exuberância silenciosa no subsolo, rumorosa acima do chão, seja transformada em coisa muda — em margem esquerda da BR-163 — é sinal de violência, desperdício e falta de ambição.

4. A fronteira é um país estrangeiro

Robert R. Schneider é uma dessas pessoas que dão a sensação de estar à vontade consigo mesmas, o que nele talvez seja efeito da convicção serena, jamais expressa com arrogância, de que fez bem o seu trabalho. Schneider só fala de si quando instado, preferindo dar o crédito aos colegas que exploraram os mesmos temas aos quais dedicou boa parte da vida. Nascido nos Estados Unidos, doutorou-se em economia agrícola e fez carreira como pesquisador em organismos internacionais. Durante sete anos foi economista sênior do Fundo Monetário Internacional (FMI). Em 1988 passou para o Banco Mundial, onde assumiu o posto de economista líder para Desenvolvimento Sustentável na Região da América Latina. Permaneceu na instituição até se aposentar, em 2005, quase dezoito anos depois.

Numa manhã de setembro de 2019, bem cedo, Schneider apareceu de bermuda, camiseta e sandália no saguão de um hotel à beira do lago Paranoá, em Brasília, cidade onde mora desde que em 1995 trocou a sede do Banco Mundial, em Washington, pelo escritório da instituição no Brasil. Casara-se com uma brasileira, gostava do país e queria estar mais perto dos amigos e da Amazônia, seu objeto de estudo. Com cerca de setenta anos, rosto bronzeado de quem vive ao ar livre, forte, calvo e de barba, Schneider lembra um capitão de barco pesqueiro, desses sobre os quais Hemingway escrevia. "Brasília é uma ótima cidade para quem gosta de vida ao ar livre como eu", diz ele com seu sotaque marcado. Rema no Paranoá todas as manhãs e pratica ciclismo várias vezes por semana.

Schneider se espanta um pouco com a ideia de alguém desperdiçar uma manhã de luz cristalina para falar sobre seus trabalhos da época do Banco Mundial. Dá a entender que ficaram no passado; sim, ajudaram a esclarecer certas dúvidas, mas hoje só teriam interesse histórico. Isso é verdade, mas também não é. Embora desde sua aposentadoria mudanças profundas tenham ocorrido na Amazônia — e mudanças desse tipo exigem novos modelos explicativos —, Schneider é autor de alguns dos estudos mais importantes sobre a dinâmica do desmatamento na região. Poucos pesquisadores influenciaram tanto a geração de políticos e ambientalistas que atuaram de meados da década de 1990 ao final do segundo governo Lula. Foi a geração, afinal, que definiu as políticas públicas responsáveis pela maior queda na emissão de gases do efeito estufa na história do Brasil, consequência direta da redução drástica do desmatamento no bioma amazônico.

Tudo começou quando pesquisadores do Banco Mundial passaram a se perguntar se as linhas de financiamento abertas para a Amazônia estariam contribuindo com ações de derrubada da floresta, as quais haviam tido um crescimento explosivo nas décadas de 1970 e 1980. Eles se debruçaram sobre o problema, e entre 1989 e 1991 a instituição publicou dois artigos, assinados por economistas de renome, que chegaram a conclusões semelhantes. Os autores sustentavam que a aceleração do desmatamento no bioma era resultado de decisões equivocadas do Estado brasileiro. Esses estudos rapidamente se tornaram canônicos.

De fato, boa parte da atividade econômica na Amazônia nos anos 1970 e 1980 fora estimulada por políticas de governo que transformavam o Tesouro Nacional em parceiro da aventura colonizadora. Crédito subsidiado, incentivos fiscais e regime favorável de tributação estavam entre os mecanismos à disposição de quem decidisse desbravar a floresta. Um exemplo é o Programa de Redistribuição de Terras e de Estímulo à Agroindústria do Norte e do Nordeste (Proterra), que concedia financiamento público para abrir a floresta e substituí-la por pasto. O governo federal condicionava o título de propriedade ao desmate de pelo menos 50% da área a ser regularizada, de modo que muitas vezes o pioneiro nem se dava ao trabalho de extrair a madeira antes de desmatar. Punha logo fogo em tudo para fazer jus ao crédito e ao título. Comunidades extrativistas que viviam de atividades compatíveis com a floresta em pé — seringueiros ou produtores de castanha-do-pará, por exemplo — se viram diante do paradoxo de um Estado decidido a só recompensá-los com títulos de propriedade ou crédito barato caso pusessem abaixo a mata de onde tiravam o sustento.

Com o descontrole das contas públicas que se seguiu ao fim do chamado milagre econômico da década de 1970 — queda de arrecadação, inflação rampante, crise da dívida externa —, tais mecanismos deixariam de ser viáveis. Dado que o país se via agora seriamente limitado em sua capacidade de bancar programas de assentamento de centenas de milhares de pessoas num bioma tão distante e hostil, ambientalistas e formuladores da política ambiental brasileira passaram a prever uma rápida desaceleração do desmatamento. O problema parecia resolvido.

Sentado ao lado de Schneider, de quem é amigo e colaborador desde a década de 1990, o engenheiro agrônomo Adalberto Veríssimo lembra daquela época: "Se você viesse a Brasília na década de 1980 para tratar de desmatamento com qualquer pessoa do governo, inclusive com gente sensível ao problema, eles te diriam mais ou menos o seguinte: 'A gente está sem dinheiro, desmatar custa caro' — cerca de 2500 reais por hectare, em valores de 2022 —, 'se o governo não der recursos ninguém mais vai querer ir pra lá, acabou o incentivo pra abrir a floresta'".

Relendo hoje os estudos do Banco Mundial, é difícil não imaginar que havia um tanto de pensamento mágico no modo como foram interpretados. No primeiro deles, *Government Policies and Deforestation in Brazil's Amazon Region* [Políticas públicas e desmatamento na Amazônia brasileira], publicado em 1989, Dennis Mahar alerta já na primeira frase: "As florestas tropicais do mundo estão desaparecendo a uma velocidade alarmante", ressaltando que o planeta estava diante de um desastre que já havia causado "prejuízos imensos (e, em grande parte, não mensurados) tanto para os povos dos países diretamente afetados quanto para toda a raça humana". As causas imediatas do fenômeno seriam a expansão da agricultura de subsistência (150 mil quilômetros quadrados de floresta derrubada por ano), da atividade madeireira (45 mil quilômetros quadrados por ano), da produção de lenha (25 mil quilômetros quadrados por ano) e da pecuária (20 mil quilômetros quadrados por ano). "É útil conhecer esses fatos", observa Mahar, "mas bem mais importante é estar ciente das causas *subjacentes* da destruição florestal. Acusar o pequeno agricultor de ser responsável pelo desmatamento nos trópicos equivale a 'culpar a vítima', dado que as verdadeiras causas provavelmente são a pobreza, a estrutura fundiária desigual e a baixa produtividade agrícola associada ao crescimento demográfico acelerado." Contudo, não eram dessas causas que Mahar se ocuparia em seu estudo. "A essa lista", escreve ele, "devem-se acrescentar políticas públicas equivocadas que deliberada ou inadvertidamente encorajam o rápido esgotamento da floresta."

As 47 páginas seguintes do artigo se dedicam a analisar a natureza desses equívocos — na Amazônia, expansão impensada de estradas para regiões até então florestadas, programas de colonização que atraíam migrantes do Sul para o Norte e facilidades fiscais e de crédito oferecidas à atividade pecuária, "o que permitiu que um número relativamente pequeno de pessoas causasse um impacto muito grande sobre a floresta tropical".

Tamanha ênfase no caráter contingencial dessas causas poderia fazer acreditar que a solução para o problema era relativamente simples. Nas "Conclusões e recomendações" do trabalho, lê-se: "Não há dúvida de que o desmatamento acelerado continuará se as políticas correntes permanecerem inalteradas". Embora Mahar *não* afirmasse que o agravamento da situação fiscal do Estado brasileiro inviabilizara o velho modelo de ocupação da floresta, seu estudo trazia elementos que levavam a crer que a situação de penúria do país impossibilitara a continuidade dos programas que, desde a década de 1960, explicavam a colonização predatória do bioma.

A começar pelo título — *Brazilian Policies that Encourage Deforestation in the Amazon* [Políticas brasileiras que encorajam o desmatamento na Amazônia] —, essa também era a direção apontada pelo segundo estudo, assinado por Hans Binswanger e publicado em 1991. "Este *paper* demonstra como o arcabouço tributário, as políticas de incentivo fiscal, as regras de ocupação fundiária e o sistema de crédito agrícola aceleram o desmatamento na Amazônia." Enquanto tais distorções não fossem removidas, a floresta não seria capaz de se recompor. Assim como Mahar fizera dois anos antes, Binswanger também não afirmava que o problema se resolveria com a simples suspensão das políticas. Dizia isso, aliás, de forma bastante clara: "Embora a redução dos incentivos econômicos perversos que favorecem o desmatamento vá reduzir a destruição da Floresta Amazônica, políticas de incentivo, por si só, não bastam. Também é necessário um sistema coerente de planejamento do território que destine mais terras a reservas florestais e a reservas biológicas".

Ainda assim, a grande lição, por assim dizer, da leitura do artigo foi a percepção de que o Estado era o vetor principal do desmatamento. Veríssimo é assertivo: "Todo mundo tinha lido os *papers* do Banco Mundial. A influência deles foi enorme, inclusive entre os ambientalistas. Naquela época, a síntese do debate sobre as causas do desmatamento na Amazônia, tirada não só da leitura dos *papers*, mas também dos seminários em Brasília, era que a fronteira e o desmatamento se moviam por força da ação do governo, com subsídios e incentivos fiscais, terra de graça e abertura de estradas. Portanto, a crise fiscal levaria a um freio de arrumação, ou seja, a uma solução via redução passiva no desmatamento". Não era preciso fazer mais nada. Ou, no máximo, bastava fazer muito pouco. O problema se resolveria sozinho.

Em Washington, Robert R. Schneider desconfiava desse consenso. Embora respeitasse os economistas que assinavam as análises, duvidava da qualidade dos dados que fundamentavam suas conclusões. Supunha que, para além dos incentivos perversos que os colegas identificavam nos estudos, devia haver causas mais profundas, estruturais, para explicar o desmatamento. Com o endosso generalizado dos artigos, Schneider se tornou uma voz solitária, cética sobre os benefícios de programas financiados. Insistia em que as ações do Banco Mundial para o bioma amazônico baseavam-se mais em opinião do que em evidências sólidas e receava que os programas financiados pela instituição pudessem causar impactos negativos na floresta. De tanto ouvi-lo reclamar, um de seus superiores lhe disse: "Então escreva você um relatório sobre as atividades econômicas na Amazônia".

Foi o que ele se dispôs a fazer. Sozinho, em seu gabinete na capital norte-americana, ele começou com uma constatação empírica: a fronteira do desmatamento continuava a avançar. Alguns subsídios governamentais ainda favoreciam certas atividades econômicas na Amazônia, mas Schneider não acreditava que eles explicassem a escala da destruição da floresta. Consultando tabelas de aumento da presença de gado bovino na região, verificou, por exemplo, que de 1970 a 1985 o número de animais praticamente triplicara. Além disso, rebanhos de menos de vinte cabeças eram a classe que mais havia crescido, um salto de 75% entre 1980 e 1985. Pertenciam a pequenos criadores, gente sem muitos recursos. Já a classe dos rebanhos de mais de quinhentas cabeças, característica de grandes proprietários, aumentara apenas 17%. Schneider estudou os programas de apoio à pecuária e constatou que as linhas de financiamento estatal raramente se destinavam a fazendas com menos de mil animais. Logo, era pouco provável que as políticas de subsídio governamental estivessem desempenhando um papel importante no crescimento acelerado do rebanho bovino. Para entender o que estava acontecendo na Amazônia, seria preciso olhar mais além dos programas de transferência do governo.

Mergulhado numa grande quantidade de dados públicos e estabelecendo conexões insuspeitas entre eles, Schneider buscou compreender o que movia cada um dos agentes econômicos em atuação na Amazônia — garimpeiros, madeireiros, pecuaristas, agricultores, indígenas, ribeirinhos. "Foi assim que me jogaram no tema", diz. "Minha ideia era identificar que atividades geravam migração, devastação, exploração."

Em agosto de 1995, o Banco Mundial publicou seu relatório de número 11 sobre meio ambiente, *Government and the Economy on the Amazon Frontier* [Governo e economia na fronteira amazônica], de 45 páginas mais anexos, escrito por Robert Schneider. No artigo, que se lê em menos de duas horas, o autor desmontaria as verdades consensuais que o próprio banco ajudara a cristalizar sobre o papel do Estado na destruição da floresta. A partir de então, seria preciso abandonar as certezas sobre como a Amazônia vinha sendo ocupada.

Sem que Robert R. Schneider soubesse, seu trabalho puramente teórico, concebido à base de papel, caneta e rigor numa cidade de clima temperado a mais de 3 mil quilômetros da floresta tropical amazônica, tinha aqui um correlato empírico, realizado por uma equipe de jovens ambientalistas brasileiros sob a orientação do ecólogo norte-americano Christopher Uhl. Adalberto Veríssimo fazia parte dessa equipe.

Assim como Schneider, Uhl e seus discípulos queriam entender quem estava desmatando a Amazônia. Entre o final da década de 1980 e os primeiros anos de 1990, esses pesquisadores se espalharam pelas estradas ilegais que cresciam — e continuam a crescer — na floresta como um sistema vascular clandestino e, de prancheta na mão, começaram a recolher dados sobre os caminhões que passavam carregados de toras. Quem empregava os motoristas? De onde vinham? Para onde iam? Quantas toras cabiam em cada caminhão? De que madeira? Quanto custavam? Quanto rendiam?

De modo geral, não tinham dificuldade em obter as respostas. Àquela altura, a atividade madeireira vivia numa espécie de limbo legal. Existia o Código Florestal de 1965, mas o documento nunca fora regulamentado. Na ausência de normas claras para a ocupação da floresta, empresários à frente de grandes operações de desmate não se consideravam autores de nenhuma espécie de crime ambiental, por isso alguns recebiam sem temor os pesquisadores e até lhes franqueavam suas planilhas contábeis.

Idacir Peracchi foi um dos maiores empresários madeireiros daqueles tempos. Tipo alto, simpático e de fala decidida, paranaense de Laranjeiras do Sul, chegou ao Pará em 1980 para se juntar ao irmão, que já trabalhava com madeira. Peracchi logo se tornaria um dos líderes da atividade, e seu nome é fundamental para entender a história da extração de madeira no sudeste paraense nos anos de 1980 e 90. Quando lhe perguntam se naqueles anos ele operava na informalidade, reage com firmeza: "Não existe informalidade; ou é legal, ou é ilegal", o seu modo de dizer que nunca feriu a lei. A informalidade era tolerada.

Em 1982, ele começou a arrendar terras da Andrade Gutierrez em Tucumã e a comprar lotes de particulares, "gente que apresentava documento de posse". Era como se fazia. Peracchi afirma que sempre se orgulhou da profissão — "Tem imprensa marrom e boa imprensa, vale igual para madeireiro" — e até cunhou uma frase de efeito sobre ela: "O madeireiro é o abutre da floresta", numa interpretação toda particular do papel ecológico de quem desempenha a atividade. "Nós só vamos atrás das árvores maduras, das que rendem. A gente aproveita de 20 a 25 árvores por hectare; hoje [2019], no manejo, de seis a oito. As outras ficam de pé."

No início da década de 1990, Adalberto Veríssimo e dois colegas do Instituto do Homem e Meio Ambiente da Amazônia (Imazon) passaram três meses na região de Tucumã, acompanhando uma das frentes de extração de madeira de Peracchi. Era uma operação com mais de cem homens, entre os quais gerentes, motosserristas (cada um com seu assistente), tratoristas, mecânicos, caminhoneiros, mateiros, planejadores de estrada e cozinheiros. Esse exército se movia pela floresta em busca de mogno, de longe a espécie arbórea mais rentável da Amazônia, a única capaz de justificar operações daquele porte. As árvores ocorriam em aglomerados de indivíduos — um buquê de mognos, por assim dizer —, cada conjunto podendo distar dezenas de quilômetros do seguinte. Para localizá-los, usavam-se pequenas aeronaves. Do alto, os pilotos identificavam a copa larga e brilhosa que distingue o mogno de outras espécies. Em seguida, a equipe de extração entrava na floresta e lá permanecia por meses. Os mantimentos eram comprados em Tucumã, levados de avião até a floresta e lançados nas clareiras abertas perto do acampamento.

Em três meses essa frente localizou e cortou 1200 árvores de mogno. Veríssimo e seus colegas anotavam criteriosamente o custo de todos os itens das planilhas: salários, alimentação, combustível, manutenção, frete. Observavam o tombamento das árvores, o arraste para fora da mata, o transporte até a serraria, e à noite tomavam chimarrão com o capataz gaúcho à frente da operação. O mogno era uma espécie tão valiosa que, a despeito do desembolso da empreitada — ela custaria 830 mil dólares a Peracchi —, não havia dúvida de que fazia sentido econômico adentrar até trezentos quilômetros de floresta para obter essa espécie e, em seguida, percorrer outros 1500 quilômetros até Belém, para o porto de onde seria exportada. Naqueles anos, a cotação média do mogno no mercado internacional era de oitocentos dólares o metro cúbico. Cada árvore tombada podia render até 2 mil dólares ao empreendedor médio. Madeireiros eficientes como Peracchi conseguiam ganhar ainda mais. Depois de três meses embrenhadas na mata, equipes como as estudadas pelos pesquisadores do Imazon voltavam para casa tendo gerado para seus patrões um lucro de alguns milhões de dólares.

Era uma operação tão vantajosa que não valia a pena perder tempo com outras espécies. Madeiras de lei como o ipê, o cedro e o freijó eram deixadas para trás, pois apenas o mogno dava um retorno financeiro à altura do custo da empreitada; só ele justificava abrir redes extensas de estradas madeireiras ou ramais no interior da floresta — na época da pesquisa de Veríssimo, eram cerca de 3 mil quilômetros apenas no sul do Pará.

O desmatamento se autofinanciava, a madeira custeava a própria destruição. A floresta seguia desaparecendo, apesar de o

Estado brasileiro ter fechado a bica dos subsídios. Na década de 1990, a extração do mogno entrou em declínio e, no início dos anos 2000, a árvore foi incluída na lista das espécies ameaçadas, o que pôs fim à sua exploração. Eram magníficas. "Pensar que as árvores que foram 'mortas' tinham de trezentos a setecentos anos de idade, algumas chegando a cinquenta metros de altura... Dói no peito", lamenta Adalberto Veríssimo. As campanhas de extração deixavam como legado matas severamente degradadas. Os pesquisadores do Imazon anotaram: para cada mogno tombado, outras 31 árvores sofriam danos sérios, a maioria indo ao chão e sendo largadas na serrapilheira. Numa floresta densa como a amazônica, a retirada cirúrgica de uma árvore de grande porte é uma operação demasiadamente cara. Na ausência de regras, usar de alguma brutalidade saía mais em conta. Árvores eram puxadas pelos cipós que as uniam e caíam umas sobre as outras para dar caminho a máquinas que precisavam chegar até as espécies valiosas. Além disso, para cada mogno extraído, quase quinhentos metros quadrados de sub-bosque — a vegetação baixa que recobre o chão — eram destruídos pelos *skidders*, tratores de grande porte usados para arrastar as toras até um ramal madeireiro, de onde seriam levadas de caminhão para as serrarias. E os danos não terminavam aí. As estimativas dos pesquisadores não levavam em conta o impacto da construção de estradas em meio à floresta, fossem os ramais que interligavam as áreas de extração, fossem as vias principais por onde circulavam os grandes caminhões.

Os chefes dessas operações eram homens vindos de outras partes do Brasil. Os pesquisadores do Imazon registraram que em 1992, na região de Paragominas, no sudeste paraense, outro polo extrativista nas décadas de 1980 e 90, "somente 3% dos proprietários das indústrias madeireiras são da Amazônia; a metade é do Espírito Santo (grande centro madeireiro nas décadas de 1960 e 70); e os demais são de outros estados do Sul, Sudeste e Nordeste do Brasil".

"E mesmo esses", observa Veríssimo, "não eram o proprietário nem o alto executivo da serraria do Sul. Os patrões não queriam vir para o Norte. Eles pensavam, com razão: 'Lá tem malária, lá tem problema'. Quem veio foi o gerente ou o caminhoneiro, o cara com espírito pioneiro, pouco capitalizado e com baixa instrução." Não eram pessoas interessadas em permanecer na floresta. Entravam nela, colhiam o que tinha valor e regressavam para os núcleos urbanos que iam se firmando ao sul da fronteira do desmatamento. Ali criavam seus filhos e gastavam seus lucros.

Na direção contrária, uma legião de migrantes em busca de terra subia as estradas que os desmatadores deixavam para trás. Os pesquisadores verificaram que na região de Tucumã os primeiros setenta quilômetros da via principal aberta pelos madeireiros estavam ocupados exclusivamente por famílias vindas do Centro-Oeste e do Nordeste. Uma vez mais, os amazônidas ficavam de fora. Na esteira das operações bem capitalizadas de desmate, quem agora se guiava por aqueles ramais eram pobres que praticavam uma agricultura de subsistência baseada no sistema de corte e queima. Com o tempo, quase todos acabariam por fazer pastagens daquelas matas degradadas. A floresta sumiria.

Para um dos participantes do estudo de Tucumã, o engenheiro florestal Paulo Barreto, a pecuária desempenhou um papel de grande importância na história da ocupação da Amazônia. "A pecuária chega antes da infraestrutura. O gado vem andando. O criador não precisa de quase nada para iniciar a produção", ele explica. Seus trabalhos de investigação — ele é pesquisador associado do Imazon — ajudam a compreender o que representa o gado no avanço dos homens para o interior da floresta. "O cara abre o solo de um modo precário, deita a semente e pronto, já virou pastagem. É um modelo brilhante: o cara pioneiro leva as bezerras e elas passam a funcionar como uma conta bancária remunerada. Os animais crescem e dão cria lá no meio do nada. Com isso, ele demonstra que ocupou a terra e que portanto é o dono dela. Não precisa de título, ele vai vivendo da carne. Se a infraestrutura não melhora, ele fica no negócio de bezerro. Na pior das hipóteses, tira o gado dali do mesmo jeito que levou: andando. A pecuária é adequada para a ocupação da fronteira. É colonização pelo boi, com baixíssima produtividade."

As pesquisas de campo do Imazon no sul do Pará ajudaram a esclarecer a dinâmica do desmatamento naquele período. De modo geral, primeiro chegavam os madeireiros, em seguida a queimada e, por fim, os bois. Nenhum personagem dessa aventura dependia do Estado para avançar floresta adentro. Pelo contrário: contavam com sua ausência, uma vez que operavam à margem do país formal.

Robert R. Schneider não conhecia o trabalho dos jovens ambientalistas brasileiros, que só viria a ser publicado um ano depois do seu. Em Washington, a pergunta que o guiava diferia ligeiramente da investigação realizada pelos brasileiros. Schneider queria saber por que tantos colonos, depois de alcançarem a fronteira do desmatamento — o limiar em que a floresta se encontra com a infraestrutura do país formal —, se dispunham a ir adiante para se estabelecer em áreas onde ainda não havia segurança, saúde, energia, educação, Estado. Enfim, nada. E queria entender, principalmente, como surgiam tantas terras abandonadas nas regiões de colonização recente. Por que, tendo se estabelecido ali com enorme sacrifício, esses pioneiros acabavam largando suas terras assim que a fronteira se aproximava deles novamente? Esse avanço constante por paisagens devastadas e vazias que ainda hoje podem ser vistas estava na origem da explosão do desmatamento na década de 1980. Como compreendê-lo?

Sorrindo, Schneider conta que era o preço da terra. "Essa era a explicação, mais especificamente a *diferença* entre o preço da terra no Sul e no Norte do país." Enquanto houvesse terra abundante para lá da fronteira econômica, haveria gente disposta a ocupá-la. "Pude mostrar isso bem, consegui bons dados e tive acesso a uma extensa base empírica de preços de terra no Brasil."

Schneider identificou dois tipos de migrante: o pioneiro, que chega antes e em geral não se fixa no lugar, e o colono, que chega depois e se assenta em definitivo na região. Quem faz avançar a fronteira é o pioneiro. Fundamentalmente pobre, ele dispõe de pouco ou nenhum capital humano, aquele conjunto de competências individuais que favorecem o desenvolvimento socioeconômico. Em outras partes do país, estará em desvantagem e tenderá a ser derrotado. Se permanecer onde nasceu, viverá dos magros recursos que costumam remunerar o trabalho não qualificado. Sobreviverá, apenas. Não tendo muito a perder, aceitará os riscos e as privações que acompanham a vida ali onde o poder público nunca chegou.

A aposta do pioneiro é boa. Analisando dados socioeconômicos, Schneider constata que, com certo nível de renda e de escolaridade, um migrante que trabalhe duro provavelmente melhorará de vida se for para o Norte. Essa legião de "esperançosos trabalhadores", como diz o jornalista Lúcio Flávio Pinto, muitas vezes chega de outros estados "sem família, sem regras, prontos para a loteria da fronteira, atrasada no tempo em relação às partes modernas do país e do mundo". Sem nenhuma capacidade de investimento, sem nenhum conhecimento técnico, o modo como esses pioneiros explorarão a terra será reflexo das carências que os distinguem. Eles tenderão a conferir às novas áreas características de sua própria condição, em especial a precariedade. Em vez de enriquecer seu pedaço de terra, eles o empobrecerão. Isolados na mata, sem acesso a insumos e mercados, recorrerão ao fogo para plantar sua roça e formar seu pasto.

"Mineração de nutrientes" foi a expressão criada por Schneider para nomear a extração não sustentável de nutrientes do solo florestal mediante corte e queima da vegetação, com o objetivo de abrir espaço para a lavoura e a pecuária extensiva. Numa formulação luminosa, ele explicou: "Esse processo difere da agricultura (e da silvicultura) por se tratar fundamentalmente de uma atividade mineradora; novas terras deverão ser continuamente destinadas à produção enquanto delas se extraírem nutrientes para favorecer a exploração madeireira, a colheita e a produção de carne. Como resultado, terras antigas, já mineradas, serão abandonadas".

Onde todos viam agricultura, Schneider viu mineração, ou garimpo — o conceito por vezes é chamado de "garimpo de nutrientes". Tal como em qualquer atividade minerária, o garimpo de nutrientes não é geograficamente sustentável. Quando as riquezas do solo (nitrogênio, fósforo e potássio, que são a base da agricultura moderna) se esgotam, a produção precisa avançar para novas áreas. Schneider estimou que a extração de nutrientes se sustenta por um período de dez a vinte anos, dependendo da fertilidade do solo. Depois disso, a terra empobrece de tal forma que já não serve para prover sustento.

Em seu relatório *Governo e economia na fronteira amazônica*, Schneider organiza seus argumentos com o rigor lógico de uma prova matemática. Tendo encontrado a origem de determinado fenômeno social — por exemplo, a diferença do preço da terra como causa de migração —, Schneider se volta para os efeitos desse novo estado de coisas. No caso, o esgotamento da terra, consequência a um só tempo das características de quem veio a ocupá-la — o pioneiro sem recursos — e, como se verá, de decisões tomadas pelo poder público. Causa produz efeito, o qual se torna a causa de um novo efeito. Uma coisa leva a outra, que leva a outra e a mais outra, numa cadeia causal que avança com a inexorabilidade de peças de dominó tombando umas sobre as outras.

Em que contexto a mineração de nutrientes prospera? E o que faz com que esse modelo de ocupação pareça tão inevitável? Schneider diz que os fatores são muitos, entre eles a pobreza dos solos (que se esgotam rapidamente), disponibilidade de mão de obra (despossuídos dispostos a viver além da fronteira), situação fundiária (terras caras no Sul em contraste com terras sem destinação no Norte). Contudo, um fator contribui mais que todos: "A mineração de nutrientes na Amazônia é uma resposta de mercado à abundância de terras acessíveis gerada pela construção de novas estradas".

Schneider, como vemos, avança mais uma casa. O Estado dá as caras e se torna ator do drama. Se o pioneiro pode adentrar a floresta, é porque as novas estradas o levam até as franjas da mata, a partir de onde existe terra abundante, barata e sem dono; não no sentido de não ser de ninguém — ela pertence ao conjunto dos brasileiros —, mas por não haver ente público que exerça controle sobre ela.

A oferta abundante de qualquer bem reduz seu valor. A terra é barata porque a fronteira nunca para de avançar. Estradas depreciam as propriedades ao lançarem mais terras no mercado. Enquanto se der como certo que as florestas virgens um dia serão alcançadas, as novas áreas valerão muito pouco.

A preferência do Estado brasileiro por estender a malha rodoviária território afora em vez de adensá-la nas áreas já consolidadas é diretamente responsável pelo modelo de uso, esgotamento e abandono de terras. Adotar esse modo de produzir, de pilhar o solo, se revelará uma escolha racional diante das vantagens que se oferecem: "Minerar nutrientes surgirá como a forma mais competitiva de agricultura sempre que novas estradas tornarem a terra abundante (e barata). O preço de novas terras será uma pechincha, se compararmos, de um lado, os custos dos fertilizantes e pesticidas necessários à preservação das terras em uso e, de outro, a fertilidade natural e a relativa ausência de pragas das novas terras (sobretudo depois da queimada)". Usa-se o solo, esgota-se o solo, avança-se em busca de mais solo.

Em outra de suas intuições, Schneider observa que é mais barato "tomar empréstimo da terra" do que do banco, pois na hora do vencimento — ou seja, quando o solo morre — não é preciso pagar a conta. Basta seguir adiante. O homem sem recursos não hesitará em fazê-lo. Pobreza e mobilidade estão diretamente relacionadas, escreve Schneider: "A mobilidade do passado será um forte indicador da mobilidade no futuro". Desvalidos não podem se dar ao luxo de parar. Vão andando.

Ao analisar as áreas degradadas e sem produção ao longo da fronteira, Schneider identificou outras duas dinâmicas de abandono da terra, além daquela vinculada ao empobrecimento do solo. Ambas decorrem de ações precipitadas do governo.

A primeira está ligada aos grandes projetos de colonização patrocinados pelo Estado até a década de 1980. Estimulado pelos generosos subsídios oferecidos a empresas dispostas a abrir a floresta, o capitalista investia recursos, acreditando que as autoridades cumpririam sua parte no trato. Schneider estimou que iniciativas como o Projeto Tucumã levariam até dezessete anos para se mostrar rentáveis. Para que o empreendimento chegasse à maturidade, era essencial, portanto, que o governo impusesse sua autoridade e fizesse valer as garantias básicas de um Estado liberal: direitos de propriedade, respeito a contratos, ação contra invasores.

Posseiros, como se sabe, dispensam tais garantias. Comparada à sina dos pobres no Sul, a vida deles melhora mesmo em situação de absoluto desamparo institucional. O único obstáculo que os impedirá de invadir grandes áreas abertas é a expectativa de repressão por parte das forças da lei. No entanto, esse nunca foi o caso para lá da fronteira. Depois de certo tempo combatendo a grilagem com suas forças de segurança privada, o capitalista se dá conta de que cometeu um erro de cálculo: o Estado é incapaz de fornecer a segurança prometida. Para estancar o prejuízo, ele decide ir embora, de preferência cobrando uma indenização do governo. Assim, o primeiro abandono se dá por desistência. Schneider mostra que os capitalistas se precipitaram ao investir na área. Julgando possível a existência de um capitalismo sem nação, chegaram antes do Estado — e perderam.

A outra dinâmica de abandono é o oposto da anterior. Em meados da década de 1980, a maioria dos grandes projetos de colonização no bioma Amazônia fracassara. As terras tinham sido ocupadas por pequenos posseiros, em assentamentos sob a supervisão do Incra. Com isso, a situação fundiária se pacificara, e regiões antes em conflito passaram a se beneficiar de alguma segurança jurídica. Em outras palavras, o Estado alcançara a fronteira.

Era exatamente o que faltava quando o capitalista jogou sua cartada prematura. Agora fazia sentido retornar, embora não para produzir, pois tais terras ainda não estavam inteiramente integradas ao sistema produtivo da nação. A fronteira econômica ainda não se estendera até lá — faltavam boas estradas, energia elétrica, escolas, hospitais e um comércio significativo, carências que impunham um teto ao valor das propriedades. Os preços haviam subido, mas apenas o suficiente para que o posseiro contemplasse a ideia de vendê-las e, com capital no bolso, seguisse floresta adentro, arrastando, uma vez mais, a fronteira consigo. Podia fazer isso espontaneamente, aceitando o preço oferecido pelo comprador, ou, como é comum em regiões de conflito fundiário, à força. Quem passava agora a ocupar as terras não era mais o agricultor sem recursos, mas o especulador imobiliário e o grileiro profissional. Homens ricos substituíam homens pobres.

Para esses novos proprietários, bastava esperar que o país fosse ao encontro de suas novas posses. Quase sempre moradores de cidades já consolidadas, eles adquiriam terras para investimento. Tornaram-se rentistas e especuladores, com uma atuação muito diferente daquela das grandes empresas colonizadoras das décadas anteriores. Não sendo mais necessário proteger as terras de invasões — agora o Estado se incumbia da tarefa —, seus proprietários podiam deixá-las desocupadas e improdutivas até a chegada dos serviços providos pela esfera pública, quando então elas se valorizariam bastante. De caráter especulativo, esse segundo abandono decorria de duas constatações: se, por um lado, não compensava produzir na terra, por outro era bom negócio entesourá-la até que as condições de mercado soprassem a favor.

Em suma, no quadro desenhado por Schneider, a terra podia ser abandonada por três razões: ou porque o pioneiro se acreditava um agricultor, quando no fundo era um garimpeiro; ou porque tinha havido investimento precoce em postos demasiadamente avançados, nos quais o Estado se mostrava incapaz de impor a ordem; ou, ao contrário, porque o Estado passara a oferecer proteção em áreas ainda não alcançadas pela fronteira econômica. Schneider classificou esse terceiro caso como "governo prematuro".

É um conceito fundamental, e Schneider explica: "O governo prematuro se dá quando os investimentos públicos na atividade econômica de determinada área são feitos com muita antecedência em relação à dinâmica que leva a fronteira a se deslocar". Seria como se o Estado ultrapassasse a linha além da qual cessa toda viabilidade econômica, implantando serviços em áreas incapazes de se tornarem solventes — de andar com as próprias pernas — sem repasses constantes do governo. Garantir contratos, prover lei e ordem, implantar infraestrutura social básica, nada disso é trivial ou barato; na verdade, em certas situações, "o custo do governo [se mostra] bastante desproporcional" à capacidade produtiva da região. Como se verá adiante, o conjunto de tudo o que se produzirá ali não será suficiente para justificar o dispêndio do Estado. A riqueza é pouca, o gasto é muito. "Nesses casos, os gastos públicos podem ser considerados prematuros do ponto de vista de investimento."

Em poucas linhas, Schneider redefinia a compreensão que se tinha da fronteira. À luz de sua interpretação, o avanço constante para o interior da floresta deixava de ser um problema exclusivamente ambiental e virava também uma armadilha para as contas públicas. De um golpe, o fenômeno abandonava as salas pouco visitadas dos órgãos do meio ambiente para se alojar nos concorridos gabinetes do Ministério da Fazenda. Schneider estava dizendo que expandir indefinidamente a fronteira era caro demais para o país — o agronegócio produtivo só é viável em áreas reduzidas do bioma; as inclemências do clima tropical condenam boa parte das terras abertas a ser ocupada por quem será incapaz de viver delas. Diante disso, ele postulava que o Estado seria chamado a suprir as carências. Adalberto Veríssimo diz que é irracional abrir mais frentes. "Você se obriga a prover infraestrutura, o que é impraticável, dada a escala do território, e ainda mais num país pobre e sem capacidade de investimento público. Abrir fronteira é contratar informalidade, desarranjo e, em última instância, o crime."

As razões por que o governo chega antes da viabilidade econômica são muitas, algumas plenamente justificáveis, outras não. Segurança: o braço armado do Estado é chamado a garantir o direito de propriedade em zonas de conflito agrário. Oportunismo político: ganham-se votos levando estradas inviáveis até povoados distantes. Soberania nacional: é preciso integrar o território e proteger as fronteiras do país. Desenvolvimentismo míope: a crença de que ocupar a floresta é sinal de progresso. Incúria: com raras exceções, o Estado brasileiro não é conhecido por planos bem urdidos de ocupação do território.

Existe um modo relativamente simples de aferir se o governo foi precipitado ao investir em determinado território. Basta comparar os gastos necessários para manter de pé a infraestrutura socioeconômica com o valor de tudo o que se produz ali. Quando essa razão é alta — muito gasto público para pouca geração de riqueza —, significa que a vida econômica tem no governo seu principal motor. Se, com o tempo, a proporção diminui, é sinal de que a região está ganhando autonomia e se livrando da dependência do governo federal. Governo prematuro ocorre quando se investe nas regiões em que tal razão se mantém permanentemente alta. "Nelas, o Estado foi incapaz de criar as precondições para um crescimento sustentável da economia", escreveu Schneider em 1995. Excetuando eventuais objetivos estratégicos — proteger áreas de fronteira, por exemplo —, situações assim evidenciam que, do ponto de vista do interesse nacional, o governo fez uma aposta errada. Recursos que poderiam ser mais bem empregados em áreas consolidadas são gastos em fronteiras distantes, onde a vida econômica só sobrevive graças aos repasses governamentais. Como pacientes numa UTI, são municípios que respiram por aparelhos. Desligue-se o respirador, e a vida chega ao fim. Schneider observou: "Tal como já se verificou inúmeras vezes, investir em desenvolvimento econômico em regiões extrafronteiras é, a priori, uma proposta fadada ao fracasso".

Para o conjunto da sociedade, "desmatar não faz mais nenhum sentido", diz Mauro Lúcio de Castro Costa, fazendeiro no Pará. "Se desmata, tem que levar estrada, energia, saneamento. Como é que o governo vai fazer tudo isso num estado em que o Produto Interno Bruto da pecuária é de quinhentos reais por hectare? Isso é PIB de miséria."

Um levantamento feito pelo engenheiro ambiental Daniel Santos mostra que, em 2017, quase 60% da receita corrente do Pará era composta de recursos transferidos pela União. De 2010 a

2019, na média, as transferências corresponderam a cerca de metade da receita dos municípios. Significa que, caso a torneira do governo federal fechasse, pelo menos 50% das folhas municipais — que remuneram parte dos serviços de professores, garis e profissionais da saúde, entre outros — deixariam de ser pagas. Ruas não seriam asfaltadas. Praças ficariam às escuras. Alunos não receberiam merenda escolar. É evidente que o governo não pode ignorar as carências de ajuntamentos já consolidados. O erro apontado por Schneider foi o Estado deixar que se consolidassem.

Em sistemas federativos como o brasileiro, é natural que impostos cobrados pela União sejam redistribuídos das regiões mais ricas para as mais pobres. A questão levantada por Schneider diz respeito não à legitimidade dessas transferências, mas à escala em que são feitas e, principalmente, à não sustentabilidade do modelo. Adnan Demachki, ex-prefeito de Paragominas, conta que, em 2017, o Sebrae estimou que dois terços dos negócios no Brasil eram informais. "Só que no Pará esse número chega a 90%. Veja só que coisa. Os dois principais impostos municipais são o ISS, sobre serviços, e o IPTU, sobre imóveis. Tem um terceiro, sobre transmissão de propriedade, mas é pouca coisa. Ora, se 90% dos negócios são informais, isso significa que o dono do restaurante não vai emitir nota e o município não vai recolher ISS. No caso do IPTU, a maioria dos municípios não tem infraestrutura para cobrar. O resultado é que a receita municipal é muito baixa."

O estado do Pará tem 144 municípios e catorze deles precisam receber da União no mínimo sete reais de cada dez que gastam. Anajás, na ilha de Marajó, está entre eles: três quartos dos pagamentos são feitos com dinheiro de Brasília. Em média, os impostos que os municípios paraenses conseguem arrecadar não perfazem sequer 4% de suas receitas — 0,14% no caso de Anajás, onde a situação nem é a mais crítica. Na vizinha Chaves, os impostos municipais representam 0,08% da receita corrente, oito centavos de cada cem reais. Ainda assim, o poder público está obrigado a fornecer eletricidade, educação, saúde, segurança e infraestrutura viária a mais de 20 mil chavienses. É preciso remunerar o prefeito, pagar a máquina municipal, manter aberta a Câmara dos Vereadores.

No Brasil, há repasses que são obrigatórios e, portanto, regulares. Independem do jogo político. Outros são opcionais, podendo variar ao sabor da relação do prefeito com as diversas esferas de poder. O que aconteceria se a União suspendesse essas transferências voluntárias? "O prefeito viraria um gerente de pessoal", responde Demachki. "Ele perde qualquer capacidade de investimento. Não reforma uma escola, não abre um posto de saúde, não faz uma praça." E se, numa emergência fiscal, as transferências obrigatórias fossem suspensas? "Aí os municípios seriam a primeira unidade federativa a quebrar. A União ainda se segura por um tempo; o município, não." Nem seria preciso imaginar cenários extremos para perceber a situação, diz Demachki. Atualmente, grande parte dos municípios na região Norte não tem recursos para investir. "As transferências federais e estaduais viram só custeio", ou seja, servem para pagar o funcionalismo, e só. A dependência em relação à União é absoluta. "Pouquíssimos municípios têm capacidade para fazer projeto", continua Demachki. "Estou falando de projetos técnicos — projetos econômicos, projetos de saúde, projetos de educação." O ex-prefeito de Paragominas concorda que a solução seria adensar a presença do Estado nas regiões consolidadas e evitar o espalhamento pelo território: melhorar o que já existe, em vez de pulverizar o pouco que se tem. "Faz um tempo, pensaram em dividir o Pará em três. Teria sido uma loucura, ia dividir a pobreza, os parcos recursos. Há uns dez anos houve uma febre de criação de municípios. Depois estagnou, mas aqui no Pará foram criados muitos municípios pequenos sem a menor capacidade de gerar receita. Mais adensado significa com mais capacidade de investimento."

Um estudo publicado em novembro de 2020 pelos economistas Flávia Alfenas, Francisco Cavalcanti e Gustavo Gonzaga, da Pontifícia Universidade Católica do Rio de Janeiro (PUC-Rio), mostra que 25% de todos os empregos formais oferecidos na Amazônia Legal estão no setor público, índice que, no Brasil todo, não passa de 15%. Quase metade da renda dos habitantes da região (48,8%) vem diretamente de pagamentos feitos pelo Estado brasileiro; são salários, aposentadorias, pensões, programas de transferência de renda. E essa tendência não vem se revertendo. Ao contrário. Entre 2012 e 2019, o setor público cresceu 21,6%, enquanto os empregos no agronegócio, por exemplo, caíram 16%. "As áreas desmatadas destinadas a pastagens aumentaram, mas não estão gerando emprego", diz Gonzaga. O papel predominante que o setor público desempenha na economia local — em número de vagas, só perde para serviços — indica que o setor privado tem sido incapaz de propiciar o dinamismo necessário para garantir o desenvolvimento da região. Tudo isso configura um quadro de dependência crítica do Estado, consequência direta do modo como se decidiu ocupar o bioma. É uma cilada que o Brasil criou para si mesmo e que terá de resolver, sob pena de perpetuar a pobreza e a degradação ambiental.

Um dos desdobramentos do trabalho de Robert R. Schneider foi permitir uma compreensão mais fina de como as regiões amazônidas se comportam antes, durante e depois de serem alcançadas pela fronteira econômica. Para os que leram seu artigo de 1995, parecia correto, ao menos intuitivamente, concluir que o Brasil não havia escolhido o bom caminho. Nenhum modelo de desenvolvimento baseado na destruição sistemática do ecossistema, no abandono da terra e na irracionalidade fiscal poderia se sustentar por muito tempo e tampouco conseguiria produzir bem-estar social duradouro. Mas era preciso provar isso. O relatório de Schneider oferecia uma descrição elegante e poderosa do que se passava na Amazônia, mas se tratava ainda de uma hipótese em busca de dados empíricos que a consolidassem.

As evidências seriam apresentadas cinco anos depois, em 2000, quando Schneider publicou um segundo trabalho, então em parceria com pesquisadores do Imazon, dentre os quais Adalberto Veríssimo. Intitulado *Amazônia sustentável: Limitantes e oportunidades para o desenvolvimento rural*, o estudo se tornou um marco da literatura socioeconômica sobre a região. Nele, os autores introduzem o conceito de "boom-colapso", um desses termos que, uma vez cunhados, tornam-se inescapáveis.

Os autores dividiram a Amazônia Legal em três regiões: seca, de transição e úmida. Na primeira, correspondente a 17% do território, a atividade agropecuária tende a ser bem-sucedida. Na zona de transição, localizada entre as florestas úmidas do Norte e o Cerrado do Centro-Oeste, representando 38% da área total, a proporção do solo ocupado pela agricultura cai bastante, em razão do aumento do índice pluviométrico — passa de 25% nas áreas mais secas para apenas 5% nas mais úmidas. Quem já foi pego pela violência de um temporal nos trópicos não se espanta com esse dado: o aguaceiro equatorial não é gentil com as lavouras.

Por fim, a Amazônia úmida representa 45% de todo o território. Boa parte dela coberta por florestas densas, é a paisagem que todo cidadão do planeta tem na cabeça quando pensa no bioma. Trata-se de um ambiente hostil à produção agrícola de alto rendimento. Entre os obstáculos quase intransponíveis enfrentados pelas grandes monoculturas na região estão excesso de chuva, drenagem insuficiente e alto custo de manutenção da infraestrutura viária. De acordo com esse segundo estudo de Schneider, a Amazônia úmida é um dos ecossistemas "com a mais alta probabilidade de abrigar um predador natural para qualquer cultura agrícola introduzida pelo homem". A pecuária é possível, mas tende a ser muito pobre. Se na zona seca perto de 8% dos pastos estão abandonados, na zona úmida esse índice chega a 20%.

Ao analisarem os dados das principais práticas rurais na Amazônia úmida — exploração madeireira, pecuária e grãos —, Schneider e seus colaboradores conseguiram projetar o desenvolvimento socioeconômico de uma típica cidade da área, etapa a etapa: "Se as forças de mercado atuarem livremente na região, o uso do solo será baseado na exploração madeireira predatória associada à pecuária extensiva. Nesse caso, a economia dos municípios da Amazônia tende a seguir o ciclo 'boom-colapso'". Ou seja, "nos primeiros anos [de atividade econômica] ocorre um rápido crescimento (boom), seguido de um severo declínio em renda e emprego (colapso)".

Para compreender melhor o fenômeno, é útil estabelecer uma última tipologia para caracterizar a região. Índices pluviométricos determinam a Amazônia seca, a de transição e a úmida. Mas quando o critério não é mais a chuva, e sim a floresta, ou então a paisagem que se tem diante dos olhos, existirá a Amazônia já desmatada, a Amazônia sob pressão de desmatamento e a Amazônia que ainda mantém sua cobertura original.

Imagine-se então um município dessa última região, ou seja, da Amazônia florestal, com 1 milhão de hectares de mata densa — a metade do estado de Sergipe (sim, há municípios grandes na Amazônia) — que ainda não tenha sido alcançado pela fronteira do desmatamento. Sua população será pequena e provavelmente viverá de forma modesta da extração de produtos florestais —

açaí, cupuaçu, cacau, andiroba, pescados. Então chegam os madeireiros, atrás de novos estoques de matéria-prima, e logo as espécies mais valiosas começam a ser levadas embora. A comunidade precisa tomar uma decisão: ou se organiza para expulsar os forasteiros, ou se torna parceira da exploração predatória.

Schneider e seus colegas demonstram que, na ausência de qualquer regulação, no curto prazo a segunda opção se provará mais vantajosa. Sem repressão e, portanto, sem obstáculos ao desrespeito da lei, será possível extrair o valor máximo da floresta. Nos primeiros anos haverá um influxo de migrantes, equipamentos, serviços de apoio, comércio. A comunidade pode contar com o rápido crescimento da atividade econômica. Restaurantes terão clientes, pensões receberão hóspedes, postos de gasolina venderão mais combustível, haverá emprego nas frentes de desmatamento, no transporte de toras e nas serrarias. Os indicadores sociais melhorarão, em parte pelo aumento da renda do município, em parte pelo fenômeno de importação de IDH, ou seja, pela chegada de migrantes com escolaridade mais alta e mais capital. Uma fotografia desse momento confirmaria a tese de que derrubar a floresta traz benefícios sociais e econômicos. De fato, como mostrariam os pesquisadores Danielle Celentano e Adalberto Veríssimo em um estudo de 2007 — a classificação das Amazônias desmatada, sob pressão e florestal surge nesse trabalho (a categorização inclui uma quarta zona, a não florestal, recoberta por cerrados e campos naturais; por não ser predominantemente floresta, será desconsiderada aqui) —, quanto maior o desmatamento em curso, maior o IDH. Ocorre que não se trata de uma fotografia, mas de um filme. Com o passar do tempo, além da devastação ecológica, coisas ruins começam a acontecer. A fronteira do desmatamento é também a fronteira da violência. Segundo os autores, há uma correlação direta entre os dois fenômenos: "Na zona sob pressão, ocorreram 43% dos assassinatos rurais da Amazônia entre 2003 e 2006". O massacre de Eldorado do Carajás* em 1996 e a execução da irmã Dorothy Stang** em 2005 são apenas os episódios mais conhecidos dentre as tragédias da floresta sob ameaça. Ao comparar a taxa de homicídio nas três diferentes Amazônias — a desmatada, a sob pressão e a florestal —, Celentano e Veríssimo verificam que a segunda é três vezes mais violenta do que as outras: foram 62 pessoas assassinadas por 100 mil habitantes nas zonas sob pressão, 24 pessoas nas áreas já desmatadas e dezoito na Amazônia que preserva sua vegetação.***

* Em 17 de abril de 1996, no município de Eldorado do Carajás, sul do Pará, a Polícia Militar do estado investiu contra um grupo de sem-terras que marchava em direção a Belém para protestar contra a demora na desapropriação de terras ocupadas pelo movimento. Dezenove trabalhadores morreram no choque. Um cinegrafista da TV Liberal, afiliada local da TV Globo, registrou o massacre. Segundo o laudo médico, sete vítimas foram espancadas a golpes de foice e em seguida executadas a tiros; outras foram assassinadas à queima-roupa. Dos 144 acusados, apenas um coronel e um major foram condenados, o primeiro a 228 anos, o segundo a 158 anos de reclusão. Ambos recorreram e, por serem réus primários, puderam responder ao processo em liberdade. Em 2004, a condenação foi confirmada pela Justiça do Pará. Eles chegaram a ser presos, mas foram libertados menos de um ano depois graças a um habeas corpus do Supremo Tribunal Federal (STF).
** A norte-americana naturalizada brasileira Dorothy Mae Stang, missionária da Congregação das Irmãs de Notre Dame de Namur, foi assassinada em 12 de fevereiro de 2005 numa estrada de terra do município de Anapu, no sudoeste paraense. Tinha 73 anos. Defensora intransigente dos assentamentos sociais e da floresta, foi cercada por dois matadores a soldo de fazendeiros que reivindicavam a posse das terras ocupadas pelos assentados. Uma testemunha contaria que Stang estendeu a Bíblia para seus algozes: "É minha única arma". Abriu então em Mateus 5 e leu em voz alta: "Bem-aventurados os que têm fome e sede de justiça, porque eles serão saciados". Morreu com seis tiros, um deles na cabeça. Cinco pessoas seriam condenadas pelo crime, entre elas dois fazendeiros locais.
*** De 2007 para cá, a situação só piorou. As pesquisadoras Sofia Reinach e Isabela Sobral, do Fórum Brasileiro de Segurança Pública, e o engenheiro ambiental Daniel Santos calcularam essas mesmas taxas em relação a 2018, último

Em *Amazônia sustentável*, seu trabalho de 2000, Schneider e colegas mostram que, oito anos depois da decisão de se tornar sócio do desmatamento, o município começa a entrar em declínio econômico. Foi o tempo necessário para que se cortassem as árvores de maior valor. Inicia-se então um ciclo de extração de espécies menos valiosas. A floresta se torna progressivamente mais pobre, incapaz de manter a biodiversidade que a caracteriza. Vai se tornando inviável como sistema biológico autossustentável. No vigésimo ano ocorre o colapso total da atividade madeireira. Os empresários e suas equipes partem em direção a novas florestas, levando muito do que trouxeram: emprego, renda, serviços, comércio. Deixam como herança uma cidade de lojas fechadas, cercada de terras nuas sob um sol feroz nas quais se pratica pecuária vagabunda — ou, na melhor das hipóteses, medíocre, mas quase

---

ano para o qual existem dados de qualidade. Em dez anos, houve um aumento praticamente generalizado da violência nas três zonas. A exceção está na zona sob pressão. É ainda ali que se verificam os maiores índices de violência física, mas, único caso de queda nos indicadores, registrou-se uma discreta redução na taxa de homicídios entre 2007 e 2018. A boa notícia, contudo, é logo modulada pela constatação de que na zona desmatada os assassinatos explodiram. E não só: é também ali que se apresentam hoje as maiores taxas de trabalho infantil. É como se a fronteira avançasse arrastando consigo a violência e deixando para trás um legado de devastação ambiental e criminalidade. Em outro estudo, o economista Rodrigo Soares, do Insper, identificou três fenômenos capazes de predizer com acurácia se determinado município será mais ou menos violento (o estudo de Soares se refere a municípios com menos de 100 mil habitantes). Chamou-os de fatores de risco. São eles o garimpo, a extração ilegal de madeira e a grilagem. Municípios com menos de 100 mil habitantes que reúnem os três fatores — por definição, municípios da zona sob pressão — viram suas taxas de violência explodir a partir de 2015. Há fortes indícios de que os grandes cartéis criminosos hoje participem dessas três atividades — de fato, em novembro de 2021, um oficial do Comando Militar da Amazônia confirmou que o Exército considerava o crime organizado e o narcotráfico os temas mais críticos da Amazônia Ocidental (Rondônia, Acre, Amazonas e Roraima).

sempre menos que isso. Bois de costelas salientes desesperados por uma sombra. Schneider e seus colaboradores estimaram que no oitavo ano o município pode gerar até 100 milhões de dólares, mas no vigésimo o valor não chegará nem a 5 milhões. Do boom, caminhou-se para o colapso.

Se, em vez de praticar a exploração selvagem, o município tivesse optado por um sistema de manejo sustentável de seus recursos madeireiros, a situação seria outra. Não experimentaria um aumento de renda tão rápido e concentrado, mas tampouco se veria arruinado ao fim de um ciclo predatório. Comparando as duas opções, Schneider e colegas escrevem: "Ambos os modelos empregam aproximadamente o mesmo número de pessoas durante os primeiros oito anos. Após esse período, o modelo predatório atinge 4500 empregos tanto na exploração florestal como na pecuária, enquanto o modelo sustentável, baseado no manejo florestal, permanece estável com 3500 empregos. Contudo, com a exaustão da madeira comercial no 23º ano, a base econômica do modelo predatório migra para outro município, deixando para trás menos de quinhentos empregados envolvidos em pecuária. Se o recurso madeireiro do município fosse sustentavelmente manejado, os 3500 empregos seriam mantidos indefinidamente".

Sete anos depois de Schneider e colaboradores publicarem o estudo em que apresentaram o conceito de boom-colapso, Celentano e Veríssimo testaram empiricamente sua validade. Se o modelo estivesse correto, novas fronteiras de ocupação — aquelas em que a ação dos madeireiros estivesse em curso — deveriam ter indicadores de crescimento melhores do que velhas regiões já exploradas. As previsões de Schneider se confirmaram. Municípios em zonas sob pressão têm, em média, um PIB municipal e per capita bastante superiores aos dos municípios já desmatados ou ainda florestados. Contudo — e aqui reside a tragédia do modelo de ocupação que o Brasil escolheu para a Amazônia —, quem já não tem florestas se tornou irremediavelmente pobre: "Os municípios mais desmatados da Amazônia apresentam um PIB inferior à média da região. [...] O PIB médio nesses municípios (23 milhões de dólares) é 60% inferior à média da Amazônia". Um estudo de 2021 liderado pelo demógrafo Cássio Turra, da Universidade Federal de Minas Gerais (UFMG), mostra que, a partir de meados da década de 1990, a taxa líquida de migração dessas regiões passou a ser negativa, ou seja, elas vêm perdendo população. A terra empobrecida já não justifica a permanência. Antes atrativos, esses municípios devastados passaram a exercer uma "força de expulsão", termo usado pelo demógrafo.

Na zona desmatada escolheu-se derrubar a floresta, e, ao cabo da devastação, a área não se tornou mais próspera do que antes, quando seus recursos naturais ainda estavam intactos. Celentano e Veríssimo verificaram que os indicadores socioeconômicos

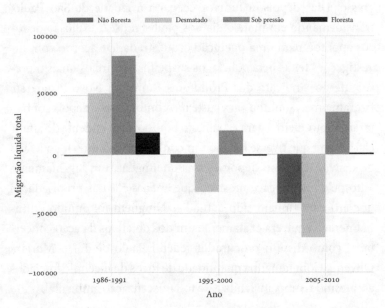

AMAZÔNIA LEGAL
FRONTEIRAS — MIGRAÇÃO LÍQUIDA TOTAL

das zonas desmatadas não guardam diferença com o das zonas florestais: "É o pior dos cenários: recursos naturais exauridos e manutenção ou agravamento da pobreza". Daí o caráter agora inapelável da pobreza: quem permaneceu na terra destruída perdeu a opção de uso futuro dos benefícios de uma floresta exuberantemente rica. Contratou-se prosperidade efêmera à custa de miséria duradoura — ecológica, econômica e espiritual.

Novo Progresso, no sudoeste do Pará, é um município típico da zona sob pressão. É em lugares como esse que o futuro do bioma está sendo disputado. Foi ali que fazendeiros, empresários, advogados e pessoas ligadas ao setor agropecuário do município combinaram dia e hora para começarem incêndios florestais em toda a região, no que ficou conhecido como o Dia do Fogo: 10 de agosto de 2019. Nessa data, o Inpe registrou um salto de 700% no número de queimadas no estado — 300% somente em Novo Progresso. Dias depois, a fumaça chegaria à cidade de São Paulo, transformando em noite o dia dos paulistanos. A explosão de focos apontou para uma operação orquestrada. De acordo com investigações feitas pela polícia, os suspeitos, dentre os quais o presidente do Sindicato dos Produtores Rurais de Novo Progresso, fizeram uma vaquinha para custear o combustível e depois contrataram motoqueiros para espalhar o líquido. O presidente do sindicato negou que tivesse havido um conluio e atribuiu o fogo à falta de chuvas. Um ano depois dessas queimadas, um levantamento feito pelo Greenpeace mostrou que apenas 5% das propriedades que arderam tinham sido autuadas. Ninguém foi punido criminalmente, o que era exatamente um dos objetivos da ação concertada, como disse o procurador federal Paulo de Tarso Moreira Oliveira. Com tamanha quantidade de focos de incêndio iniciados ao mesmo tempo, inviabiliza-se toda fiscalização ambiental.

Cortado pela BR-163, Novo Progresso tem lugar constante na lista dos municípios que mais desmatam. Não se pode dizer que ele seja uma fronteira recente. Na Wikipédia, o município é celebrado por um curioso verbete, cuja evolução editorial traça o histórico das disputas ideológicas em torno da fronteira. Em 2008, quatro anos depois de o texto sobre Novo Progresso ter sido criado na plataforma, a seguinte frase apareceu pela primeira vez: "O surgimento de Novo Progresso se deve à construção da rodovia Santarém-Cuiabá, que em 1973 rasgou a Floresta Amazônica". Sete anos depois, em 2015, alguém refinou o enunciado: "O surgimento de Novo Progresso se deve à construção da rodovia Santarém-Cuiabá, que em 1973 rasgou e desmatou a Floresta Amazônica". Tudo permaneceria assim até março de 2020, quando outro redator (de quem só se conhece o endereço virtual, não a identidade) interveio para acrescentar o elemento de exaltação: "O surgimento de Novo Progresso se deve à construção da rodovia Santarém-Cuiabá, que em 1973 rasgou, desmatou e trouxe progresso à Floresta Amazônica".

Nascido à beira de uma autoestrada em construção, o povoado no meio da mata tomaria impulso nos anos 1980, com a descoberta de ouro, e não demoraria a se emancipar de Itaituba, ganhando status de município em 1991. Quase trinta anos depois, em fevereiro de 2020, o então vice-prefeito, Gelson Luiz Dill — que se elegeria prefeito em novembro daquele ano —, explicou o funcionamento das contas de seu município de 25 mil habitantes: "Novo Progresso depende quase 100% do governo federal para qualquer investimento. Aqui não tem indústria grande. A maior receita vem das transferências federais, via Fundo de Participação dos Municípios, e também do governo estadual, com o ICMS. O maior empregador aqui é a prefeitura, a gente tem 1300 funcionários. Nosso orçamento é de 70 milhões e 63% vai em folha, ou seja, estamos acima da Lei de Responsabilidade Fiscal". Ele lamenta que só 18% da população pague IPTU. O que a prefeitura arrecada com impostos não soma 10% da receita do município.

Novo Progresso está longe de ser exceção. É comum imaginar que o setor agropecuário seja o que mais contribui para o PIB da Amazônia Legal. Errado. No estudo de 2007 em que tipificaram as várias Amazônias, Danielle Celentano e Adalberto Veríssimo mostram que, em 2004, isso era verdade apenas para Mato Grosso, onde a produção rural gerava 41% do PIB. No estado do Amazonas, o setor industrial representou 70% das riquezas produzidas, e graças unicamente à Zona Franca de Manaus. Nos demais estados da região, o setor mais dinâmico da economia foi o de serviços. Celentano e Veríssimo, antecipando aspectos do estudo sobre mercado de trabalho na Amazônia publicado em 2000 pelos economistas Flávia Alfenas, Francisco Cavalcanti e Gustavo Gonzaga, verificaram que, já em 2004, quando se observavam as rubricas que compunham o setor de serviços, constatava-se que a parte do leão pertencia à administração pública: "No Acre e em Roraima, a administração pública representou 63% e 64% do PIB de serviços, respectivamente. Isso indica a forte dependência entre a economia da região e as despesas públicas". E significa que, para os mais ricos, o Estado comparece com empregos públicos; para os mais pobres, com programas de transferência. A renda familiar de uns e de outros provém de uma mesma fonte cuja origem não é a economia local.

Esse é o custo da fronteira. Até 1970, a Amazônia Legal representava 4% do PIB brasileiro. Hoje, depois de eliminarmos cerca de um quinto da parte que nos cabe do maior ecossistema tropical do planeta, a região responde por 8% do PIB. Soa a progresso, mas não é: no mesmo período a população da região quadruplicou. Um levantamento feito pelo grupo de pesquisa do economista Juliano Assunção, da PUC-Rio, comparou a renda domiciliar per capita dos seis estados inteiramente contidos no bioma amazônico (Acre, Roraima, Amazonas, Rondônia, Pará e Amapá) com a do restante do Brasil. O cotejo começa em 1970, no início do processo de destruição da floresta, e segue até 2010. Os dados são eloquentes: nesses quarenta anos de desmatamento contínuo, o Brasil cresceu e deixou os municípios do bioma para trás. Ali as pessoas se tornaram mais pobres do que as que vivem em outras partes do país. A floresta foi derrubada, e a população e o país não ganharam nada com isso.

As análises pioneiras de Robert Schneider tornaram-se cada vez mais influentes entre os anos 1990 e 2000. Novos pesquisadores entraram em cena, levando adiante os achados do norte-americano. Tomados em conjunto, esses estudos conduziam a uma pergunta: como estancar a sangria e mudar de rumo? Schneider deixara pistas em seu trabalho solitário de 1995, cuja terceira e última parte trazia o seguinte título: *Chega o governo*. Nas últimas linhas do capítulo, ele chamou a atenção para o desalinhamento entre interesses nacionais, regionais e locais. O que é bom para o país não é necessariamente percebido como bom para o município. A opção pelo desenvolvimento mais rápido, mesmo sob pena de comprometer o futuro, é essencialmente uma aposta local e regional, ao passo que a defesa dos benefícios de um crescimento mais sustentável, ainda que lento, é nacional e global. "A indústria ilegal de fármacos, extremamente lucrativa, a extração predatória de madeira, o garimpo que lança mercúrio nos rios, o desmatamento descontrolado — essas são práticas que a população local e seus representantes estarão inclinados a tolerar, em larga medida por aprovarem a atividade econômica que elas estimulam", escreveu Schneider.

Desenha-se, assim, uma espécie de dilema da comunidade. Se o governo nacional deixa com o poder local a prerrogativa de decidir, o modelo boom-colapso será sempre o escolhido. Perderá o país e perderá a população futura do município.

No trabalho publicado em 2000, Schneider e colaboradores listam três motivos que explicam a preferência pela destruição. Primeiro, "o curto período dos mandatos municipais não permite que os líderes políticos adotem uma perspectiva de longo prazo com o objetivo de estabilizar e melhorar a qualidade de vida". Segundo, muitas lideranças locais ganham proeminência e se elegem para cargos públicos por fazerem parte da economia de fronteira, o que significa que têm interesse em mantê-la vibrante.* Por último, a curto prazo qualquer atividade regulada será sempre menos lucrativa do que a exploração predatória. Entre uma comunidade que imponha o manejo sustentável e uma que tolere o corte selvagem, na ausência da força repressiva do Estado os madeireiros optarão quase sempre por atuar na segunda, tornando a atividade sustentável menos competitiva, por mais custosa que seja.

"O passado é um país estrangeiro: lá, as coisas são feitas de maneira diferente", diz a frase de abertura do romance *O mensa-*

---

* É o caso de Ubiraci Soares da Silva. O titular da prefeitura de Novo Progresso no período de 2017-20 foi garimpeiro e depois se tornou proprietário de uma loja de compra de ouro — a "loja do prefeito", como se dizia na cidade. Ele consta num banco de dados público como proprietário de um imóvel rural *dentro* de uma floresta nacional. Silva nega essa propriedade, mas até janeiro de 2021 a fazenda continuava em seu nome. Gelson Dill, que o substituiu no cargo, acumula multas por crimes contra o meio ambiente e tem terras embargadas por desmatamento *dentro* de uma unidade de conservação. Na vizinha Itaituba, Valmir Climaco, reeleito em 2020 para a prefeitura do município, é negociante de garimpos, já foi condenado por desmatamento ilegal e denunciado por incitação à violência contra agentes públicos.

geiro, do escritor inglês L. P. Hartley. Essa afirmação também se aplica à fronteira; é como se ela fosse outro país, regido por outros princípios. Deixada à sua própria volição, rumará sempre no sentido contrário ao uso equilibrado dos recursos. A única forma de alinhar a fronteira aos interesses da nação é atuar de fora para dentro. Cabe ao governo nacional criar condições para que uma vida econômica não predatória na fronteira se torne competitiva e, em consequência, viável.

Schneider sugere algumas formas de alcançar esse objetivo. Antes de mais nada, é preciso transformar o pioneiro em colono. Se o primeiro tem muito pouco a perder e não lhe é custoso abandonar sua terra para seguir avançando pela floresta, o segundo deita raízes e não vê mais motivo para se mover. O Estado que provê educação, saúde e segurança fundiária ao pioneiro fixa-o no chão.

Além disso, como vimos, a mineração de nutrientes como modo preferencial de produção é decorrência direta do estoque abundante das novas terras que, graças à construção de estradas, entram constantemente no mercado. Schneider observa que obras viárias podem elevar ou reduzir o preço da terra. Quando o Estado decide adensar a malha numa região já consolidada, melhora a logística dos produtores locais, valorizando, assim, as propriedades. Quem pensava em abandonar sua gleba encontra motivos para descartar a ideia, já que agora é dono de um patrimônio significativo. Mesmo que decida vendê-lo, não estará mais disposto a se aventurar na floresta, dado que o capital recém-adquirido e a proximidade dos serviços do Estado aumentaram seu bem-estar e estabilizaram sua situação econômica. Seria preciso pagar um preço alto para convencê-lo a abandonar o que conquistou.

Inversamente, "se a mineração de nutrientes é causada por terra barata, então a forma mais direta de reduzir a prática é evitar políticas públicas que diminuam o preço da terra", escreve Schneider. Significa dizer que todo ato de governo que aumente a oferta de terras — seja espraiando a malha viária, seja tornando mais flexível o regramento fundiário, seja demonstrando leniência com o roubo de terras públicas — intensificará a prática do garimpo de nutrientes e, assim, o subsequente abandono de terras, numa cadeia causal cuja consequência é fazer com que as comunidades que se estabelecem na fronteira jamais deixem de ser precárias. A aposta em malhas extensivas em rodovias como a BR-230 (Transamazônica), a BR-010 (Belém-Brasília) e a BR-163 (no trecho Cuiabá-Santarém), exemplos de certa mentalidade de ocupação desenvolvimentista do território, é também uma opção pela transitoriedade e instabilidade das novas fronteiras.

 Um estudo de 2014 publicado no periódico *Biological Conservation* demonstra que 95% do desmatamento na Amazônia acontece a 5,5 quilômetros das estradas — oficiais e clandestinas — e a um quilômetro dos rios. Durante uma conversa em Belém, o geólogo Carlos Souza Jr., um dos coautores da pesquisa, projetou um mapa da Amazônia em sua tela. "Agora eu vou acrescentar as estradas", disse, dando um clique no mouse. Foi como se um para-brisa — o mapa — tivesse sido atingido por uma pedra. As trincas — as estradas — se irradiaram por toda a superfície, numa trama tão densa que parecia abarcar cada palmo do território. "Existem cerca de 300 mil quilômetros de estradas na Amazônia, e uns 80% delas são ilegais. Nas ilegais o desmatamento se concentra num raio de quilômetros da via. Já nas estradas legais, pode chegar a cinquenta quilômetros."

 A solução estrutural para o problema seria a estratégia de "fechar a fronteira", saída que Schneider já havia indicado no estudo de 1995. Além de ter proposto substituir a malha rodoviária extensiva por malhas adensadas, garantir direitos de propriedade e criar linhas de crédito para quem decidisse investir no enriquecimento da própria terra, o pesquisador norte-americano sugeriu ainda uma quarta medida para estancar o avanço da fronteira: implantar "políticas de zoneamento". Embora tenha dedicado apenas dezessete linhas a esse tema (na verdade um parágrafo), de todas as proposições de seu trabalho, nenhuma teve maior impacto.

A ideia era identificar um mecanismo que valorizasse o que já estava aberto, a fim de evitar que o pioneiro abandonasse sua propriedade e empurrasse a fronteira adiante. O essencial era detê-lo e estimulá-lo a usar melhor o que tinha — obrigá-lo a empregar técnicas mais avançadas e a ser mais eficiente. Em suma, transformá-lo em colono. Veríssimo explica o conceito: "A receita para isso seria produzir uma escassez artificial de terras, ou seja, tirar terra do mercado, reduzir a oferta. Isso você faz criando Unidades de Conservação ambiental, que funcionam como uma barreira contra o avanço das fronteiras".

Quando as condições políticas se tornaram favoráveis — inicialmente no segundo governo Fernando Henrique e, em seguida, nos dois mandatos de Lula, com Marina Silva no Ministério do Meio Ambiente (MMA) por mais de cinco anos —, pesquisadores e ambientalistas levaram a Brasília os documentos técnicos que davam lastro a essa solução. Veríssimo era um deles. No final de 2002, quando Fernando Henrique deixou a Presidência, 28% da Amazônia Legal estava protegida — no início de seu governo, a proteção estendia-se a 16% da área. Foram criados grandes blocos de Unidades de Conservação de usos diversos, alguns permitindo o manejo sustentável dos recursos, outros só pesquisa e turismo, outros ainda vetando qualquer atividade econômica. A grande maioria deles se situava ao longo da divisa norte do país, uma região remota e sem grandes disputas por terra, onde o ônus político da implantação do zoneamento era menor.

O governo Lula foi além. Como ministra do Meio Ambiente entre janeiro de 2003 e maio de 2008, Marina Silva fechou a fronteira nas zonas sob pressão, onde já havia conflito e interesses em jogo — o preço político de atuar nesses territórios em disputa era mais alto. "Naquela época a BR-163 era uma cunha que avançava na floresta", lembra Veríssimo, referindo-se à mesma rodovia Cuiabá-Santarém à beira da qual nasceu Novo Progresso. "Nós sabíamos que o problema estava ali. Havia este debate: será que é possível uma BR-163 sustentável? Era uma visão espacial da região: a estrada está subindo, então antes que chegue lá em cima nós vamos fechar as margens dela com uma Floresta Nacional, e assim evitamos o custo político de fazer esse debate quando toda a floresta já estiver tomada." A seu lado, Robert Schneider acrescenta: "Fechar lá longe, lá na frente, adiantando-se...".

"Com Marina e Lula ficou explícito que a criação de áreas protegidas obedecia à lógica do fechamento da fronteira", explica Veríssimo. "A gente sabia que, por si só, a terra aberta e explorada não teria como sustentar os serviços sociais, de fiscalização e de infraestrutura que o Estado seria obrigado a prover. Nada disso caberia no Orçamento. A baixa produtividade não geraria os impostos para financiar os serviços. Seria preciso reduzir a presença do Estado, circunscrever a área de atuação estatal. Hoje o preço de impor a lei na Amazônia é muito alto, bem acima da capacidade fiscal do país. Fechar a fronteira é uma decisão política e econômica."

Quando à frente do governo do Pará, Simão Jatene também se convenceu dos argumentos a favor da criação de Unidades de Conservação. Durante o primeiro de seus três mandatos como governador, iniciado em 2003, foi implantada uma extensa política de zoneamento no estado. "Nós tínhamos um plano muito claro", ele conta. "Criar diferentes tipos de zonas: de proteção integral, de uso sustentável, de uso intensivo para pecuária e grãos, áreas separadas para regeneração. A lógica era melhorar o uso onde já estava aberto, sem derrubar mais a floresta e sem empurrar a fronteira, porque isso custa muito caro para o Estado. Todo mundo dizia que era suicídio político... Mas eu fui eleito mais duas vezes."

O fato de ruralistas não terem compreendido que seus interesses estavam sendo resguardados pelas políticas de fechamento da fronteira é uma ironia ou um sintoma — ironia, porque a criação de terras protegidas valoriza as propriedades rurais; sintoma, porque apenas as propriedades *legais* ganham valor, enquanto as outras se tornam objeto de litígio.

Em 2006, encerrado o primeiro mandato de Lula, a União e os estados, em especial o Pará, haviam posto sob alguma forma de proteção uma área equivalente à França continental. Quarenta e dois por cento da Amazônia Legal estava protegida.

Na história recente do país, só o Plano Real foi tão bem-sucedido como política pública. Obteve-se uma queda drástica no desmatamento, que passou de quase 30 mil quilômetros quadrados em 2004 — todo um estado de Alagoas — para menos de 5 mil quilômetros quadrados em 2012 — área menor do que Brasília. Visto que desmatar libera gás carbônico, isso significou a maior contribuição histórica de um único país à redução do lançamento de gases do efeito estufa na atmosfera. E, como previsto por Schneider e colegas, nada disso se fez à custa da vida econômica. Um recuo dessas proporções nas práticas de destruição da floresta não estrangulou a produção agropecuária; ao contrário. A dificuldade crescente para converter novas fronteiras em pastos e lavouras obrigou os produtores a serem mais competentes. No mesmo intervalo de anos em que reduzimos em 80% o desmatamento, aumentamos em 75% o PIB do campo e em 37% a produção agrícola na Amazônia Legal. Ao final do segundo governo Lula, o Brasil alimentava 1,2 bilhão de pessoas por dia.

Feitas as contas, a Amazônia protegida produziu mais carne e mais soja do que a Amazônia agredida, evidência de que a vida nas fronteiras em eterna expansão não é só destrutiva. Também é ineficaz.

TAXA DE DESMATAMENTO E PIB DO SETOR AGROPECUÁRIO, AMAZÔNIA LEGAL, 2002-12

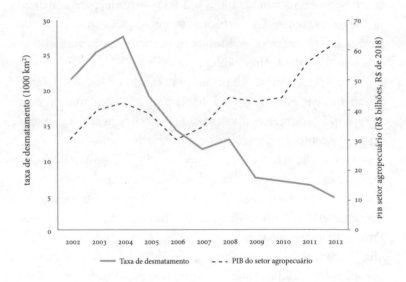

5. O elefante negro

Em 1974, o governo brasileiro iniciou a construção da Usina Hidrelétrica de Tucuruí. Localizada no município paraense homônimo, a cerca de 450 quilômetros de Belém, era um projeto de Brasil Grande. A terceira maior hidrelétrica do mundo na época — e a maior cem por cento nacional — teria barragem com onze quilômetros de comprimento e 78 metros de altura, com área alagada maior que o território dos municípios do Rio de Janeiro e de São Paulo somados. Em 1984, ao ser inaugurada por João Figueiredo, o último presidente do regime militar, 31 mil trabalhadores haviam participado da empreitada. Dez anos de desmatamento, abertura de estradas e construção civil haviam produzido um feito inédito: o recorde mundial em terraplanagem. Nunca tanta terra fora movimentada numa mesma obra.

Quando o lago começou a ser preenchido, 2,5 milhões de metros cúbicos de madeira em tora foram para baixo d'água. Estima-se que, na ocasião, o volume representava cerca de 10% de toda a extração madeireira na Amazônia Legal ao longo de um ano. O governo chegara a planejar o corte das árvores antes da inundação, mas a empresa contratada não tinha experiência, embrulhara-se num escândalo de corrupção e apenas 10% da mata foi removida. Uma floresta praticamente intocada submergiu.

Um grupo de pesquisadores do Instituto Evandro Chagas (IEC), instituição científica vinculada ao Ministério da Saúde, deslocou-se para a região com o objetivo de acompanhar o impacto sanitário da obra. O trabalho consistia em coletar mosquitos, classificá-los e identificar as doenças que cada espécie podia transmitir. O virologista Pedro Fernando da Costa Vasconcelos fazia parte da equipe e conta: "A gente estudou a região antes, durante e após o enchimento do lago reservatório. Antes do preenchimento dos lagos, nós recolhíamos de 10 mil a 20 mil mosquitos por campanha. Depois, a população explodiu. Na campanha seguinte, recolhemos mais de 1 milhão".

Um estudo sobre Tucuruí publicado em 2000 pelo Instituto Alberto Luiz Coimbra de Pós-Graduação e Pesquisa de Engenharia (Coppe, da Universidade Federal do Rio de Janeiro, UFRJ) constatou um aumento extraordinário na população de *Anopheles*, gênero por vezes chamado no Brasil de mosquito-prego, responsável pela transmissão da malária. "Foi tão intenso que em uma única noite de coleta foram capturados aproximadamente 10 mil anofelinos", diz o estudo. De 9652 insetos coletados antes do preenchimento do reservatório, o número saltou para 68 532 depois que as águas cobriram a floresta. A espécie *Anopheles darlingi* foi registrada em todos os pontos de coleta. Dentre os muitos mosquitos anofelinos conhecidos, esse é o mais eficiente vetor da malária humana.

Eles não foram os únicos mosquitos a se multiplicar em Tucuruí. Outro gênero, o *Mansonia*, também teve um crescimento assustador. "Calamidade pública", declararia mais tarde uma comissão convocada para avaliar a gravidade do problema. A situação estava entre os "efeitos ambientais indesejáveis motivados pela formação do reservatório".

O quadro adquiriu contornos de praga bíblica. O mosquito mansônia é hematófago, ataca em enxames e, com hábitos crepusculares, alimenta-se ao cair da tarde. A vida de 1500 famílias estabelecidas num trecho da margem esquerda do lago se tornou inviável. As pessoas e seus animais domésticos não tinham como lidar com os ataques diários. Segundo a Coppe, no início da noite e ao longo de uma hora, cada pessoa era atacada por uma média de quinhentos mosquitos. A população foi forçada a abandonar sua casa em busca de áreas menos infectadas.

Do variado catálogo de transtornos sociais, econômicos e ambientais causados pela obra, no âmbito da saúde pública o efeito mais grave da construção de Tucuruí foi o que a Coppe descreveu como "um crescimento explosivo da malária" no município. No relatório de quase trezentas páginas, o adjetivo "explosivo" é o termo de predileção para caracterizar o comportamento dos fatores de risco sanitário associados à obra. O que podia dar errado deu, e em escala alarmante.

A Fundação Nacional de Saúde (Funasa) tabulava casos de malária no município de Tucuruí desde 1962. Os números começaram a inchar a partir de 1975, com o início das obras pesadas. Os 251 casos daquele ano saltaram para 1127 em 1976 e para 3387 em 1977, e assim foi até atingir o pico de 10 mil casos em 1984, quando a usina foi inaugurada.

Seria correto relativizar esses resultados, uma vez que obras dessa magnitude acarretam um aumento considerável da população local. Ocorre que o índice de casos por mil habitantes — Incidência Parasitária Anual (IPA) — também cresceu significativamente. Boa expressão do grau de contaminação da população por malária, esse índice, que em 1970 era de 29,57 casos, dez anos depois saltou para 60,37 — regiões com IPA acima de 30 são consideradas de alto risco. O relatório da Coppe apontou que outros dois municípios à beira do reservatório "apresentavam na campanha de 1986 uma situação calamitosa em termos de malária". Em 1989, a comissão chamada para estudar a situação ainda observou: "Quanto à malária, há vários tipos, e em cada família há duas ou três crianças com a doença".

"Nesse aspecto, Tucuruí foi um desastre", resume a farmacêutica Marinete Marins Póvoa, especialista em controle de malária. Doutora pela Escola de Higiene e Medicina Tropical de Londres, um dos grandes centros de medicina tropical do mundo, Póvoa trabalhou durante anos como pesquisadora do Instituto Evandro Chagas. Hoje aposentada, é membro de um grupo do IEC que monitora os riscos de malária em outra grande hidrelétrica brasileira, a de Belo Monte.

A catástrofe de Tucuruí acendeu nas autoridades o sinal de alerta para as consequências que as grandes obras traziam para a saúde pública. Relatórios de impacto sanitário se tornaram obrigatórios. O grupo de que Póvoa faz parte foi contratado para avaliar "o potencial malarígeno" da nova usina. Quando os pesquisadores chegaram a Altamira, município-sede de Belo Monte, e analisaram os trabalhos que haviam sido encomendados pelo Consórcio Norte Energia, operador da futura usina, uma surpresa: "O projeto de Belo Monte foi alterado três vezes por razões geológicas, então os relatórios existentes estavam defasados. O último dizia que não tinha risco nenhum de malária e nós discordamos. Tinha, sim".

Isso aconteceu em 2007. Por dois anos, Póvoa e seus colegas levantaram a situação de cinco municípios na área de influência da obra. "A ideia desse tipo de trabalho é a seguinte: identificar onde estão os vetores — os mosquitos —, de que espécie eles são, onde estão os casos de malária e quantos são, o que acontecerá quando os lagos forem criados e a terra for revolvida para abrir canteiros de obra e ruas, quantos postos de saúde deverão ser construídos e em que lugar, quantos novos trabalhadores virão para cada um dos municípios e quais protocolos de segurança deverão ser adotados. Por exemplo: todo novo funcionário deve fazer um exame e, se estiver infectado, não entra, tem que se curar antes."

As máquinas de Belo Monte começaram a trabalhar em 2011 e as obras se estenderam até 2019. Ao contrário do que ocorreu em Tucuruí, a propagação da malária foi controlada. "A incidência foi baixíssima, houve época em que chegou a zero", diz Póvoa, que ainda hoje faz duas visitas anuais a Altamira para monitorar a situação.

"É preciso entender o ciclo de cada uma das espécies de mosquito que transmitem malária", explica a pesquisadora. Conhecer sua história natural, saber do que gosta e o que não tolera: "Do ovo até a pupa — esse período que nós chamamos de imaturo —, todas as espécies precisam de água para se desenvolver. Agora, espécies diferentes preferem condições diferentes. A nossa espécie mais eficiente em transmitir a malária gosta de água limpa, sombreada e com correnteza muito leve".

Nada disso foi levado em consideração em Tucuruí. Ao decidir submergir uma floresta três vezes e meia maior do que a cidade de Nova York, a Eletronorte, operadora da hidrelétrica — e, duas décadas mais tarde, sócia majoritária de Belo Monte —, produziu um desastre ambiental. O material inundado começou a se decompor, liberando dióxido de carbono e metano, gases que provocam o efeito estufa. Esse processo, chamado de eutrofização, aumenta a concentração de nutrientes na água e estimula a proliferação de plantas aquáticas. Para os mosquitos, é o paraíso.

Esse triste espetáculo de uma floresta afogada e convertida no que a Coppe descreve como "paliteiros" — árvores submersas, mortas e de pé — oferece uma lição sobre as consequências que grandes distúrbios no meio ambiente são capazes de provocar. A eliminação da floresta; a alteração do curso de rios; a criação de novos corpos d'água; a perda de biodiversidade; a introdução de espécies exóticas; o deslocamento de populações inteiras "sem experiência cultural com a malária" (e tampouco com outras doenças do trópico úmido) — tudo isso configura um cenário de risco sanitário agudo.

De um lado, houve imprevidência, pois existiam condições de prever que a proliferação maciça de plantas aquáticas em ambientes com as características daquele de Tucuruí provocaria uma explosão de casos de malária. E não só: como mostra o relatório da Coppe, aumentaram também as ocorrências de esquistossomose e de filarioses várias, tais como elefantíase e doenças ligadas à qualidade da água (cólera e gastrenterite, por exemplo). A experiência de Belo Monte comprovou que é possível evitar alguns desses problemas adotando medidas profiláticas orientadas pela melhor ciência do momento.

Mas como se adiantar ao desconhecido?

Tucuruí, arumateua, caraipé são os nomes de três novos vírus descobertos pelos cientistas do IEC durante os estudos epidemiológicos realizados no entorno da usina de Tucuruí. Os três integram uma única família de arbovírus, nome que se dá aos vírus transmitidos por artrópodes tais como insetos. Em artigo de 2001 publicado nos *Cadernos de Saúde Pública*, Pedro Vasconcelos e outros cinco autores relatam que, durante a construção da represa de Tucuruí, foram isolados 27 novos arbovírus. O título do trabalho — *Gestão imprópria do ecossistema natural na Amazônia brasileira resulta na emergência e reemergência de arbovírus* — estabelece uma relação direta entre distúrbios ecológicos e o surgimento de novos e antigos microrganismos com potencial patogênico.

Vasconcelos, um paraense que se doutorou pela Universidade Federal da Bahia (Ufba) e, depois de um período de pesquisas nos Estados Unidos, voltou logo para seu estado natal — de onde nunca mais quis sair, apesar dos inúmeros convites para trabalhar em universidades brasileiras e norte-americanas —, liderou durante anos a Seção de Arbovirologia e Febres Hemorrágicas do IEC, instituição da qual se tornaria diretor em 2014.

Entre 1983 e 1989, coube à seção inventariar os arbovírus presentes na floresta primária da região de Tucuruí, compreender seus ciclos e avaliar os riscos para a população estabelecida às margens da barragem. O trabalho de campo não só revelou a emergência de microrganismos até então desconhecidos da ciência, como detectou a presença de vírus que, embora existentes em outras partes do continente, ainda não haviam sido identificados ali. Os pesquisadores especularam que o surgimento dessas espécies estranhas ao lugar era consequência direta da alteração do meio ambiente. O novo lago atraiu mosquitos que até então não haviam encontrado condições favoráveis para se reproduzir na região. Com eles, foram trazidos os vírus de que são vetores.

Numa tabela desse artigo de 2001, Vasconcelos e seus colegas ordenam em colunas paralelas diferentes arbovírus amazônicos, seus vetores, os hospedeiros e dados patogênicos. Por exemplo: "Vírus: *tacaiuma*. Vetor: *Aedes scapularis* [e outras duas espécies]. Hospedeiro: *macacos*. Infecta humanos? *Sim*".

Outra tabela relaciona os arbovírus associados a doenças humanas que já haviam sido isolados na Amazônia até aquela data. O vírus da dengue e o da febre amarela aparecem junto de outros bem menos conhecidos: alenquer, bussuquara, guama, mucambo, murutucu, uma rica coleção de patógenos causadores de febres, erupções cutâneas, hemorragias e encefalites.

O laboratório que Vasconcelos chefiou por dezesseis anos já isolou mais de duzentos novos tipos de arbovírus, um recorde mundial. Ele próprio participou da identificação e descrição de uma centena deles. Afora sua diligência e a de seus colegas, o que pode explicar o feito é a espantosa biodiversidade amazônica de vetores e hospedeiros, de insetos que transmitem os vírus e vertebrados alados e arbóreos que os abrigam; a floresta coloca à disposição de cada um desses microrganismos uma variedade incontável de nichos ecológicos, de tal modo que forçosamente todos acabam por encontrar as condições ideais para prosperar. "Desses duzentos e tantos arbovírus isolados, uns 37 são patogênicos", diz Vasconcelos, "e 23 deles são estritamente amazônicos. É o que nós chamamos de vírus enzoóticos, porque vivem num ciclo fechado entre os vetores — os insetos hematófagos — e os vertebrados silvestres, seus hospedeiros. Lá eles estão em equilíbrio e geralmente não acometem humanos."

Até que aconteça um *acidente*, substantivo empregado aqui numa acepção quase técnica. Como mostra o estudo de 2001 de que Vasconcelos é o autor principal, a infecção humana é quase sempre um acidente biológico. O hábitat da imensa maioria dos arbovírus é a floresta. Lá, as várias espécies se perpetuam segundo ciclos complexos e pouco conhecidos que envolvem inúmeros vetores e hospedeiros.

O homem não faz parte desse cenário — ou, ao menos, não era para fazer —, até o momento em que se produz um encontro fortuito. Os garimpeiros destroem as barrancas de um igarapé. Os madeireiros derrubam a floresta. Chegam os bois. Os tratores erguem uma barragem. Os hospedeiros naturais — macacos, pássaros, morcegos, preguiças, roedores, marsupiais — fogem ou são extintos, e o vírus, obedecendo ao imperativo da própria perpetuação, salta para uma nova espécie apta a abrigá-lo.

Um estudo de 2015 feito pelo Instituto de Pesquisa Econômica Aplicada (Ipea) concluiu que "um incremento de 1% na área desmatada de um município leva a um aumento de 23% nos casos de malária e de 8% a 9% nos casos de leishmaniose", uma doença que, se não tratada, causa desfigurações e pode levar à morte.

Com exceção dos vírus que provocam a febre amarela urbana, a febre da dengue, a chikungunya, a zika e a febre do oropouche — patógenos urbanos cujo hospedeiro preferencial é o homem —, nenhum outro arbovírus amazônico precisaria de nós para se reproduzir. Somos tangenciais para a sobrevivência deles. Contudo, se estivermos no lugar errado na hora errada (lugar certo e hora certa da perspectiva do vírus), se reduzirmos os reservatórios naturais de hospedeiros — aquele conjunto de espécies em que patógenos residem sem causar doenças graves —, então o salto poderá ocorrer.

"Não conhecemos nem 2% dos vírus do Brasil", disse Vasconcelos ao jornal *O Globo* em fevereiro de 2020. Àquela altura, na condição de presidente da Sociedade Brasileira de Medicina Tropical (SBMT), ele começava a ser procurado pela imprensa para nos ajudar a compreender a dimensão da pandemia do novo coronavírus que se avizinhava. Cinco meses antes, em setembro de 2019, em seu escritório de trabalho em Belém, ele havia dito: "Não tenho ideia do número de vírus na Amazônia. Imagino que sejam milhares. Nós não sabemos".

Convém mencionar uma última tabela publicada no artigo de 2001 escrito por Vasconcelos e colegas. Nela, os pesquisadores arrolam espécies virais, seus prováveis fatores de emergência e a associação dessas espécies com doenças humanas. Por exemplo: "Espécie: *dengue*. Prováveis fatores de emergência: *urbanização crescente nos trópicos e controle deficiente dos mosquitos*. Doença em humanos: *sim, epidêmico*". Ou: "Espécie: *febre amarela*. Prováveis fatores de emergência: *urbanização nos trópicos, desmatamento e baixa cobertura vacinal*. Doença em humanos: sim, *epidêmico*". Ao lado de vírus que reconhecemos, a tabela inclui outros totalmente estranhos a nós, leigos: *Triniti, Gamboa, Anopheles A* e *Changuinola*. Fatores de emergência? Nos quatro casos, "alagamento para criação de barragens" (desmatamento e mineração também são fatores para o changuinola). Na coluna que responde à pergunta sobre causarem doenças em humanos, há o registro: "*Ainda não*".

"Transbordamento" é o termo que descreve o evento no qual um patógeno salta de um animal para o seu primeiro hospedeiro humano. A pandemia causada pelo Sars-cov-2 nos familiarizou com moléstias dessa natureza, as chamadas doenças zoonóticas, aquelas que passam de animais não humanos para humanos. Raiva, doença da vaca louca, carbúnculo (ou antraz), Sars, zika, peste bubônica — todas chegaram ao homem via reino animal. Mais de 60% das cerca de quatrocentas doenças infecciosas identificadas desde 1940 são zoonóticas.

Segundo o virologista Dennis Carroll, criador de uma unidade de monitoramento de pandemias para o governo dos Estados Unidos — o Programa de Ameaças Pandêmicas Emergentes, desativado em 2019 pelo presidente Donald Trump —, o maior fator preditivo de eventos de transbordamento é a mudança no uso da terra, isto é, a transformação de ambientes naturais em áreas destinadas à agricultura e especialmente à pecuária. A velocidade desses transbordamentos está em franca aceleração. Hoje eles ocorrem numa frequência de duas a três vezes maior do que há quarenta anos. Ebola e aids são doenças diretamente ligadas a perturbações do meio ambiente. Embora a comunidade científica ainda debata se a pandemia de covid-19 foi causada por uma falha laboratorial ou por um evento clássico de transbordamento (ligado, como é comum nesses casos, a um distúrbio ambiental), o fato é que estamos avançando mais e mais em zonas ecológicas em que antes não penetrávamos.

"No outono de 1998, suinocultores malaios começaram a desenvolver uma doença grave caracterizada por febres, confusão mental e convulsões. Alguns logo entraram em coma. Entre setembro e maio, o surto infectou 265 pessoas, matando 105 delas, uma taxa de letalidade de quase 40%." Essa passagem faz parte de um longo artigo publicado pelo *New York Times* em junho de 2020. De autoria do jornalista Ferris Jabr, traz o seguinte título: "Como a humanidade destampou um dilúvio de novas doenças".

O epicentro do surto era o vilarejo de Kampung Sungai Nipah, a 75 quilômetros da capital, Kuala Lumpur. A rapidez com que as pessoas infectadas adoeciam era espantosa. De um dia para o outro, homens jovens e saudáveis deixavam de andar, outros perdiam a capacidade de falar. Exames revelaram a existência de um processo inflamatório no cérebro dos infectados. Segundo uma reportagem da NPR, a rádio pública norte-americana, "a doença era tão mortal quanto o ebola, mas, em vez de atacar os vasos sanguíneos, atacava o cérebro".

Epidemiologistas e autoridades sanitárias atribuíram a moléstia a um patógeno conhecido, o vírus da encefalite japonesa (JEV), um arbovírus da mesma família da febre amarela e da dengue. Seu vetor é o mosquito. Um virologista que fazia pós-doutorado na Universidade da Malásia desconfiou do diagnóstico. Embora os sintomas no vilarejo de Nipah se assemelhassem muito à encefalite japonesa, Kaw Bing Chua e um colega neurologista fizeram uma observação crucial: muçulmanos não estavam adoecendo. Num país em que o islamismo é a religião oficial e 63% da população professa a fé, não fazia sentido.

Um terço das famílias em Nipah já havia perdido alguém para a doença. As autoridades tranquilizavam a população, informando que campanhas para erradicar o mosquito transmissor já estavam em curso e que em breve o surto seria controlado. Chua se desesperou. A doença se espalhara para outras províncias e chegara a Cingapura, cidade-Estado separada da Malásia por um estreito de um quilômetro de largura. Meses antes, o superior de Chua o desencorajara a seguir pesquisando o surto que afligia o vilarejo. O patógeno havia sido identificado, dizia; já não se tratava de uma questão científica, mas de um problema de saúde pública do qual as autoridades estavam cuidando.

Chua voltou à carga. Mencionou o enigma da aparente imunidade dos muçulmanos e implorou a seu chefe que lhe permitisse levar material colhido de pacientes até um centro norte-americano especializado em pesquisa de arboviroses, onde teria acesso a equipamentos de análise mais avançados. Tão logo recebeu a autorização, decidiu não perder tempo. A situação era urgente demais para seguir todos os protocolos de segurança e quarentena que regem o transporte de agentes patogênicos. Chua simplesmente acondicionou as amostras na bagagem de mão e voou para os Estados Unidos.

Ao pousar, foi direto para o laboratório e inseriu a lâmina sob um poderoso microscópio de elétrons inexistente na Malásia. Quando a imagem se esclareceu, Chua sentiu "um frio na espinha": "Meu Deus, é um paramixovírus!". O que o cientista tinha diante de si era um novo vírus da família *Paramyxoviridae*, a mesma da caxumba e do sarampo, duas das doenças mais contagiosas que conhecemos. Como esses vírus afetam as vias respiratórias, a transmissão pode se dar por contato direto de gotículas de saliva ou perdigotos de pessoas infectadas, se não imediatamente, então à medida que o vírus se espalha e produz novas variantes. De origem zoonótica, o processo de infecção não tem a participação de insetos. O transbordamento ocorre quando algum animal de criação transmite o vírus para um humano. Muçulmanos não consomem carne suína nem lidam com porcos.

Chua acabara de fazer uma descoberta de consequências potencialmente devastadoras: um vírus de alta letalidade transmissível por via área. Não estava claro se a doença continuava em fase de transmissão animal-humano, mas era questão de tempo até que infecções de pessoa a pessoa começassem a ocorrer. "Chua correu para o telefone e ligou para as autoridades sanitárias de seu país: 'Parem de lutar contra os mosquitos. Está vindo dos porcos'", relata a reportagem da NPR.

O que se seguiu foi a maior campanha de abate de animais da história da Malásia. O governo convocou o Exército. Mais de 1 milhão de porcos foram jogados vivos em valas abertas e abatidos a tiros, um espetáculo dantesco. "Os porcos berravam, dava para ver as lágrimas escorrendo pelo rosto deles", contou um funcionário do serviço fitossanitário malaio que tomou parte na matança.

As quatro décadas que antecederam o surto em Nipah foram um período de grande crescimento econômico na Malásia. Vastas extensões de floresta desapareceram em razão da exploração madeireira ou de queimadas, abrindo terreno para seringais e plantações de palma. Em 1966, 64% da península malaia era coberta por florestas; em 1990, a cobertura já estava em menos de 50%.

No ano anterior à emergência do novo microrganismo, que seria batizado de vírus de nipah (NiV), a Malásia sofreu queimadas extensas provocadas por ação humana. Tanta floresta foi incinerada que, durante meses, uma camada perene de névoa particulada ofuscou o sol, o que diminuiu a atividade de fotossíntese das plantas sobreviventes. As árvores frutíferas da floresta deixaram de produzir seus frutos.

Morcegos frugívoros de vida até então silvestre foram obrigados a se aproximar de vilarejos para buscar alimento nos pomares. Morcegos são reservatórios naturais de vírus. Um desses animais provavelmente pousou no galho de uma árvore que fazia sombra num chiqueiro em Nipah. Ali, urinou ou deixou cair um pedaço de fruta embebido de saliva. Um porco espremido entre centenas de outros porcos estava por perto e se contaminou.

O que seria um evento sem maiores consequências antes da produção fabril de proteína animal passou a gerar as condições propícias para o transbordamento. Um vírus hospedado em um só porco não terá grande oportunidade para saltar de espécie. Já se viver entre centenas de animais comprimidos em meio a secreções e dejetos, sim. Aquele porco, hospedeiro secundário, começou a espalhar o vírus para o resto da vara. Dali a dias, alguns desses animais foram abatidos. Sangue espirrou, vísceras entraram em contato com algum humano — e o acidente biológico aconteceu.

Foram necessários mais de dez anos para compreender o processo de transmissão zoonótica descrito acima. Se o enredo soa familiar, é porque ele deu origem a um filme de 2011, *Contágio*, dirigido por Steven Soderbergh. Entretanto, ao contrário do que se desenrola no cenário distópico da película, na Malásia a ação diligente de um virologista que nem sequer concluíra sua formação conseguiu evitar que um surto local se transformasse numa crise sanitária de dimensões planetárias. Ainda assim, como mostra a reportagem de 2017 da NPR, desde 1999 já ocorreram dezesseis novos surtos de nipah na Índia, em Bangladesh e nas Filipinas. "E há sinais de que o vírus está se tornando mais perigoso. No surto malaio, a taxa de letalidade foi de cerca de 40%, e o vírus não parece ter passado de pessoa a pessoa. Contudo, mais recentemente o nipah matou 70% dos infectados e foi transmitido tanto de animais para humanos como entre pessoas" — no caso, transmissão pelo compartilhamento de sucos de frutas infectadas por morcegos.

Setenta por cento é uma taxa de letalidade comparável à do vírus ebola, que mata entre 50% e 70% das pessoas infectadas. O Centro de Controle e Prevenção de Doenças (CDC) norte-americano classificou o nipah como um agente categoria C, nomenclatura reservada a patógenos emergentes que, graças à sua disponibilidade, à alta letalidade e à facilidade de disseminação, podem ser empregados em atos de bioterrorismo. Para a OMS, o NiV é "um dos patógenos da lista de ameaças epidêmicas que demandam investimentos urgentes em pesquisa e desenvolvimento" (testes diagnósticos, medicamentos, vacinas). Em maio de 2016, apenas outros quatro vírus, todos zoonóticos, compunham a reduzida lista. Um deles, o zika, é nosso velho conhecido. Outro, o vírus de Lassa, também altamente letal, tem parentes próximos na Amazônia.

Em meados de 2020, a ecóloga Mercedes Bustamante, da Universidade de Brasília, participou de um seminário on-line promovido pela Academia Brasileira de Ciências (ABC). O formato era apropriado ao tema: confinados em casa por causa da doença zoonótica que aflige a todos, palestrantes e espectadores se reuniram no único auditório sensato em tempos pandêmicos — a sala virtual do aplicativo de videoconferência Zoom — para tratar da relação entre doenças emergentes e distúrbios ecossistêmicos.

Bustamante projetou um quadro para ilustrar como o risco de doenças infecciosas emergentes varia de acordo com a paisagem. Quatro colunas paralelas de cores diferentes ocupavam o slide. Da esquerda para a direita, a primeira indicava área de floresta (1), seguida de agricultura incipiente (2), agricultura e criação de animais (3) e, por fim, criação intensiva de animais (4). Lido como uma linha do tempo, o esquema mostrava de que maneira o uso da terra se modifica à medida que o homem se apropria dela para atividades produtivas — a floresta é aberta para dar lugar a pequenas roças, estas se tornam maiores e a elas se juntam animais de criação, até que, por fim, a floresta desaparece e é substituída por pastos. Um traço sinuoso atravessava a imagem de lado a lado. Começava no pé da primeira coluna (floresta), crescia como uma onda até a segunda (lavoura de subsistência), refluía suavemente na terceira (agricultura e criação de animais) e voltava a crescer pela quarta (criação intensiva de animais) como uma segunda onda, agora maior, até encostar na borda superior direita do quadro. O traço representava o "risco hipotético de zoonoses emergentes".

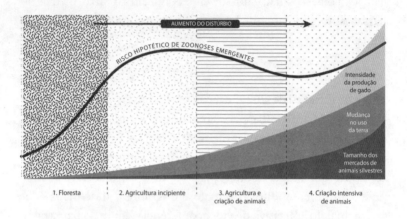

A mensagem é clara: a preponderância das doenças acompanha a transformação da paisagem. Mais precisamente: acompanha sua simplificação.

"A relação entre biodiversidade e doenças emergentes é complexa", explica Bustamante. "O número de microrganismos na Terra ultrapassa toda a biodiversidade restante" — há mais seres microscópicos do que a totalidade da vida que podemos enxergar. Estima-se que existam trilhões de espécies de vírus no planeta, e, como disse Alan Burdick, repórter do *New York Times*, eles infectam morcegos, feijões, besouros, amoras, mandioca, mosquitos, batatas, pangolins, carrapatos e o diabo-da-tasmânia. "Desenvolvem cânceres em pássaros e fazem com que as bananas fiquem pretas. Desses trilhões, apenas algumas centenas de milhares de tipos são conhecidas e menos de 7 mil têm nome. Sabemos que apenas 250, incluindo o Sars-cov-2, possuem os mecanismos para nos infectar."

Compreender como tudo isso se relaciona requer uma avaliação de um ponto de vista ecológico e evolutivo, diz Bustamante. As doenças também têm sua ecologia. Assim como nós, essa infinidade de microrganismos buscará a perpetuação da espécie e, caso seja necessário, ocupará o nicho que se abrir à sua frente. "Riqueza de espécies aumenta a riqueza de hospedeiros. Isso significa que a manutenção da biodiversidade reduz a prevalência dos agentes patogênicos e aumenta o efeito de diluição das doenças", afirma a ecóloga.

Se sumirem os pangolins, os besouros, os morcegos, as preguiças, os macacos ou o diabo-da-tasmânia, o vírus tenderá a saltar para um novo hospedeiro. "Estamos dando a eles uma oportunidade para que expandam seus horizontes", diz o escritor norte-americano David Quammen, especialista em história natural das pandemias. Numa entrevista ao jornalista Gustavo Faleiros para o portal InfoAmazonia, Quammen toma como exemplo um vírus hipotético que acaba de transbordar para a espécie humana: "Talvez [ele] estivesse em uma situação difícil, poderia estar vivendo dentro de uma espécie em risco de extinção. Uma oportunidade de pular para dentro de nós pode se traduzir em os vírus terem ganhado na 'loteria evolutiva'. Eles acabaram de entrar na espécie de mamífero de grande porte mais interconectada e abundante em todo o planeta. Se nos infectam e conseguem passar de uma pessoa para outra, eles vão se espalhar por todo o mundo [...]. Para nós, é uma situação miserável, é uma pandemia, é a morte. Mas para eles é sucesso!".

Como nos casos do nipah e do Sars-cov-2, o patógeno pode nos alcançar por espécie interposta, como quem chega ao destino fazendo escala: do hospedeiro primário para o hospedeiro secundário e deste para o criador de porcos ou para o consumidor de carne de animais silvestres que faz compras num mercado úmido.

A degradação ambiental favorece o salto para espécies generalistas, as quais abrigam 75% de todos os vírus zoonóticos conhecidos. Dotadas de grande capacidade de adaptação, essas espécies tendem a prosperar quando perturbamos seu hábitat e extinguimos seus predadores. É o caso dos roedores ou do *Aedes aegypti*, na origem um mosquito silvestre que hoje habita confortavelmente nossas cidades e nossas casas. Da década de 1990 para cá, assistimos à emergência ou reemergência de oito vírus epidêmicos ou pandêmicos: H5N1 (gripe aviária), Sars-CoV-2 H1N1 (pandemia de gripe suína), ebola, Mers-CoV, zika, chikungunya e Sars-CoV-2 (pandemia de covid-19). É uma aceleração sem precedentes desse tipo de acontecimento.

Em decorrência dos distúrbios que provocamos no meio ambiente, animais nos infectam e são infectados — o caminho das doenças tem mão dupla, como mostrou Mercedes Bustamante em sua apresentação no webinário na Academia Brasileira de Ciências. O surto do ebola na África Ocidental entre 2013 e 2016 — evento cuja origem alguns pesquisadores atribuem a um menino de dois anos que decidiu brincar no oco de uma árvore habitada por morcegos — matou 95% dos gorilas e 77% dos chimpanzés, levando efetivamente à extinção dessas espécies naquela região. Desde os anos 1990, um terço dos símios que habitam o continente africano foi aniquilado.

Dada a ação humana em curso na Amazônia, o bioma é um dos laboratórios privilegiados do planeta para a ocorrência de acidentes biológicos. Em modelos desenvolvidos para identificar focos globais de novas doenças zoonóticas, a região é um *hotspot*. Nos últimos quinze anos, pelo menos nove moléstias causadas por arbovírus emergiram ou reemergiram nas Américas, algumas delas conhecidas, a exemplo da chikungunya e da zika, outras ainda estranhas para a maioria de nós, como a doença febril, causada pelo vírus itaqui.

Um dos enigmas que intrigam os especialistas é o porquê de a região ainda não ter produzido uma doença pandêmica. "Não tenho uma resposta", diz David Quammen. "A Amazônia está cheia de espécies animais e, portanto, está repleta de vírus. Então, por que não ouvimos falar de transbordamentos para humanos? […] O fato de que não tivemos até agora não quer dizer que não teremos. Pode acontecer a qualquer momento."

A floresta é o maior reservatório de arbovírus do planeta, grupo de que o pesquisador Pedro Vasconcelos é um dos grandes especialistas mundiais. Há décadas ele vem alertando para o risco de urbanização ou reurbanização de certas doenças que, até pouco tempo atrás, eram essencialmente silvestres. É o caso da febre amarela. Vasconcelos estava certo nas suas previsões. Em 2000, a doença voltou a se manifestar em cinco cidades brasileiras: Brasília, Rio de Janeiro, São Paulo, Goiânia e Campinas. Entre 2016 e 2018, novos surtos com mais de 2 mil casos e cerca de setecentas mortes atingiram principalmente a região da Mata Atlântica, onde não havia registros da doença desde a década de 1940. Segundo um estudo do qual Vasconcelos é o primeiro autor, tudo indica que alterações na temperatura e no regime de chuvas ocorridas no contexto das mudanças climáticas contribuíram para a dispersão do vírus. Em 2000, por exemplo, o estado de Goiás experimentou um aumento de 2°C acima da sua média histórica. As chuvas também foram mais intensas; nos dois primeiros meses daquele ano, choveu 25% a mais do que a mediana dos vinte anos anteriores.

São condições que favorecem o mosquito *Haemagogus*. Vetor da febre amarela, ele é silvestre e vive na copa das árvores. "O desmatamento é catastrófico do ponto de vista das epidemias de doenças tropicais", diz o médico infectologista José Joaquim Seabra, que há anos segue com atenção as previsões de Pedro Vasconcelos. Queimadas são igualmente arriscadas. "Quando você taca fogo na floresta, duas coisas podem acontecer", alerta Vasconcelos. "Muitos mosquitos vão morrer, outros vão voar ou vão ser levados pelo vento." Estes últimos acabam se avizinhando dos ajuntamentos humanos. Hoje a febre amarela está na orla das grandes cidades.

Como mostra o artigo de 2001 que Vasconcelos coescreveu, distúrbios ambientais levam doenças também para dentro da floresta, não apenas para fora dela. No início da década de 1990, garimpeiros começaram a entrar na terra ianomâmi. Muitos vinham de Serra Pelada, onde o ouro já se esgotara; não havia mais razão para permanecerem naquela chaga a céu aberto. A profunda transformação do ambiente produzida pelo garimpo favorece vetores de doenças como malária e febre amarela. "O mosquito estava na mata, na dele, vivendo uma vidinha calma, quando de repente: 'Opa, chegou o restaurante!'", diz Marinete Marins Póvoa. "O garimpo abre coleções hídricas propícias para o ciclo do mosquito. De uma hora para outra ele não precisa mais ir atrás do animal pequeno, porque agora tem uma espécie maior à disposição."

Os garimpeiros levaram para a reserva indígena doenças que nunca haviam sido diagnosticadas entre os yanomamis, como malária, hepatite B/D e febre amarela. Em relação a esta última, em 1991, um ano depois da invasão, as populações nativas enfrentaram uma epidemia da doença. Desde então, segundo o artigo de Pedro Vasconcelos sobre a emergência de doenças na Amazônia, o vírus tem sido diagnosticado com frequência entre os yanomamis, manifestando-se com uma taxa de letalidade alta.* A covid-19 se-

---

* Segundo um relatório de abril de 2022 publicado pela Hutukara Associação Yanomami, o garimpo está na origem da explosão de malária em terras yanomamis. Entre 2014 e 2020, dados do Sistema de Informação de Vigilância Epidemiológica (Sivep-Malária) mostram que os casos da forma mais letal da

gue o mesmo roteiro. O governo fez muito pouco para evitar que forasteiros — madeireiros, garimpeiros e mesmo profissionais de saúde infectados — levassem o novo coronavírus para as aldeias.

O mundo das finanças popularizou a expressão "cisne negro". Um cisne negro seria um evento que chega como um susto, causa um impacto imenso e, quando analisado retrospectivamente, parece quase óbvio — os sinais sempre estiveram lá atrás, mas foram negligenciados. Segundo os que estudam o fenômeno, essa previsibilidade a posteriori, feita com o olho no retrovisor, seria uma "falácia narrativa". O que é óbvio depois não era óbvio antes. O Onze de Setembro seria um cisne negro. Ou Pearl Harbor. E também a pandemia de covid-19.

Contudo, em relação à covid-19 não se pode falar em falácia narrativa com o mesmo desembaraço. Fazia décadas que epidemiologistas vinham alertando os governos sobre uma situação semelhante à que o mundo enfrentaria a partir de 2020. Não se tratava de previsões generalistas. Em outubro de 2019 — dois meses antes de os primeiros pacientes da China darem entrada nas enfermarias de Wuhan com uma estranha doença respiratória —, a Universidade Johns Hopkins e a Fundação Bill e Melinda Gates organizaram um evento para simular as consequências de uma pandemia de coronavírus — as imagens do encontro estão disponíveis em plataformas de compartilhamento de vídeos. Durante

---

doença cresceram 716 vezes dentro do território indígena. Em novembro de 2021, alegando protocolos sanitários da pandemia de covid-19, a Funai impediu que agentes da Fiocruz entrassem na região para prestar assistência (a proibição seria suspensa no ano seguinte). De acordo com o site Amazônia Real, em julho de 2022 faltava cloroquina para tratar pacientes indígenas. A substância é indicada para o tratamento da malária.

os meses de isolamento social, passou a circular intensamente nas redes um clipe de 2014 em que o presidente Barack Obama afirma, de maneira bastante assertiva, que "pode ocorrer e provavelmente ocorrerá entre nós uma doença mortal passível de ser transmitida pelo ar", uma "nova cepa de gripe, como a espanhola"; por essa razão, ele criara o programa federal de vigilância pandêmica que Donald Trump desmantelaria em 2019.

Ninguém poderia prever essa pandemia específica, mas os especialistas não tinham dúvida de que a aceleração crescente das epidemias globais nos últimos anos levaria quase inevitavelmente a um evento pandêmico. Se um ataque terrorista da dimensão do Onze de Setembro era uma possibilidade, uma pandemia como a atual era uma quase certeza.

A partir desses elementos, o ambientalista Adam Sweidan cunhou a expressão "elefante negro" para descrever eventos como o protagonizado pelo Sars-cov-2. Seria a união do susto causado pelo cisne negro com a tragédia do elefante na sala que todos teimam em não ver. O elefante negro é uma surpresa anunciada.

Pedro Vasconcelos não usa a expressão, mas evidentemente sabe quais elefantes negros começam a urrar na Amazônia. "Se fosse apresentar uma gradação em ordem crescente de gravidade para os vírus que mais me preocupam, eu diria: o mayaro e o oropouche." Silvestres na origem, os dois microrganismos são exemplos de agentes de novas doenças associadas a distúrbios ambientais — desmatamento, abertura de áreas para pecuária e urbanização em regiões de fronteira.

O vírus mayaro é transmitido pelo mesmo mosquito da febre amarela e seus hospedeiros principais são macacos e aves. Pertence à mesma família e gênero do vírus chikungunya e provoca sintomas parecidos — febre, manchas vermelhas na pele, dor de cabeça. "Nos casos mais graves, as dores articulares e musculares são muito severas e praticamente impedem os pacientes de andar. É terrível. Ainda não tivemos nenhum óbito, talvez pelo número de infectados ainda ser pequeno", diz Vasconcelos.

Nos últimos anos, o vírus foi responsável por epidemias localizadas que atingiram populações rurais na Amazônia. Contudo, de acordo com uma matéria da Agência Fapesp de novembro de 2019, "recentemente, o patógeno ultrapassou as fronteiras da Floresta Amazônica e passou a circular também na região Sudeste. Dois casos foram registrados em Niterói (RJ) e outros dois em São Carlos (SP)". Segundo a virologista Luiza Castro-Jorge, citada no artigo, o mayaro é considerado um vírus emergente e, a qualquer momento, pode causar grandes surtos no Brasil.

O vírus oropouche está no topo das preocupações de Vasconcelos por razões ligadas à história natural dos patógenos. "O manuseio errado dos ecossistemas pode ser bom ou ruim para os microrganismos, e em especial para os vírus", explica. "Quando você destrói um nicho ecológico, o vírus pode desaparecer. Ele simplesmente não consegue saltar. Esse é um desfecho possível. O outro é ele conseguir dar o salto" — nesse caso, nossa espécie será o novo continente onde ele se espalhará.

O ciclo de reprodução do oropouche não é bem conhecido, mas sabe-se que envolve preguiças, macacos e aves. Quando a floresta começou a ser derrubada, o vírus saltou. Contudo, diferentemente do mayaro, cujo transmissor ainda não se urbanizou, o vetor do oropouche vive bem entre nós, citadinos. Vasconcelos explica: "Não é um mosquito, é uma mosca. A gente chama de maruim, é um ser quase microscópico, mede um milímetro. E o problema é que os estudos experimentais feitos pelo CDC em Fort Collins, no Colorado" — o mesmo laboratório onde o virologista malaio identificou o vírus de Nipah — "mostraram que o oropouche pode infectar o *Aedes* mesmo com doses mínimas do vírus".

Isso é importante, pois, quando se diz que há risco de uma doença do mundo tropical se urbanizar, o que se está dizendo é que o *Aedes* pode se tornar um vetor de transmissão.

No artigo sobre a emergência de novas doenças, Vasconcelos e seus colegas informam que o vírus oropouche foi responsável por várias epidemias em quase todos os estados da região Norte e que, àquela altura, já infectara cerca de 500 mil pessoas. Os pacientes sofreram as agruras de uma doença febril clássica, com forte dor de cabeça, dor nos olhos e no corpo em geral. Cinco por cento dos casos evoluíram para uma patologia grave, a meningite. "Aconteceu em Roraima, aqui no Pará, no Maranhão, no Tocantins, sempre em áreas recém-construídas ou periféricas, onde ainda tem muita mata", informa Vasconcelos. "Em Manaus houve surtos imensos. Em Rondônia, em 1991, teve outra epidemia imensa de febre oropouche, eu fui lá investigar. As cidades de Ariquemes, Machadinho do Oeste e Ouro Preto do Oeste foram grandemente atingidas pela epidemia. Nós esperávamos que viessem outros surtos maiores na região. Eu até hoje não entendo por que isso não aconteceu. Minha opinião é que, mais cedo ou mais tarde, ocorrerá" — e, se ocorrer, tal como a dengue, a zika e a chikungunya, a febre oropouche se tornará mais uma doença zoonótica com a qual teremos de conviver nos ambientes urbanos infestados pelo *Aedes*.

Resta saber se nas selvas da Amazônia não se esconde algum vírus com a letalidade de um ebola ou de um nipah. "Não quero ser alarmista, mas acho que sim", diz Vasconcelos. "Tome, por exemplo, os arenavírus, que causam febre hemorrágica e são transmitidos por roedores silvestres. Eles existem na Amazônia e já causaram surtos na Bolívia com os vírus machupo e o chapare; na Argentina foi com o vírus junin e, na Venezuela, com o guanarito, que ocorre na Amazônia deles e provoca a febre hemorrágica venezuelana."

Em janeiro de 2004, um homem morreu numa pequena vila na província amazônica de Chapare, na região de Cochabamba, vítima do que viria a ser chamado de febre hemorrágica boliviana. "A letalidade dos arenavírus é muito alta", explica Vasconcelos. "As pessoas morrem por causa dos sangramentos. Existe um correspondente dos arenavírus sul-americanos na África, o lassa, causador da febre de Lassa, o que mostra que um dia a América do Sul e a África já foram um continente só."

Em maio de 2000, nas franjas orientais da Amazônia, uma estudante maranhense de dezenove anos que ajudava os pais na lavoura apresentou um quadro febril acompanhado de tremores, tosse e fortes dores musculares. Quatro dias depois, seus dedos começaram a ficar cianóticos, sintoma de baixa oxigenação. Levada para o hospital de Anajatuba, a 140 quilômetros de São Luís, em pouco tempo seu estado se deteriorou. Com taquicardia e diarreia forte, a moça foi transferida para a capital, onde faleceu trinta minutos depois de dar entrada no hospital. Nos meses seguintes, dois de seus parentes diretos, jovens lavradores, morreriam por insuficiência respiratória, respectivamente 24 e 48 horas após apresentarem febre, dores musculares e tosse seca.

Pesquisadores de diversas universidades e institutos brasileiros foram convocados para identificar a causa das mortes. Também publicado em 2001, um estudo do qual Pedro Vasconcelos é um dos autores conclui que a jovem morreu de uma síndrome pulmonar causada pela infecção de um novo hantavírus, família de patógenos virais que, tal como os arenavírus, são transmitidos por roedores silvestres. As doenças que provocam podem ser muito graves, e não há tratamento eficaz para as síndromes respiratórias de que são causa. Até 2006, pelo menos oito jovens entre dezoito e trinta anos morreram da doença, vários deles depois do desmatamento de uma área de mil hectares. Os moradores relataram uma grande infestação de ratos na mata e no campo.

O risco de que um desses patógenos cause um grande surto é baixo, uma vez que seus vetores vivem em matas e áreas rurais ou periurbanas de pouca densidade demográfica. Outro obstáculo é que, embora a transmissão interpessoal seja possível, ela raramente acontece (ou simplesmente não ocorre, como no caso da maioria dos hantavírus sul-americanos, exceção feita ao vírus andes, presente na Argentina e no Chile e que ainda não foi detectado no Brasil). A infecção ocorre majoritariamente por contato com secreções de mamíferos contaminados, o que inclui inalação de aerossóis formados a partir de urina, fezes e saliva dos animais; assim, isolamento dos pacientes e medidas que diminuam a presença dos vetores em ambientes habitados costumam conter a transmissão. Contudo, é preciso ter em mente que parte desse quadro também descreve o vírus ebola, cuja epidemia de 2013-6 se disseminou por cidades densamente povoadas, deixando mais de 11 mil mortos em pelo menos três países.

Vasconcelos faz uma ponderação: é possível que mais pessoas estejam sendo infectadas por arenavírus no Brasil e que simplesmente não tenhamos a capacidade de identificar a causa. Assim como outros microrganismos causadores de febre hemorrágica, os arenavírus que afetam humanos são agentes infecciosos classificados pelo CDC norte-americano como nível de biossegurança 4, o mais alto de todos, reservado aos patógenos de alta letalidade, transmitidos pelo ar e passíveis de transmissão interpessoal. Trabalhos mais amplos com esse tipo de vírus só podem ser realizados em laboratórios com nível máximo de biossegurança — os chamados NB4 —, e pelo menos até o início de 2021 o Brasil não dispunha de nenhum.* Num artigo sobre o ressurgimento de are-

---

* Em 2014, o Laboratório Nacional Agropecuário de Minas Gerais (Lanagro/MG), localizado no município de Pedro Leopoldo, inaugurou uma unidade de pesquisa que cumpre os requisitos de Segurança Biológica Nível 4 (NB4) estabelecidos pela Organização Mundial da Saúde Animal (OIE). Trata-se, porém, de

navírus no país publicado no site da Sociedade Brasileira de Medicina Tropical, Vasconcelos diz: "A limitação na investigação e estudos voltados para a detecção desses vírus faz supor que [eles] sejam mais raros do que na verdade devem ser".

O campus principal do Instituto Evandro Chagas fica na cidade de Ananindeua, colada a Belém. Visto do alto, o conjunto tem a forma de uma estrela-do-mar: um corpo principal — um polígono, quase um círculo —, do qual se projetam, como tentáculos, cinco edificações baixas e compridas, além de uma sexta, menor, que dá acesso ao complexo. A área inclui uma linda mata recortada por trilhas por onde se pode caminhar. É um lugar aprazível e propício à reflexão.

O IEC é um dos centros brasileiros de referência para estudos de medicina tropical. Além dos vários laboratórios dedicados à pesquisa e à vigilância epidemiológica e sanitária, o terreno abriga o maior centro de primatologia da América Latina em diversidade de espécies. Os serviços que o instituto prestou e presta à ciência são inestimáveis. Uma publicação em comemoração aos seus oitenta anos, completados em 2016, arrola alguns deles: isolamento recorde de arbovírus; primeira identificação do hantavírus anajatuba; primeiros isolamentos do vírus da dengue e de arenavírus no Brasil; pioneirismo na detecção de casos humanos de dengue, chikungunya e febre do Nilo Ocidental; estudos clínicos pioneiros da doença de Chagas na Amazônia; contribuição relevante para o reconhecimento do nível de contaminação por mercúrio nas populações do Norte do Brasil afetadas pelo garimpo.

---

um laboratório voltado para a vigilância sanitária do agronegócio brasileiro, em especial da carne animal para exportação. O Lanagro/MG não lida com patógenos que causam doenças em humanos.

Em 2015, o IEC conduziu estudos pioneiros que levaram ao estabelecimento da conexão entre o vírus zika e malformações congênitas como a microcefalia.

Entre funcionários da casa e terceirizados, mil pessoas circulam pelo campus todos os dias, 120 das quais são pesquisadores que realizam estudos de virologia, parasitologia (malária, chagas etc.), bacteriologia (meningites, hanseníase etc.), micologia (doenças causadas por fungos) e saúde ambiental (doenças por contaminação de mercúrio, de agrotóxicos etc.).

Socorro Azevedo, médica, e Jannifer Chiang, biomédica, trabalham na Seção de Arbovirologia e Febres Hemorrágicas do IEC, a mesma que Pedro Vasconcelos dirigiu no passado. Numa tarde de novembro de 2019, as duas trabalhavam no gabinete de uma delas. Através da janela, via-se o corredor estreito que separa a área acessível a visitantes da outra, o Laboratório de Biossegurança 3 (NB3), o único ambiente em que é permitida a manipulação de agentes de alto risco biológico, restrito a pesquisadores autorizados.

Parte da rotina de Azevedo e Chiang é manipular microrganismos perigosos, tarefa que as duas conduzem com serenidade. São patógenos conhecidos. Temível é o que a floresta esconde. "É isso que me acorda de madrugada", diz Azevedo, referindo-se à emergência de novas doenças oriundas da mata. Chiang reforça: "Trabalho o tempo todo com essa bomba-relógio. Existem arenavírus no Brasil. A gente não sabe o que eles podem provocar".

Em seu poema mais conhecido, o poeta galês Dylan Thomas aconselha o pai moribundo a não se entregar pacificamente à morte: "Não entre mansamente nesta noite acolhedora./ Grite, grite contra a morte da luz". Talvez seja assim com a floresta. Ela não desaparece sem que antes suas legiões de vírus, bactérias, parasitas e fungos se façam ouvir.

6. A reviravolta

Em setembro de 2019, um grupo de pecuaristas participou de um almoço na casa de José Carlos Gabriel, o decano da turma. Na mesa comprida, de comida farta e boa acolhida, havia gente jovem e gente madura, os maduros nascidos quase todos fora do Pará, imigrantes de outras regiões do país, e os jovens, seus filhos, representantes de uma segunda geração firmemente enraizada no estado, os laços já enfraquecidos com a terra de origem dos pais, tanto a mais imediata, no Brasil, como a ancestral, na Europa. Eram Scaramussa e Balestreri, gente que se for a um encontro no Rotary local ou a uma feira agropecuária na região provavelmente cruzará com Carminati, D'Agnoluzzo e Sufredini, sobrenomes da elite econômica de Paragominas, município de 115 mil habitantes no sudeste paraense.

Gabriel, de 75 anos, estava no seu elemento. Rodeado de familiares e amigos, sua hospitalidade calorosa se espraiava pela varanda com vista ampla para a paisagem que o trabalho de sua geração recriou. Para lá da piscina e do trepa-trepa dos netos começavam os pastos e os bois. Ao longe, um trator arava a terra, deixando em seu rastro um véu de poeira. Morros suaves se encadeavam pelo horizonte, alguns encimados por árvores, toda a terra compartimentada num tabuleiro de cores, como uma colcha de retalhos estendida no chão, cada segmento dela uma lavoura, um pasto, alguma vegetação ou terra nua.

Gregário, falante e bom contador de histórias, Gabriel tem o rosto divertido de um comediante italiano ou de um Costinha mais arrumado. Capixaba de Colatina, nascido de família pobre, foi para o Pará em 1971, com 26 anos. Era um jovem advogado sem perspectivas. Sua jornada encarna exemplarmente a aventura dos brasileiros do Sul que colonizaram o Brasil do Norte.

"Fui trazido pra cá pela pobreza. No Espírito Santo, quando o pai morria as mulheres ganhavam uma máquina de costura e os homens ganhavam um pedaço de terra. Acontece que o Espírito Santo é apertado e a terra ia ficando pequena. Eu via meu pai naquele pedacinho de terra, criando aquele porquinho... Boi não era possível. Boi lá tinha só a Cotó e a Mansinha, só duas vaquinhas pra produzir um pouquinho de leite. Fora isso, era uma lavoura pequenina de amendoim, de araruta, pra se manter. Café era melhor. Quando dava uma safra decente, a filha podia casar. Foi por isso que muita gente como eu decidiu subir pro Norte. A gente dizia: 'Eu vou lá juntar dinheiro e depois volto'. Mas a gente faz vínculo, aprende a tomar gosto pelo nosso chão e pelo Brasil. Não sonho morar em Nova York, não quero voltar pro Sul, eu quero isto daqui" — ele sorri e abre os braços num gesto largo que abarca a mesa, a família, os amigos, a paisagem. "Quero morar no meio do meu povo."

Como acontece com tantas cidades da Amazônia que não existiam antes da década de 1960, o nascimento de Paragominas se associa diretamente às políticas públicas de colonização. Seu fundador, Célio Miranda, era um agrônomo e empresário de Minas Gerais fascinado pela ideia de criar uma cidade. Em 1958, quando soube do projeto de construção da rodovia Belém-Brasília, foi até o presidente Juscelino Kubitschek, abriu um mapa, espetou o dedo num ponto à beira da futura estrada e pediu autorização para realizar o seu sonho ali. "A terra está inativa há quinhentos anos", disse, "vamos progredir, vamos revolucionar isso, vamos plantar capim-colonião, vamos criar boi." A área escolhida era selva densa ocupada por grupos indígenas e uns poucos agricultores dedicados às suas roças de arroz. Anos mais tarde, num registro de memória oral, Miranda se defenderia da acusação de ter se apossado ilegalmente dessas terras para fundar Paragominas: "Grilar pra quê? Nem se nós quiséssemos grilar, não precisava, pois a terra é muito mais barata se você pegar ela do Estado, legalmente, de acordo com a lei em vigor que autoriza comprar terra pública a sete contos a légua. Aquilo era uma região bruta". A Amazônia era pródiga em riquezas. Segundo Miranda, para explorá-las bastava "tirar o tapete verde".

O município foi colonizado pela pata do boi. Nisso difere de outras regiões desbravadas no mesmo período. Em Paragominas, a pecuária chegou antes da atividade madeireira. Foi trazida pela mão dos primeiros colonizadores mineiros, goianos e baianos. Deriva daí o nome da cidade, "mineiros e goianos em terras paraenses", conta o ex-prefeito Adnan Demachki. Mais que um topônimo, o batismo pode ser entendido como uma afirmação de princípio, já que do Pará só se queria a terra; os homens viriam de outras partes do país. "Todo mundo chegou aqui a convite do governo federal e com a obrigação de desmatar", diz ele.

"Quando o governo nos chamou, aqui não tinha nada, nem conhecimento nem infraestrutura. Nada, nada", recorda o pecuarista Gabriel. "Então, todo mundo acabou praticando o que não exigia muito. O Pará é um estado riquíssimo. O mais fácil era viver dessas riquezas naturais. Tudo virou extrativismo. A pecuária que veio era desse sistema: o cara desmata e aproveita a fertilidade da natureza." Gabriel foi testemunha desse momento inaugural. "Qualquer cara bonitinho que chegasse aqui, branco, arrumado, bem-vestido, bastava ir lá no banco que pegava um dinheiro pra derrubar e comprar umas vacas lá no Goiás. Porque aqui nem gado tinha. Não exigia muita coisa, não, era fácil de fazer."

Os incentivos estatais corresponderam a uma espécie de pedagogia que ensinou o forasteiro a se relacionar de um modo específico com a terra. Em vez de enriquecê-la, bastava ocupá-la sem ciência ou engenho — os subsídios se encarregavam de remunerar a baixa produtividade. Para empreendimentos instalados na floresta até 1971, por exemplo, a isenção de imposto de renda chegava a 100%.

Depois dos goianos e dos mineiros, vieram os capixabas, que trouxeram a cultura madeireira característica de seu estado. Era extrativismo também. Por fim, chegaram os agricultores paranaenses e gaúchos, e com eles, a soja. De certa maneira, cada um desses fluxos fez o anterior caducar. A pecuária extensiva é menos lucrativa do que a exploração de madeira, que, na sua forma predatória, esgota todos os recursos e faz do madeireiro um nômade. Quando o solo e o clima permitem, a agricultura acaba por se impor, fixando o homem no chão.

O pecuarista José Carlos Gabriel compreende que assim avança a história da Amazônia e aceita a própria obsolescência com uma espécie de fatalismo feliz. "Agora veio o gaúcho para a agricultura e a gente arrenda a terra pra ele. Faz um tempo, eu vinha voltando tarde de um jantar e vi um sujeito no trator, já noite fechada. Parei e fui lá. Trabalhando a esta hora? 'Fico até de madrugada, depois vem o meu irmão me render.' Veja que coisa. Eles só tinham um trator e precisavam aproveitar ao máximo. É o espírito dessa gente. Eu digo que todo mundo aqui precisa de um gaúcho — eu já tenho o meu. Ele melhora a terra cansada e a gente quer ele como parceiro." Todos à volta da mesa o escutavam em silêncio. Gabriel concluiu: "A verdade é que quando entra a agricultura é muito difícil voltar pra pecuária". A lavoura toma conta do pasto; deslocado, o gado avança fronteira adentro.

Sentado em frente a ele, seu amigo Mauro Lúcio de Castro Costa discordou, alegando que a pecuária na Amazônia só não era competitiva porque adotava práticas arcaicas. Conhecido na região como um pecuarista obcecado por produtividade, Costa defende a modernização de sua atividade. Conforme determina o Código Florestal, 80% de sua fazenda é ocupada por florestas, forçando-o a ser eficiente nos 20% restantes. O modo sereno como aceita a regra — e como a segue — faz dele uma exceção entre proprietários na Amazônia Legal. "O cara chega aqui e fica doido pra crescer na horizontal", diz. "A fazenda, na cabeça dele, é a terra toda, ele quer ver boi em cada palmo. Se você disser que o melhor é cuidar bem de apenas 20% da terra e pôr todo o gado ali, isso não entra na cabeça dele. O cara prefere espalhar o gado e trabalhar com baixíssima produtividade. É gente muito despreparada. Se tiver que lidar com problema de lagarta, ele chama um benzedor para não gastar muito defensivo." Maroto, José Carlos Gabriel acrescenta: "E funciona".

Em um ano, Costa produz mil quilos de carne por hectare. A média no Pará é de noventa quilos. "Minha taxa de lotação [o número de animais por hectare] é 3,79. A do Pará é 0,8, ou seja, menos de um boi por hectare." Ao contrário da imagem que o agronegócio projeta de si, a pecuária brasileira é medíocre, diagnóstico do qual os fazendeiros em torno da mesa não discordam. A Costa Rica produz 25 vezes mais proteína animal por hectare do que a Amazônia. O Brasil é menos produtivo do que a Argentina e o Uruguai, seus concorrentes diretos. Com os Estados Unidos, a comparação é constrangedora. Embora o atual rebanho norte-americano seja menor do que o da década de 1950, o país produz muito mais carne hoje do que naquela época — "É quase gado de granja", na expressão de um especialista. Já em relação à produção de grãos, o quadro é melhor: a produtividade da soja na Amazônia Legal, por exemplo, compete de igual para igual com a de Uruguai, Argentina e Estados Unidos.

Quarenta anos atrás, só 10% do rebanho brasileiro estava na Amazônia Legal; hoje, chega a 43%. Essa migração acelerada — em nenhuma outra parte do Brasil o rebanho cresceu tanto — se dá por várias razões: preço baixo das terras, subsídios, leniência na aplicação das leis ambientais e na repressão ao roubo de terras públicas, substituição da atividade em regiões mais desenvolvidas do país. Em estados como São Paulo, por exemplo, a pecuária perdeu espaço para a cana-de-açúcar e a laranja, lavouras que se beneficiaram de investimentos em tecnologia agrícola. Requerem mais capital e competência do que a pecuária mediana praticada no país, mas, em contrapartida, são mais rentáveis.

Gabriel rejeita a noção de que os pecuaristas do Sul sejam mais competentes do que os do Norte. "Se em São Paulo eles melhoram o pasto, é porque o dinheiro vem de outro canto. O cara tem mais de um cofre, na maioria das vezes o negócio principal dele está na capital, então é mais fácil remanejar o dinheiro. Tira de um lugar e manda pro outro. A pecuária é medíocre no Brasil inteiro", afirma. "A exceção é a parte genética", acrescenta Costa. "Por aqui ela é mais avançada do que a genética humana, porque eles [os políticos] deixaram a religião de lado."

A conversa convergia para esse quadro triste da pecuária amazônida, quando Felipe Balestreri, na época com 31 anos, até então em silêncio, decidiu intervir: "O que tem de mais moderno no Brasil em pecuária e em agricultura você encontra em Paragominas". Sentado em frente a ele, Vinícius Scaramussa, da mesma geração, concordou: "Dieta, melhoramento genético, bem-estar animal, tudo".

Balestreri, formado em veterinária, e Scaramussa, em administração de agronegócio, recontam com orgulho a história de origem dos pais, a épica da migração — com seus episódios de pobreza, abandono da terra natal e avanço para o interior da floresta —, mas fazem isso sem usar a primeira pessoa do singular, pois essa narrativa não é mais a deles.

O pai de Balestreri e o de Scaramussa vieram, respectivamente, de Santa Catarina e do Espírito Santo. Eram homens sem recursos e sem perspectivas que deixaram o Sul do país para tentar a sorte no Norte. Montaram num pau de arara, chegaram ao Pará e começaram a cortar madeira. "Eu cresci vendo ele nas serrarias e ouvia o que o pessoal falava: 'Isso tem prazo de validade'", conta Balestreri. "As árvores estavam ficando cada vez mais longe. Então pensei: Como é que eu posso me dedicar a uma atividade que vai acabar? E decidi fazer veterinária."

Ao prosperar, os pais compraram terras e começaram a criar gado. Sem grande conhecimento técnico, sabiam apenas formar pastos para espalhar seus animais. Grandes extensões de terra compensavam a baixa qualidade de cada hectare. Quando o solo morria, em geral depois de seis anos de uso, simplesmente se abandonava a área. "Meu pai até hoje não sabe nada de pecuária", diz Balestreri. A segunda geração, representada por ele e Vinícius Scaramussa, já não tem interesse em produzir dessa forma.

As histórias que velhos e jovens escolhem contar são reveladoras. Pais falam da migração para o Norte, filhos dizem que não cogitam se mudar. Pais se orgulham de ter aberto o território, filhos, de querer enriquecê-lo. A perspectiva dos pais é essencialmente horizontal; a dos filhos, vertical. De um lado, o avanço; de outro, a raiz. "Minha geração está vivendo a transição entre o espírito do pioneiro e o do colono", diz Balestreri. Scaramussa, que fez faculdade em Belém, conta que se formou numa sexta-feira e foi "direto pra gandaia"; no dia seguinte, pegou o carro, deixou a cidade e se apresentou na fazenda do pai: "Vim trabalhar", disse, "não tenho dúvida de que o meu lugar é aqui".

Na quadra final da vida, a geração dos pais se sente justificada pelo que realizou. É diferente para os filhos, que ainda precisam se provar. A ocupação heroica do território — heroica do ponto de vista do colonizador — já não é um caminho de afirmação, ao menos não numa fronteira consolidada como Paragominas. A justificação precisa ser buscada em outro lugar. Uma solução possível é serem modernos, moverem-se no tempo, não na geografia, por assim dizer. Por isso, intervieram quando lhes pareceu que os mais velhos haviam naturalizado o arcaísmo de seus modos e de seu saber. "A gente adota novas técnicas", insiste Scaramussa, marcando diferença em relação aos pioneiros. "Rotação de pastagens, confinamento, capacitação do vaqueiro, genômica dos animais, esse é o novo pacote tecnológico."

José Carlos Gabriel sorriu. No seu entender, o bastão estava sendo entregue a jovens que saberiam levar adiante o trabalho iniciado por sua geração. Apontou para a extremidade oposta da mesa, onde uma moça dava de comer a um menino — sua filha e seu neto. "Eles não vão sair daqui, os meus filhos. Ela acabou de chegar de uma viagem à Suíça e me disse: 'Dei graças a Deus de ter nascido aqui, pai'. Isso me deixou muito orgulhoso, e eu pensei: Fiz as coisas certas."

Pensando nessa mesa, nas conversas ao redor dela, nas comidas servidas e na vista que se descerrava da sala; ouvindo as músicas da playlist conectada com o aparelho de TV fixado no alto da parede — "Mulher chorona", com Teodoro & Sampaio; "Estrada da vida" e "Ainda ontem chorei de saudade", com Edson & Hudson; "Bebo pa carai" e "Acidente de amor", com Gino & Geno, entre outras —; revendo o registro fotográfico daquele encontro em que cinco pecuaristas de diferentes gerações se abraçavam numa varanda acolhedora, um grupo de homens bem-sucedidos aos quais agrada ter à mostra as suas insígnias — as fivelas banhadas a ouro nos cintos personalizados, gravadas com imagens de bois ou com a marca de ferro de suas fazendas; os bordados e ornamentos das botas texanas de cano longo; o chapéu de copa alta e aba larga que ao menos um desses homens importa dos Estados Unidos; o quadro de um zebu em alto-relevo pendurado na parede —, pensando em tudo isso, é difícil não concluir que pioneiros e colonos forjaram uma cultura poderosa que hoje fertiliza a imaginação de incontáveis amazônidas, uma cultura que, embora encravada no miolo da maior floresta tropical do planeta, não toma de empréstimo nenhum elemento dela, indo buscar sua mitologia em outras partes, em outro continente até, o que não significa que seja postiça; apenas que não se espelha na terra onde fincou raízes.

A ausência da floresta na imaginação de quem dominou o bioma deixou uma lacuna que o boi preencheu. Essa cultura produziu uma estética, um gosto, definiu hábitos, uma identidade, uma política, formas de enxergar a realidade. Em regiões como Paragominas, o agronegócio é muito mais que uma atividade econômica. É um modo de estar no mundo que une jovens e velhos, modernos e arcaicos, ricos e pobres, liberais e conservadores, além, claro, de reacionários. É a cultura hegemônica que os vitoriosos impuseram à Amazônia. São as cabines duplas, os adereços taurinos nos para-choques das picapes com tração nas quatro rodas, os rodeios, as feiras agropecuárias, a música sertaneja, a glorificação do cavalo e a submissão do boi, um padrão de paisagem, um ideal de virilidade, a camisa xadrez, a brasa e o churrasco. Em suma: o contrário da selva, a sua negação. A mata é o obstáculo, a feiura, o indício de que ali ninguém trabalhou, razão pela qual deve ser eliminada da vista de varandas como a de José Carlos Gabriel.

Não há, hoje, uma cultura da floresta que se sobreponha à cultura do boi, corolário inescapável do processo de colonização. Triunfou a versão de quem nunca prestou atenção à floresta. Perderam os indígenas, os coletores, os ribeirinhos, aqueles que desejam a mata porque não vivem sem ela.

A floresta foi cortada com fúria em Paragominas e José Carlos Gabriel viu tudo de perto: "Pouco depois que cheguei aqui, eu ainda exercendo o direito, um cliente veio me dizer assim: 'Desmatei seiscentos alqueires, doutor, botei fogo. Foi tão bonito, queimou tudo'. Imagina só. Sabe o que é não sobrar nada, nem um ipê, nem uma sucupira? Eu sou capixaba, entendo de madeira. Pois não se aproveitava nada".

Gabriel foi um dos primeiros a incentivar a instalação de serrarias na região. Não fazia sentido que as árvores saíssem em toras de Paragominas para serem processadas no Espírito Santo, seu estado natal e um dos centros da indústria madeireira do país. A atividade logo dominaria a economia local. Em 1989, transcorridos apenas doze anos da conversa com o cliente que admirava a floresta em chamas, um estudo acadêmico identificaria 112 serrarias só em Paragominas (além de 238 ao longo de 340 quilômetros da Belém-Brasília, uma a cada 1500 metros). Empresários da madeira eram proprietários de 18% das terras do município, e 56% da população urbana de Paragominas dependia diretamente da indústria madeireira para sua subsistência. De acordo com uma reportagem da revista *National Geographic Brasil*, por volta de 1990 Paragominas se tornara "o maior polo madeireiro do mundo tropical" e "concentrava a maior quantidade de serrarias do planeta".

Mauro Lúcio de Castro Costa era um jovem meio sem rumo de Governador Valadares, Minas Gerais. Na esperança de que tomasse jeito na vida, em 1982 seu pai o despachou para sua fazenda no Pará. Costa tinha então dezessete anos e, pela primeira vez na vida, se viu sozinho. Foi-lhe dado um quartinho, tarefas menores na lida com o gado, e nada mais. Era o início da sua vida de trabalho, seu primeiro contato com o mundo do boi. Durante um ano sofreu com a solidão e, não raro, se pegava chorando. Foi quando um primo mais velho, com o qual tinha pouca intimidade, o chamou para trabalhar em seu frigorífico numa cidade vizinha, como "ajudante de cobrador". Costa aceitou o emprego e se mudou para a nova cidade. No início, seus dias consistiam em cobrar dívidas de açougueiros e tirar pedidos. Logo passou a dar batente no chão do matadouro. Como era organizado e tinha cabeça boa para números, aos poucos foi ocupando cargos de responsabilidade nas fazendas da região. Suas memórias da Paragominas do final da década de 1980 pintam o quadro de uma região sem qualquer arremedo de lei, um lugar de vale-tudo, de trabalho escravo.

"Tinha a figura do gato — o capataz —, que era o sujeito que contratava para o desmate. Juntava a turma, nordestinos pobres quase sempre, em geral maranhenses, e entrava com eles na floresta. Essa turma ficava dois ou três meses na mata, cada equipe podia chegar a cem homens. Os caras só recebiam o salário quando saíam da mata, mas ganhavam bem. Com dinheiro no bolso, vinham aqui pra Paragominas e invernavam no cabaré. Nesses cabarés todo mundo era treinado pra tirar dinheiro deles, então depois de uns dias de farra o cara quebrava. Todo dono de bordel tinha um quarto separado pra gente nessa situação. Os caras endividados eram mandados pra lá, sem poder sair. Era lá que a gente ia recrutar. Você ia até o bordel negociar a libertação pra conseguir funcionários pra tua fazenda ou pro teu desmate. O dono do cabaré dizia assim: 'Tenho dez, doze homens'. O fazendeiro pagava a dívida e saía com a mão de obra. O problema é que às vezes o cabra depois fugia. Mas até pra isso se dava um jeito, porque tinha gente especializada em encontrar os fujões."

O dinheiro do desmate é que fazia a economia circular, e quase todo mundo com algum poder político estava ligado à atividade. No município de Tailândia, próximo a Paragominas, o secretário do Meio Ambiente era proprietário de uma serraria que funcionava 24 horas por dia; era ali que ele morava também. Ao longo da Belém-Brasília, 97% das madeireiras pertenciam a pessoas oriundas de outras partes do Brasil. A paisagem estava sendo violentamente alterada por obra de quem não tinha nascido ali, crescido ali, vivido ali, por gente sem laços de memória e afeto com aquele mundo botânico, zoológico, aquático, exuberantemente vivo. O ciclo da madeira no sudeste paraense atingiu o auge na primeira metade dos anos 1990, e dali em diante as árvores começaram a escassear. A atividade foi se arrastando até a primeira década do novo século.

Como aconteceu em outras fronteiras desreguladas, o período de boom trouxe oportunidade, dinheiro, desordem, conflito e crime. Paragominas passou a ser chamada de Paragobala. Carvoarias se espalhavam por todo o município e queimavam madeira dia e noite para abastecer de carvão vegetal os fornos de ferro-gusa de Carajás. A fumaça era tanta que, na cidade, por vezes não se via o sol. Respirava-se mal, era difícil ficar nas praças. Adoecia-se. Uma funcionária da prefeitura lembra que, no dia em que chegou à cidade, estacionou o carro na frente da casa onde passaria a noite e, na manhã seguinte, o encontrou coberto de lama. "A fumaça colava na lataria, e com a umidade aquilo tinha virado uma pasta."

José Carlos Gabriel conta que em 2004 Paragominas chegou ao "fundo do poço". Um dia, atravessando a cidade, ele atolou no asfalto. Ainda hoje parece perplexo: "No *asfalto*! O asfalto que o cara lá fez!", disse, referindo-se ao então prefeito. Enquanto as rodas do carro giravam em falso no piche, Gabriel se deu conta de que "a política é tudo". "Decidi entrar nisso, pra mudar." Naquele ano, lançou-se candidato a vice-prefeito pelo Partido Progressistas (PP) na chapa do advogado Adnan Demachki, do Partido da Social Democracia Brasileira (PSDB). Venceram a eleição.

No ano anterior, em janeiro de 2003, Lula chegara ao poder e indicara Marina Silva para o Ministério do Meio Ambiente. O novo governo pretendia ordenar a ocupação da Amazônia, propósito que se tornara mais viável graças a instrumentos legais criados em 1998, em especial a Lei de Crimes Ambientais, que determinava prisões, multas e sanções administrativas a quem lesasse o patrimônio natural.

Os ares estavam mudando. Também em 2003 a processadora de alimentos Cargill inaugurou um porto em Santarém para exportar a soja do Centro-Oeste brasileiro. A obra contou com o entusiasmo do prefeito local e foi tocada sem os devidos estudos de impacto ambiental. A Igreja católica, ONGs e sociedade civil se uniram para protestar contra as irregularidades, dando corpo a um movimento que levaria produtores e compradores internacionais de soja a assumir o compromisso de eliminar o desmatamento de suas cadeias produtivas.

O mundo vivia a década de ouro das commodities e, nesse cenário, a soja se tornara vetor de desmatamento — não diretamente, mas por empresa interposta. Como as fronteiras não estavam fechadas, o grão empurrava o pasto. A pecuária preparava o terreno ocupando a floresta degradada que a atividade madeireira deixara para trás; depois chegava a lavoura e fazia a limpeza final. E ia assim, o boi sempre à frente, avançando em terras públicas. Entre 2003 e 2004, o desmatamento ao longo da rodovia Cuiabá-Santarém — o grande corredor logístico de grãos da Amazônia Legal — aumentou em mais de 500%.

Numa façanha investigativa, o Greenpeace rastrearia o caminho da soja desde Santarém até Amsterdam e dali ao Reino Unido, onde caminhões transportavam parte da carga até uma unidade de processamento de nuggets do McDonald's. Agora era possível estabelecer um elo entre a cadeia americana e o desmatamento na Amazônia. Assustado, o McDonald's declarou que não tinha como rastrear toda a sua cadeia de fornecedores. Pois deveria, insistiram os ativistas. Se eles tinham conseguido seguir a soja brasileira até uma fábrica de nuggets na Europa, não havia razão para que as grandes empresas alimentícias não fizessem o mesmo. Poucos dias depois de o escândalo vir à tona, em abril de 2006, ativistas invadiram várias lojas europeias do McDonald's. Fantasiados de frango, carregavam cartazes que denunciavam a destruição da floresta. Em Santarém, militantes liderados por Paulo Adário, diretor de campanha para a Amazônia do Greenpeace, tentaram escalar os silos da Cargill para estender uma faixa de protesto e, se possível, ficar lá dependurados. Foram presos, mas o objetivo havia sido alcançado. O mundo tomara conhecimento de que o McDonald's era parceiro do desmatamento da Amazônia.

Pressionada por seus clientes, a empresa despachou uma alta executiva para o Pará com a missão de investigar o que estava acontecendo. Caetano Scannavino, da organização Saúde & Alegria, uma parceira do Greenpeace em Santarém, foi um dos que a receberam. "Ela fez um sobrevoo na região, não lembro mais se de helicóptero ou de avião, e vendo a floresta destruída ela chorava e dizia: 'Oh my God, oh my God'. Vomitava também. O McDonald's europeu rescindiu o contrato com a Cargill. Aquilo foi a virada." Em pouco tempo, outros grandes consumidores de grãos acompanharam a decisão do McDonald's. A soja da Amazônia se tornara radioativa.

Em julho de 2006, entidades representativas de 90% dos processadores e exportadores de soja brasileiros se reuniram com ONGs ambientalistas e o governo federal para formalizar um pacto em que se comprometiam a "não comercializar soja oriunda de áreas desflorestadas dentro do bioma Amazônia após 24 de julho de 2006". O acordo ficaria conhecido como Moratória da Soja.

Esse compromisso voluntário firmado por entes privados — o governo federal participou apenas como mediador — é reconhecido internacionalmente como uma iniciativa original e bem-sucedida de proteção à floresta tropical. Assinaram o documento não só a Cargill e outras multinacionais graneleiras, mas também a empresa de Blairo Maggi, então governador do Mato Grosso e um dos maiores sojicultores do mundo. Antes da moratória, um terço das novas lavouras de soja ocupava áreas recém-desmatadas; depois, essa proporção despencou para 3%. Apenas nos dois primeiros anos de vigência do pacto, em 2006 e 2007, a taxa de desmatamento no oeste do Pará caiu 50%. "O ritmo de expansão da soja foi contido", disse Caetano Scannavino.

A moratória foi recebida com preocupação em Paragominas. Os anos 2000 haviam atraído muitos produtores para a área. A soja crescia no município e, de súbito, toda a produção corria o risco de apodrecer nos silos. O receio era fundamentado. Segundo a atual presidente do Sindicato dos Produtores Rurais de Paragominas, a advogada Maxiely Scaramussa Bergamin, prima do jovem pecuarista Vinícius Scaramussa e autora de um livro sobre o período, um ano depois da assinatura do pacto a Cargill, maior compradora de grãos de Paragominas, anunciou que não queria mais o produto local, pois não havia como separar a soja boa da soja do desmatamento. Era 2007 e, como mostram os 150 autos de infração emitidos pelo Ibama somente naquele ano, o município era um fraudador contumaz das leis ambientais. Toda a soja estava contaminada.

O golpe de misericórdia viria em janeiro de 2008. O Ministério do Meio Ambiente divulgou uma lista com os 36 municípios responsáveis por 50% de todo o desmatamento na Floresta Amazônica. Paragominas aparecia na 23ª posição. Não se tratava apenas de expor os maiores desmatadores do país. A lista implicava uma série de medidas punitivas a ser aplicadas caso os municípios não cumprissem metas estabelecidas pelos técnicos do ministério.

Eram duas as condições para que um nome saísse da lista: reduzir o desmatamento anual a menos de quarenta quilômetros quadrados, mantendo por dois anos consecutivos uma taxa média inferior à registrada entre 2005 e 2008, e promover a atualização cadastral de pelo menos 80% dos imóveis rurais do município, para melhor monitorá-los contra futuros desmatamentos ilegais. Em 2009, o governo federal instituiria o Cadastro Ambiental Rural (CAR), documento eletrônico em que o proprietário declarava estar em conformidade com as leis ambientais vigentes, em especial com os termos da reserva legal exigida pelo Código Florestal. Afora as exceções (tão abundantes que, como se verá adiante, na prática funcionam como norma) e as pequenas propriedades, na Amazônia Legal isso significava que áreas desmatadas até 1996 precisavam ter no mínimo 50% de vegetação nativa. Já imóveis que ocuparam a floresta depois de 1996 deviam preservar ou recompor 80% dela. O CAR se transformaria no principal instrumento exigido pelo Ministério do Meio Ambiente para recadastrar os imóveis.

A nota em que o governo divulgara a lista com os municípios responsáveis por metade do desmatamento na Floresta Amazônica deixava claro que as punições seriam duras para quem não se enquadrasse: "[O] proprietário não poderá obter crédito, vender produtos, vender a propriedade, obter notas fiscais e guias de transporte e sequer transferir, por herança, o imóvel que estiver em seu nome [...]. Além disso, todos os desmatamentos que forem autuados pelo Ibama a partir de janeiro deste ano serão automaticamente embargados [...]. Essas áreas serão georreferenciadas e monitoradas permanentemente. Caso seja identificado que o proprietário descumpriu o embargo, isto é, produziu na área embargada, o nome da propriedade será incluído em uma lista a ser publicada no *Diário Oficial*". Tinha mais: "Grupos empresariais — como frigoríficos, *traders*, siderúrgicas, serrarias e espremedores de grãos, entre outros — que comprarem produtos desses estabelecimentos serão corresponsáveis pelo desmatamento e penalizados pelo dano havido na propriedade".

Três meses depois da publicação da lista, Paragominas foi alvo da Operação Arco de Fogo, resposta imediata do governo ao descalabro ambiental em curso no bioma. Uma força-tarefa da Polícia Federal e do Ibama desembarcou na cidade para combater o desmate e punir os responsáveis pelo corte, transporte e armazenamento ilegal de madeira. Estacionados ali de abril a junho, os fiscais se tornaram uma presença incômoda que a cada dia trazia más notícias para a população. Os agentes fecharam dezenas de serrarias e carvoarias, destruíram duzentos fornos clandestinos e aplicaram 21 milhões de reais em multas. Quase uma centena de imóveis rurais foi embargada, ou seja, nada se poderia produzir neles enquanto o proprietário não regularizasse sua situação.

Era apenas o início do pesadelo. Nos meses seguintes viriam as operações Rastro Negro, que destruiria mais de oitocentos fornos de carvão, e Boi Pirata, que confiscou gado encontrado em pastos ilegais e multou frigoríficos que abatiam animais criados em áreas de desmatamento. Grandes cadeias nacionais de supermercado se comprometeram, a partir dali, a não comprar carne sem certificação de origem. "Eu sou advogado, sei avaliar as consequências dessas restrições", disse Adnan Demachki, que em outubro daquele ano se reelegera prefeito com 74% dos votos.

No dia 23 de novembro de 2008, um domingo, o Ibama apreendeu, dentro de uma reserva indígena, catorze caminhões carregados de toras, produto de uma empreitada clandestina de desmate. Os fiscais levaram os veículos para a cidade e os estacionaram na rua defronte à sede municipal do órgão. Horas depois, centenas de madeireiros foram ao local, furtaram os caminhões e ainda atearam fogo ao escritório. O episódio foi uma afronta ao governo federal, e à noite as imagens estavam em todas as televisões do país. Nunca Paragominas fora tão Paragobala.

Demachki entendeu que a situação se tornara insustentável. Na mesma noite, convocou por SMS todas as forças organizadas da cidade para comparecer a uma assembleia na manhã do dia seguinte, segunda-feira. Às oito horas, Demachki entrou no auditório da prefeitura, caminhou até o palco e viu diante de si sindicatos, cooperativas, a maçonaria, o Rotary, o Lions, vereadores, madeireiros, pecuaristas. A convocação reunira 51 associações locais.

A plateia estava tensa. Muitos sentiam-se revoltados com o que consideravam uma violência do governo. Demachki argumentou que não havia saída senão reduzir o desmatamento. Filho de um torrefador de café que emigrara do Líbano, fizera a vida na advocacia, não na madeira ou na pecuária. Isso o tornava a pessoa certa para enfrentar o momento crítico. Além de hábil na conversa, Demachki era um profissional liberal que não carregava na bagagem a experiência de fronteira, os laços econômicos e culturais que haviam tornado tão difícil a pioneiros abandonar seus modos de vida. Demachki não tinha lado. Era um mediador imparcial.

"A cidade precisava mudar", lembra-se Justiniano de Queiroz Netto, na época um jovem advogado que viria a colaborar com Demachki. "A gente olhava aquela gente toda e dizia: 'Se vocês não quiserem que os nossos filhos sejam ciganos, indo sempre em frente sem nunca parar num lugar, então a gente vai ter que fazer de outro jeito."

Com a Moratória da Soja pressionando a economia de Paragominas, meses antes Netto apresentara Demachki ao engenheiro agrônomo Adalberto Veríssimo, um dos fundadores do Instituto do Homem e Meio Ambiente da Amazônia (Imazon). Netto sabia que o instituto desenvolvera um sistema para monitorar o desmatamento por meio de satélites. "Esse cara tem os dados", disse ao prefeito. Em seu escritório de advocacia, ele contou: "Nós fomos comer um sushi aqui em Belém e o Beto trouxe os números. O desmate acontecia, sim, e nós decidimos não assumir uma postura negacionista".

Os agentes da Operação Arco de Fogo estavam na cola dos produtores. Era preciso sair da imobilidade. "A lista feita pelo Ministério dos municípios que mais desmatavam ligou o fio terra", contou Netto.

Demachki descreveu para a plateia o que seria um "pacto pelo desmatamento zero". Paragominas passaria a monitorar mensalmente suas florestas. "Quando o Adnan veio me perguntar como fazia pra sair da lista, nós montamos um programa", disse o geólogo Carlos Souza Jr., pesquisador à frente do sistema de processamento de imagens do Imazon. "Mensuração, análise dos dados, avaliação de impacto, basicamente. Além disso, começamos a produzir boletins mensais que iam para a imprensa e para os gestores públicos, pra que todo mundo pudesse acompanhar a situação."

O Imazon também ofereceria um curso de técnicas de manejo sustentável, prática desconhecida no Brasil que o instituto começara a desenvolver em 1990, ali mesmo em Paragominas, demonstrando ser possível extrair madeira sem destruir a floresta. Em 2006, o governo federal criara uma lei que concedia lotes de florestas públicas a quem quisesse explorá-las de forma sustentável. Não havia mais justificativa para o desmatamento predatório.

O programa proposto por Demachki — que recebeu o nome de Paragominas Município Verde — preconizava três linhas de ação. A primeira consistia em exigir que todos os proprietários de Paragominas fizessem o cadastramento ambiental e regularizassem suas atividades produtivas; a segunda estabeleceria medidas de repressão, ou, como preferem os gestores públicos, *comando e controle*, difundindo a certeza de que todo desmate ilegal seria punido; a terceira linha seria monitoramento sistemático, pois sem boa informação não haveria como identificar crimes ambientais e avaliar o progresso das novas práticas. Foi esse tripé que Demachki ofereceu aos munícipes.

Para a plateia, tudo soava novo demais. Pior: parecia radical e iria envolver parceria com ONGs. A desconfiança só seria rompida se algum produtor graúdo referendasse a proposta, passando para o outro lado do balcão, junto com Demachki e Netto. O passo foi dado por Mauro Lúcio de Castro Costa, o fazendeiro que, quando jovem, ia recrutar mão de obra nos cabarés da cidade. Por administrar bem seus negócios, ele se tornara um pecuarista admirado na região. Na época presidente do Sindicato dos Produtores Rurais de Paragominas, Costa logo entendeu que o programa proposto pelo prefeito poderia ser um instrumento de modernização do agronegócio no município. Pediu a palavra e defendeu as medidas. Sua reputação com os colegas ruralistas ajudou a dobrar quase todas as resistências, mas uma minoria ainda se opunha.

O prefeito Demachki, então, enfiou a mão no bolso do paletó e de lá sacou duas cartas. Desdobrou-as com cuidado e as ergueu à vista de todos. A primeira era um pedido de desculpas ao Brasil pelo ocorrido na véspera, seguido de uma declaração de compromisso de que Paragominas acabaria com o desmatamento. A segunda era sua carta de renúncia. Em seguida Demachki perguntou à plateia qual das duas ele deveria mandar aos veículos de comunicação. Os recalcitrantes cederam, e o pedido geral foi que o prefeito rasgasse a segunda carta e enviasse a primeira, a do pedido de desculpas e do pacto. O projeto foi aprovado.

Os eventos de 2008 em Paragominas se davam no quadro de um rearranjo geopolítico do qual o município seria incapaz de escapar mesmo que não estivesse no coração da fronteira do desmatamento. Ações rumorosas da Polícia Federal, boicotes à produção e listas do Ministério do Meio Ambiente eram o desfecho de processos cujas engrenagens haviam começado a girar no mínimo quinze anos antes.

Desde a Eco-92, o Brasil se posicionara como um interlocutor de peso nas negociações internacionais sobre meio ambiente. O tema que dera relevância política ao país se tornara um problema naquele início do século XXI. Como um dos defensores da possibilidade de um desenvolvimento sustentável — conceito cardinal do documento que encerrou a Eco-92 e com o qual os signatários passavam a se comprometer —, o Brasil se via em situação constrangedora. Em 2003, no primeiro ano do governo Lula, o desmatamento no Brasil acelerou. Ao longo do segundo ano a situação se agravaria ainda mais. O país ultrapassaria a fronteira dos 25 mil quilômetros quadrados de florestas destruídas — mais que um Sergipe, quase uma Alagoas —, a segunda pior marca desde o início do acompanhamento, em 1988. Por pouco não se bateu um novo recorde histórico de devastação. Os números de 2004 eram uma vergonha internacional. No governo, correntes lideradas pela ministra do Meio Ambiente, Marina Silva, começaram a se movimentar para reverter a situação.

Naquele mesmo ano, o Instituto Nacional de Pesquisas Espaciais (Inpe) lançara a primeira versão do Deter, o Sistema de Detecção de Desmatamento em Tempo Real, um instrumento ágil de observação por satélite, capaz de emitir alertas sempre que identificava perturbações em áreas superiores a 25 hectares (cada hectare equivale aproximadamente a um campo de futebol). Era um sistema complementar a outro já existente, o Projeto de Monitoramento do Desmatamento da Floresta Amazônica Brasileira por Satélite (Prodes), o padrão-ouro de monitoramento do Inpe. Lançado em 1988, o Prodes colige dados granulares ao longo de doze meses — faz reconhecimentos em áreas de até seis hectares —, para então emitir um único boletim com os dados anuais do desmatamento no país. O Deter é menos preciso, mas funciona praticamente em tempo real, daí seu grande mérito: servir de suporte para a fiscalização. Cada desmate gera um alerta que aciona as autoridades ambientais. O simples fato de delitos não serem identificados meses depois já permite minimizar os danos.

Criada a nova ferramenta, uma questão logo se impôs: que publicidade dar aos números gerados pelos dois sistemas? No governo federal, alguns entendiam o Deter como instrumento de aplicação da lei, defendendo, por isso, que seus dados ficassem restritos aos órgãos de controle e fiscalização, tais como Ibama e Polícia Federal. Outra corrente, liderada pelo Ministério do Meio Ambiente, acreditava que os números deveriam ser públicos. "Era preciso abrir em tempo real, e não só para o governo", relembra Marina Silva. E a mesma transparência deveria valer para o Prodes. O boletim anual trazia apenas números, sem mostrar exatamente onde o desmatamento ocorrera. A equipe de Marina defendia que a tabela fosse substituída por um mapa, franqueando as imagens de satélite a quem quisesse consultá-las, o que era inédito.

A posição do ministério era difícil de engolir. Com o desmatamento em patamares históricos, permitir que todos tivessem acesso aos dados de sistemas cuja única razão de ser era detectar agressões ao meio ambiente significava expor publicamente as chagas do país. Ou, como diz Marina Silva, significava transmitir para o mundo "um Big Brother do desmatamento". Aqueles que resistiam à ideia alegavam: "Nós vamos ser constrangidos o tempo todo", ao que Marina contra-argumentava: "Mas nós *precisamos* ser constrangidos". Venceria a transparência.

A decisão de partilhar com a sociedade as informações dos sistemas Prodes e Deter se enquadrava numa estratégia maior de proteção da Floresta Amazônica, elaborada no Plano de Ação para Prevenção e Controle do Desmatamento na Amazônia Legal (PPCDAm), também lançado em 2004. Concebido, entre outros profissionais, pelo secretário executivo do Ministério do Meio Ambiente, João Paulo Capobianco, o plano partia do princípio de que as taxas de desmatamento não seriam reduzidas com medidas sazonais, paliativas, com uma campanha aqui, outra acolá, sem conexão entre si. Para o ministério, somente com a integração efetiva das políticas públicas relacionadas à Amazônia haveria alguma chance de dar conta do problema. Repressão policial (Ministério da Justiça), fomento de atividades produtivas sustentáveis (Ministério do Meio Ambiente), monitoramento remoto do bioma (Ministério da Ciência e Tecnologia), sanção financeira para autores de delitos ambientais (Ministério da Fazenda) — era preciso que essas e outras ações dos diversos braços do governo federal formassem conjunto.

Logo ficou claro que um plano dessa envergadura não poderia ser liderado por um ministério de pouca influência como o do Meio Ambiente. A coordenação política do plano ficaria no Planalto, sob a responsabilidade da Casa Civil, na época chefiada por José Dirceu, a quem caberia convocar as reuniões e distribuir as tarefas entre os ministérios.

O PPCDAM é um caso raro no Brasil de política pública transversal. Foram doze ministérios trabalhando de forma coordenada em torno de um mesmo objetivo: Casa Civil, Meio Ambiente, Ciência e Tecnologia, Desenvolvimento Agrário, Agricultura, Defesa, Minas e Energia, Justiça, Trabalho, Transporte, Integração Nacional e Desenvolvimento. Fazenda e Relações Exteriores participavam como estruturas auxiliares de apoio.

A literatura especializada das décadas anteriores já havia esclarecido a lógica do desmatamento. Como mostrado anteriormente, o sistema de fronteiras abertas ensinava ao pioneiro as vantagens de empobrecer o solo e seguir adiante pela mata, deixando para trás terras esgotadas. Parte da solução era levantar barreiras contra o avanço predatório. De 2003 a 2008, o governo federal criou 25 milhões de hectares de unidades de proteção (um estado de São Paulo) e 7 milhões de hectares de reservas extrativistas (três Sergipes). O primeiro governo Lula também demarcou 18,5 milhões de hectares de terras indígenas, área equivalente à soma dos estados do Ceará e de Alagoas.

Uma diretriz fundamental do plano, a primeira delas, era reprimir as práticas ilegais. *Comando e controle*, de acordo com o vocabulário técnico. Na Polícia Federal foi criada a Delegacia de Repressão a Crimes contra o Meio Ambiente e o Patrimônio Histórico. Ao longo de cinco anos, Polícia Federal e Ibama realizaram 21 grandes operações conjuntas contra desmatadores, nas quais foram presas mais de seiscentas pessoas.

Paragominas era apenas um dos tantos municípios da Amazônia Legal colhidos pela ação do governo. Na extremidade oposta do Pará, no sudoeste do estado, Novo Progresso também sofreu os efeitos da nova política de prevenção e controle do desmatamento na região. Novo Progresso era — e ainda é — um desses municípios na fronteira do desmatamento. As histórias de ocupação que se ouvem por lá não são muito diferentes das contadas em Paragominas. Por exemplo, a de Osvaldo Romanholi, que, com 36 anos, chegou à cidade no ano de 2000, mesma época em que, em Paragominas, o pó das serrarias escurecia o sol. Natural de Mato Grosso do Sul, ele imediatamente se encantou com as possibilidades do lugar. A promessa de Novo Progresso era a imensidão de terras que qualquer um podia explorar como bem entendesse. "Não tinha muita limitação", lembra-se. "O pessoal abria normalmente, não tinha lei nenhuma."

Mas havia, sim, lei. O que não havia era governo. A liberdade daqueles tempos ainda hoje espanta Romanholi, um tipo ideal da fronteira, a pele bronzeada de uma vida passada sob o sol. "Ó, você pegava um carro lá em Guarantã do Norte, em Mato Grosso, e vinha até Itaituba, no Pará" — 750 quilômetros de estrada — "e não via a presença de um governo. Não estou falando de governo federal, não. *Qualquer* governo."

Romanholi virou madeireiro. Prosperou e formou família, convencido de que o futuro seria igual ao presente. Estava errado. "Sabe quando foi que nós sentimos a presença do Estado aqui? Foi em 2004, com o Lula presidente", conta. "É como se o governo dissesse: 'Olha, cheguei, estou presente, aqui não é seu, não, é da União, e nós vamos pôr ordem nisso.'"

Em 2008, o Ministério do Meio Ambiente incluiu Novo Progresso na mesma lista na qual Paragominas constava como um dos municípios que mais desmatavam. Nos anos seguintes, a cidade seria objeto de algumas das operações de repressão mais austeras do período, em que se articularam Polícia Federal, Ibama, Ministério Público Federal e Receita. Desmatadores tiveram o gado confiscado e o maquinário destruído. As sentenças pedidas à Justiça pelo MPF contra 23 denunciados pela prática de dezessete tipos de crime ambiental somariam 1077 anos de cadeia (seis foram condenados).

Foi um choque para a cidade e um espanto para Romanholi. "Depois daquilo eu fiquei mais conhecedor do poder do governo, entende? Do que o governo é capaz de fazer numa região que ele ainda não..." Deixa a frase no ar, parecendo ainda incrédulo com o fato de existir Estado. "Nisso mudou a minha forma de pensar, porque eu passei a enxergar que o governo, quando quer, ele tem tempo, tem dinheiro e faz. Não é igual a nós, iniciativa privada ou pessoa física, que na hora tem que ver orçamento... O governo tem mais força, ponto-final."

O próprio Romanholi sentiria essa assimetria de poder. Processado pela Justiça Federal em 2015 por crime ambiental, fez um acordo para recuperar 697 hectares de área desmatada ilegalmente. A denúncia era duplamente constrangedora, uma vez que, àquela altura, ele ocupava o cargo de prefeito de Novo Progresso. Passados dezessete anos desde que as primeiras ações do PPCDAM alcançaram a cidade, Romanholi está longe de haver se tornado um ambientalista. Chega a dizer que, se fosse politicamente aceitável, no seu tempo de prefeito teria condecorado Ezequiel Castanha, um dos maiores grileiros da região e condenado a 54 anos de prisão por ter desmatado, em um ano, uma área equivalente à cidade de Natal. "Ele derrubava, formava pasto e vendia. Pelo menos 5% da área aberta em Novo Progresso foi ele que abriu sozinho. Isso ajudou muito o município."

Portanto é notável que o ex-prefeito, apesar de manter sua perspectiva de homem de fronteira, reconheça algum mérito nas ações do governo naquela década inicial do século. "Eu sou pelo desenvolvimento, mas é preciso ordenar as coisas. Não tinha limite, não tinha respeito, não tinha um 'Pera um pouquinho, aqui eu posso? Aqui eu não posso?'. O problema é que a ausência de governo desorganizou muito."

O segundo pilar do PPCDAM era precisamente o ordenamento fundiário e territorial — estabelecer uma espécie de plano diretor para a Amazônia Legal: o que pode, o que não pode, onde pode e quem pode. Em 2007 o governo criou o Instituto Chico Mendes de Conservação da Biodiversidade, uma autarquia cuja responsabilidade era "propor, implantar, gerir, proteger, fiscalizar e monitorar as Unidades de Conservação instituídas pela União".

No mesmo período surgira o Serviço Florestal Brasileiro, uma ideia radical no quadro de um governo de esquerda. O papel do serviço era administrar as florestas públicas nacionais e abrir concessões para a exploração de seus recursos pela iniciativa privada. Madeireiros que até então operavam nas franjas da lei e à margem da noção de segurança jurídica — e que viviam do butim obtido com a invasão de terras públicas — passaram a ter a oportunidade de apresentar ao Estado um projeto de manejo sustentável das matas nativas. Completando o arcabouço do plano, seu terceiro pilar era a criação de alternativas econômicas para uma ocupação sustentável do bioma, iniciativa que ficou no campo da promessa.

Entre 2006 e 2010, as taxas de desmatamento em Novo Progresso caíram acentuadamente, sinal de que as medidas surtiram efeito. Ainda assim, até hoje o município não saiu da lista do Ministério do Meio Ambiente. Além de não cumprir as metas definidas pela pasta, Novo Progresso não conseguiu sustentar o controle do desmatamento e voltou a cometer delitos ambientais em série.

A história de Paragominas é outra.

No centro de visitação do parque municipal que inaugurou quando era prefeito, Adnan Demachki e seu então secretário do Meio Ambiente, Felipe Zagalo, projetam na tela a foto de um carro. Demachki explica: "Quando a gente pactuou que ninguém ia desmatar, nós sabíamos que alguém ia acabar quebrando a regra de conduta. O problema é que Paragominas é um município imenso". Paragominas já foi do tamanho de três Bélgicas, perdeu um pouco mais de duas ao longo das décadas e hoje equivale a dois terços de uma, ou a dois Líbanos. "Só que tudo o que tínhamos na secretaria era esse Fiatzinho. O Imazon mandava a imagem de uma quadra geográfica lá na ponta, dizia 'Ali tem desmate', e a gente entrava no Fiatzinho pra lavrar o auto de infração. Pegava uma estrada de chão achando que dava lá, andava cem quilômetros, mas não dava, então voltava, tentava outro ramal e o carro não passava, aí voltava pra cidade, trocava o Fiat por uma caminhonete traçada da Secretaria de Educação e tentava de novo. Quando a gente finalmente chegava lá, não encontrava ninguém ou, quando encontrava, o cara dizia que não era dele. Um inferno."

A solução era o CAR. Concebido pelo governo em 2009 e regulamentado na forma de lei em 2012, o Cadastro Ambiental Rural é uma ideia engenhosa que soluciona problemas complexos de modo simples e contraintuitivo. Simples porque reúne num só documento tornado obrigatório pela lei todas as informações ambientais que uma propriedade deve fornecer às autoridades. Com base em coordenadas de georreferenciamento, define-se o perímetro do imóvel e indicam-se as partes que, dentro dele, correspondem a área produtiva, reserva legal ou área de proteção permanente. O cadastro é contraintuitivo por ser autodeclaratório, ou seja, é o proprietário que descreve a situação ambiental de seu imóvel. Como saber se está dizendo a verdade?

Ocorre que, a despeito dos dados fornecidos, a simples existência do cadastro trouxe vantagens para o órgão regulador. Com esse registro em mãos, as autoridades se tornaram capazes de identificar o responsável legal pelo imóvel. Todo CAR exige a inclusão de dados sobre o proprietário ou possuidor, bem como sobre os respectivos títulos que respaldam a situação fundiária descrita no cadastro. Como a lei de 2012 impôs um prazo-limite para cadastrar todos os imóveis rurais teoricamente passíveis de registro — medida revogada pelo governo Bolsonaro em outubro de 2019 —, o proprietário era obrigado a se fazer presente, como alguém que, numa multidão, era instado a levantar a mão para responder à chamada. "Ao menos agora o carro tinha placa", disse o pesquisador Adalberto Veríssimo. "Podia estar sem farol traseiro e sem estepe, mas ao menos a gente sabia como identificá-lo."

A imagem é boa. Assim como um carro em desconformidade com a lei será pego pela vistoria anual, também no CAR as imprecisões declaratórias seriam flagradas pelos órgãos de fiscalização na etapa de validação dos dados, seja por meio da análise de imagens de satélite, seja em visitas à propriedade. Essa etapa nunca foi completada conforme determinava a lei. Até janeiro de 2022, apenas 7% de todos os registros de CAR do estado do Pará haviam sido validados.* Ainda assim, levando-se em conta a escassez de boa informação fundiária na época, o cadastro representou um avanço notável.

"Naquela imensidão de floresta, o sujeito simplesmente negava que aquele desmate era dele", explica Demachki. "Depois do CAR, não podia mais negar. A gente recebia o dado do desmatamento, cruzava com o cadastro, alinhava as coordenadas e, do gabinete mesmo, sabia quem era o dono. Não precisava mais pegar o Fiatzinho." Caso o desmatador fosse maçom, membro do Lions, filiado ao sindicato patronal ou a qualquer outra associação que participara da assembleia, ou Demachki ou Zagalo levava pessoalmente a informação até a entidade do infrator: "Ó, tem um associado teu que desmatou aqui, ó". Invariavelmente a associação pegava o telefone e repreendia o responsável. "A ideia era gerar um constrangimento no sujeito. A censura era coletiva", conta Zagalo.

---

* Em seu primeiro ano de governo, o presidente Bolsonaro editou uma medida provisória, logo transformada em lei pelo Senado, extinguindo o prazo de inscrição no CAR. Instituído pelo novo Código Florestal, ao longo dos anos o prazo foi prorrogado várias vezes, até ser extinto em 2019. Embora a obrigatoriedade de se inscrever no cadastro permaneça, não existe mais uma data-limite para fazê-lo. Como a validação depende da inscrição, isso significa que, na prática, o agente público só analisará as informações fornecidas quando o proprietário solicitar uma licença ambiental, motivado ou por exigência de quem compra a sua produção, ou porque o licenciamento é condição para que ele tenha acesso a crédito rural. Para a maioria dos proprietários que não solicita o licenciamento ambiental e que, desde 2019, não se sente mais pressionada a dar entrada no cadastro, a validação é um evento raro. Evidentemente, os maiores problemas estão concentrados nessas propriedades.

Funcionava porque a lista do Ministério do Meio Ambiente discriminava não por propriedade, mas por município — essa a grande astúcia. As metas eram coletivas e não individuais. Um produtor de Paragominas ou de Novo Progresso que se enquadrasse nas leis ambientais continuaria a sofrer as sanções da lista enquanto seus pares não parassem de delinquir. "Não era você que precisava se acertar, era a cidade", explica Daniel Azeredo, lotado durante anos na área de fiscalização ambiental do Ministério Público Federal no Pará e um dos procuradores ligados à Operação Boi Pirata, que confiscou gado encontrado em pastos ilegais.

Uma vez na lista, o município sofria pressão cerrada: virava objeto de fiscalização sistemática, corria o risco de não obter novos créditos bancários, encontrava dificuldade em conseguir os documentos fitossanitários, sem os quais era impossível negociar o gado. Toda essa série de entraves passou a ser da comunidade, não mais de fulano ou beltrano. "Um produtor de Paragominas me falou que antes eles iam pro bar xingar o Ibama", conta Azeredo, rindo. "Depois do Município Verde, o cara passou a criticar o vizinho: 'Ô bicho, não faz isso não porque você tá prejudicando todo mundo aqui'." O modo engenhoso como o programa tinha sido desenhado incentivava todos a entrar na linha.

Os mapas mensais coordenados por Carlos Souza Jr. no Imazon ajudaram a identificar o grande vetor de desmatamento naquele momento em Paragominas. Felipe Zagalo relata: "Não era o agricultor nem o pecuarista e nem mesmo o madeireiro. Era o carvoeiro, e isso a gente não sabia. O cara não aparecia no nosso cenário". Demachki baixou uma medida administrativa proibindo o licenciamento de novas carvoarias; seria permitido processar somente resíduos de serraria, e nenhuma carvoaria poderia ter mais de doze fornos.

Em 2009, a educação ambiental passou a fazer parte da grade curricular do ensino municipal, uma iniciativa pioneira na

Amazônia. "Não é disciplina", explica Demachki, "é um tema transversal, aparece em todas as matérias, geografia, história, português." No final daquele ano, 50% das propriedades rurais haviam sido incluídas no CAR, em 2010 esse índice subiu para 84% e em 2011 chegou a 90%. Em 2007, ano anterior à publicação da lista, Paragominas desmatara 107 quilômetros quadrados de florestas, uma área maior do que Vitória. Em 2008, primeiro ano do programa Município Verde, esse número caiu para 63 quilômetros quadrados e em 2009 ficou em 25 quilômetros quadrados, o equivalente a cerca de três bairros de Copacabana.

Na porta da prefeitura apareceu gente insatisfeita — QUEREMOS TRABALHAR, diziam os cartazes dos manifestantes. "*Trabalhar* significava vender carvão para os poderosos", conta Demachki, recusando o argumento de que suas ações prejudicaram trabalhadores pobres. "O carvoeiro não é só o cara pequeno, não. Tem o empresário, o atravessador. Eles chegam num produtor que está em dúvida se abre ou se não abre duzentos alqueires de terra e aí falam: 'Tu vais derrubar? Faz carvão que eu compro e com o dinheiro você financia a pastagem.'" Ainda assim, seria ingênuo imaginar que um ordenamento econômico daquela proporção não produzisse derrotados. Segundo o site O Eco, mais de 2 mil pessoas perderam emprego entre 2008 e 2009. Demachki, no entanto, faz questão de lembrar: "O Município Verde teve um impacto imenso em Paragominas. O nosso IDH atual é outro em relação ao de 2008".*

---

* O último IDH municipal disponível no IBGE é de 2010, o que torna difícil mensurar o progresso de Paragominas pelo índice. Contudo, quando se compara o PIB per capita da cidade com o da capital do estado, o desempenho de Paragominas de fato é bom. A partir de 2013 a cidade entra em rota de crescimento e, já no ano seguinte, deixa Belém para trás. Os indicadores socioeconômicos mostram melhora significativa no bem-estar da população. Na educação, o Índice de Desenvolvimento da Educação Básica (Ideb) passou de 4,3 em 2009

A revista inglesa *The Economist* publicou, em 2013, uma reportagem sobre a experiência de Paragominas. Àquela altura, o Brasil começava a se apresentar internacionalmente como país habilitado a ser um gestor responsável do patrimônio natural sob sua guarda. A abertura da matéria dizia que, se a Amazônia havia tido um ponto de inflexão — na época, isso fazia sentido —, ele acontecera em 2008 no município administrado por Demachki. Mais especificamente, na noite de 23 de novembro, horas depois do incêndio na sede do Ibama.

A revista se referia ao momento em que a sociedade de Paragominas foi convocada para a assembleia em que rejeitaria a renúncia de seu prefeito e decidiria cuidar de suas florestas. Em 24 de março de 2010, dezesseis meses depois daquela assembleia informal convocada em caráter de urgência por Demachki, Paragominas se tornaria o primeiro município a ser retirado da lista de desmatadores. Em pouco mais de dois anos, havia cumprido as duas condições impostas pelo Ministério do Meio Ambiente.

"Funcionou porque botamos todo mundo na mesa, entendeste? Se a gente tivesse baixado um decreto proibindo o desmatamento, não ia resolver", diz Demachki. O advogado Justiniano Netto concorda com essa avaliação. Em 2015, depois de participar da elaboração do Programa Município Verde, ele viria a assumir a tentativa de replicar a experiência de Paragominas no restante do Pará, também dessa vez a convite de Demachki, então

---

para 5,8 em 2019. A taxa de mortalidade infantil caiu de 15,08 por mil crianças nascidas vivas em 2009 para 11,6 em 2019. Em 2010, 54,7% da população tinha acesso a água encanada; em 2018 esse número passou para 82,3%. A população atendida pelo esgotamento sanitário deu um salto de 2,04% para 23,2% no mesmo período.

secretário estadual de Desenvolvimento Econômico. "Todo combate tem que estar atrelado à política local", pondera Netto. "Sem isso, sem o pacto local, você depende de comando e controle, e isso pode afrouxar quando entra outro governo com uma visão diferente do problema." É o que separa Paragominas de Novo Progresso, onde esse pacto nunca ocorreu.

O acordo pelo fim do desmatamento em Paragominas é um exemplo de boa política pública executada com inteligência estratégica. Ao buscar a adesão de líderes como Justiniano Netto, ex-presidente do Sindicato do Setor Florestal de Paragominas, o prefeito deixava claro que não era contrário à atividade madeireira; apenas combatia suas práticas predatórias. Como demonstrara o Imazon com seu projeto-piloto de manejo, e como se verá mais adiante, havia maneiras de extrair madeira sem condenar a floresta. A colaboração de Netto indicava que as ações do Executivo eram endossadas por alguém com origem e vida profissional no mundo da extração.

Filho de pai paranaense que montara em Paragominas uma pequena fábrica de lâminas para tábuas de compensado, violões e skates, Justiniano Netto assumiu muito jovem o negócio da família. Foi forçado a isso em 1991, quando tinha dezoito anos e cursava direito em Belém. Naquele ano perdeu pai e mãe, e decidiu regressar a Paragominas para cuidar da fábrica. Em pouco tempo comandaria o sindicato patronal do setor. "Eu vivi a década de 90, a Eco-92, ambientalismo", conta. "Na época o estatuto do manejo sustentável era puramente teórico. Ninguém sabia se era possível na prática. O Imazon e outros provaram que era, e de uma hora pra outra o manejo deixou de ser ficção e se tornou um instrumento pra extrair madeira sem derrubar a floresta."

O manejo é uma operação de longo prazo. Um bom exemplo são as áreas concedidas pelo Estado para a exploração madeireira. Num primeiro passo, o Serviço Florestal Brasileiro, autarquia criada em 2006 para gerir as florestas públicas do país, faz uma seleção das áreas passíveis de ser concedidas, submetendo-as a estudos técnicos e consultas públicas. Dos 3,1 milhões de quilômetros quadrados de florestas públicas cadastradas (mais do que uma Argentina, quase uma Índia), 53 mil quilômetros quadrados (pouco mais de uma Costa Rica) foram considerados passíveis de concessão e, destes, 10,5 mil quilômetros quadrados (um Líbano, ou meio Sergipe) foram efetivamente franqueadas ao manejo. Após a licitação, a empresa concessionária contrata botânicos para fazer o levantamento florístico da floresta concedida. Em seguida, divide a área numa grade de trinta casas. Seleciona então as árvores que serão cortadas em cada uma das casas e apresenta o plano ao Ibama, órgão responsável pelo licenciamento e pela fiscalização ambiental.

Concedida a autorização, começa o manejo. A cada ano, trabalha-se numa só casa: entre três e cinco árvores são retiradas por hectare, outras oito a dez se danificam no processo. No outro ano, pula-se para a casa seguinte, sempre num movimento circular, de modo a não espantar a fauna para fora da floresta. As equipes de corte só retornarão à área recém-explorada trinta anos depois, quando a mata já estará regenerada. No sexto ano "a clareira já fecha", afirma um empresário do ramo.

Especialista em causas agroambientais, Netto tem como clientes muitos madeireiros que derrubaram florestas no passado e que hoje tentam se adequar às normas em vigor. Fino conhecedor do meio social desses homens, sabe aferir com precisão de que maneira as idas e vindas da política ambiental brasileira impactam as conquistas das quais foi um dos agentes. Na ausência de pressão comunitária e de ação do Estado, gente que cresceu numa economia de fronteira tenderá sempre a reverter aos modos antigos. "A partir de Lula II e Dilma houve um enfraquecimento dos sistemas de comando e controle", conta Netto, "e hoje" — segundo ano da presidência de Jair Bolsonaro — "esse processo chegou ao ápice. O cara tá desmatando na cara do governo. A mensagem política é de que mais adiante vem 'brandura', de que vai poder regularizar a terra ocupada." Netto não acredita que o processo de destruição em curso seja irreversível, mas esse otimismo — traço tão característico dele quanto a perspicácia — não impede uma tristeza em sua voz.

O desalento com o atual estado de coisas ganha ainda mais peso por vir de alguém que compreende e defende os colonos da Amazônia. Justiniano Netto hesita antes de responder se é um ambientalista. Depois de uma pausa, diz: "Sou conservacionista, não preservacionista. Acredito no desenvolvimento sustentável: no núcleo duro da floresta você não toca, e explora o resto com manejo. Para que dure".

A exemplo de Netto, Daniel Azeredo também considera que Paragominas conseguiu dar a volta por cima graças à mobilização de sua sociedade civil. "Aquilo deu certo sem nenhuma ajuda do governo federal", garante o procurador federal, insistindo em dar todo o crédito ao pacto local e eliminando Brasília da equação. No entanto, as evidências não sustentam sua tese.

A ação municipal foi decisiva, sem dúvida nenhuma, mas os prefeitos não dispõem de força policial para reprimir a delinquência. Sem o Ministério do Meio Ambiente, sem o Ibama, sem a Polícia Federal e sem agentes como o próprio Daniel Azeredo, figura-chave nas ações do Ministério Público contra fazendas ilegais de gado — em suma, sem a política nacional de combate ao desmatamento que vigorou naqueles anos, os produtores de Paragominas teriam levado bem mais tempo para se ajustar, se é que o fariam. Nada indica que, por si só, a pressão do mercado, como a exercida pela Moratória da Soja, teria bastado. Novo Progresso, por exemplo, nunca se ajustou.

É o que o próprio Daniel Azeredo sugere ao especular sobre o que anda passando atualmente pela cabeça dos produtores, em razão do cenário político quase hostil ao da primeira década do século: "Imagino que a discussão que rola hoje entre eles é: 'Será que estamos perdendo dinheiro?'. Porque não desmatar e ser forçado a cuidar melhor da terra custa caro. A gente costumava brincar e dizia assim: 'Se desligar o satélite, o pessoal volta a derrubar a floresta na hora…'".

Para Justiniano Netto, o que ele chama de "terapia convencional", isto é, o conjunto de medidas adotadas pelo programa Paragominas Município Verde — exigência de CAR, denúncia e repressão, ameaça de bloqueio de crédito etc. —, certamente funciona para o fazendeiro que precisa escoar a produção. "Se esse cara se regularizava, diminuía o custo de transação dele. Se ele ficava de fora, a terapia era bloquear todos os serviços públicos. Nem registrar o gado ele conseguia, porque o governo negava até o certificado fitossanitário." Ocorre que nada disso importa para quem opera na ilegalidade — digamos, o pecuarista que cria boi para o mercado local em área de proteção e o vende para frigoríficos que fazem vista grossa. "Quando o problema é endêmico, não se consegue pactuar nada. Aí, só com freio de arrumação", diz Netto, aludindo ao poder de repressão do Estado. "É como a dengue: evitar que ela chegue sai barato, mas depois que ela se instala é muito difícil de combater."

Em agosto de 2019, num restaurante em Belém, Adnan Demachki afirmou que "o desmatamento em Paragominas é coisa do passado". Estava confiante que as decisões tomadas em 2008 haviam se transformado em cultura cívica, em formas de proceder suficientemente enraizadas na comunidade para impedir o retorno das velhas práticas: "Se você impõe regras e fiscaliza, a ferida aqui cicatriza. A terra hoje em Paragominas é altamente valorizada, não tem mais abandono. Somos o primeiro município a ter 100% das propriedades rurais no CAR. A gente valida as informações, checa se a reserva legal está em ordem, se as nascentes e as APPS [Áreas de Preservação Permanente] estão lá. Com isso, o proprietário consolida a sua área de produção e faz nela o que quiser, sem risco de dor de cabeça. O cara de Paragominas compreendeu a vantagem disso".

Pelo menos até ali, os dados sustentavam o otimismo de Demachki. Em novembro de 2020, o Inpe divulgou os números do desmatamento no Brasil relativos aos doze meses anteriores. Registrou-se a maior área desmatada desde 2008, com um crescimento de 9,5% em relação a 2019. Já Paragominas caminhou na direção oposta: teve o menor desmatamento de sua história. Eliminaram-se dez quilômetros quadrados de cobertura vegetal, parte dessa área correspondendo a desmate legal, autorizado para extração de bauxita, com o compromisso de restauração integral no futuro. Retomando as comparações feitas acima, foi como se em 365 dias dois Líbanos — ou seja, Paragominas — tivessem perdido uma área de floresta equivalente a um bairro de Beirute.

Demachki se orgulha da cidade que entregou a seus sucessores. Pelos padrões brasileiros, Paragominas é ordenada. As ruas são limpas. Os carros param diante da faixa, dão prioridade aos pedestres. Buzina-se pouco. O mobiliário urbano é bem cuidado, sem pichações. Pode-se encher o pulmão sem risco de contaminá-lo com a fumaça das carvoarias. A arborização é deficiente, mas não tanto como em outras localidades do Pará. Houve mesmo certo empenho em tornar a cidade mais verde. Quando um bebê nascia, a Secretaria do Meio Ambiente despachava duas mudas de árvore para entregar aos pais ainda na maternidade, em comemoração à chegada da criança; vinham acompanhadas de um pedido para que cuidassem delas e zelassem pelo seu crescimento.

Embora tenha deixado a prefeitura em 2013, Adnan Demachki ainda age como prefeito. No trajeto entre dois compromissos, dividia o carro com a atual secretária responsável pela limpeza urbana. Ao passar por uma esquina com lixo acumulado no chão, esperou dois ou três minutos e então, discretamente, para que os demais passageiros não percebessem, disse à funcionária: "Você viu lá atrás, não? Anotou?".

Dois ou três dias de conversas em Paragominas sugerem que as mudanças de uma década antes constituíram de fato um legado. Durante o almoço na casa do fazendeiro José Carlos Gabriel, muito se falou do esforço continuado da cidade para se adequar às normas ambientais. Os mais velhos gostam de criticar o Código Florestal; os mais jovens não perdem tempo com isso. "As regras são boas ou são ruins?", perguntou à turma de trinta anos um convidado pouco familiarizado com o tema. "As regras são claras", respondeu Vinícius Scaramussa sem hesitar. "Isso de meio ambiente está pacificado." Seu amigo Felipe Balestreri emendou: "Se o meu vizinho desmata, eu denuncio, do contrário tenho produção e não consigo vender". Scaramussa trouxe uma recordação pesada: "Me lembro da Arco de Fogo, das pessoas sendo presas. Ninguém mais quer aquela vida".

As respostas parecem confirmar a solidez das conquistas. Contudo, embutem uma dúvida: as pessoas deixaram de desmatar por convicção ou por temor? No atual cenário político não há espaço para operações como a Arco de Fogo, o que põe em questão o pacto firmado por Paragominas. Hoje, de certa forma, a continuidade e a abrangência dos procedimentos pactuados se tornaram matéria de escolha local, sem a retaguarda das agências federais de controle.

É um estado de coisas que requer atenção. Dois estudos — uma tese de doutorado apresentada por Clarissa Gandour à PUC-Rio em 2018 e um artigo de 2014 dos economistas Juliano Assunção e Romero Rocha — avaliam as políticas públicas de combate ao desmatamento implementadas pelo Brasil nos anos 2000. Empregando técnicas econométricas para isolar o efeito de diferentes ações governamentais, os três autores concluem que, do vasto arsenal de instrumentos criados pelos gestores ambientais no período, apenas dois, fundamentalmente, explicam o êxito dessas ações: monitoramento contínuo e abrangente e aplicação severa da lei. O cerne dessa política foi eliminar a impunidade. Todo o resto — restrição de crédito, embargos etc. — desempenhou um papel não mais que secundário nos bons resultados colhidos naqueles anos.

Segundo Assunção e Rocha, a lista de municípios infratores criada pelo Ministério do Meio Ambiente reduziu de forma significativa o desmatamento não só nos municípios listados como também nos vizinhos. A repressão em Paragominas levava o mau produtor na limítrofe Goianésia do Pará a reconsiderar sua prática ilegal, sob pena de atrair para o seu canto de mundo as ações vistosas das forças-tarefas. Contradizendo um reclamo frequente de ruralistas, os economistas demonstram que a aplicação rigorosa das leis ambientais em nada afetou a produtividade do campo. Enquanto o desmatamento despencava, as safras na Amazônia Legal cresciam, evidência de que "combater desmatamento na Amazônia não necessariamente cria obstáculos para a produção agrícola".

A tese de Clarissa Gandour, considerada a melhor daquele ano pela Associação Nacional dos Centros de Pós-Graduação em Economia (Anpec), verificou que fazer valer a lei reduziu o desmatamento e estimulou a expansão de matas secundárias nos pastos degradados. "Isso apoia a hipótese de que infratores ambientais, diante dos maiores custos associados à atividade ilegal, abandonaram as regiões onde operavam e, assim, permitiram que ocorresse um processo natural de regeneração", escreve ela.

Ao longo da década estudada, a área de vegetação secundária na Amazônia aumentou em 7 milhões de hectares, extensão que equivale, aproximadamente, à soma dos territórios do Rio de Janeiro e de Alagoas. É um quarto de tudo o que foi historicamente desmatado na região, dolorosa evidência de um padrão de ocupação predatório e ineficiente. Derruba-se boa parte da floresta para nada.

O empenho em reprimir delitos ambientais representou, de acordo com Gandour, um fator ainda mais crucial para reduzir o desmate do que a criação de Unidades de Conservação, outro instrumento poderoso daqueles anos. Há uma razão simples para isso: o efeito de *derramamento*. Analisando dez anos de imagens georreferenciadas e acompanhando como o desmatamento e a recomposição florestal se moviam no bioma, a pesquisadora aferiu os efeitos diretos e indiretos das políticas ambientais do período. É certo que, quando expostos às mesmas pressões econômicas, territórios protegidos tiveram perdas de vegetação significativamente menores do que territórios sem proteção. Contudo, embora tenham funcionado como escudo local contra o avanço do desmatamento, Gandour constatou que florestas protegidas não estancam a ilegalidade, que "parece seguir para áreas não protegidas" — *escorre* para onde não há vigilância. "A proteção, portanto, afeta a dinâmica regional do desmatamento, mas não seu nível agregado." Ao dar destino claro a terras públicas, as Unidades de Conservação cumprem o importante papel de organizar o território. Além disso, como já visto, impõem uma barreira à expansão ilimitada da fronteira. Contudo, se não fizerem parte de uma política global de contenção do desmatamento, terão impacto apenas local, como mostra Gandour. Grileiros e desmatadores se movem.

Quatro meses depois de chegar à Presidência da República, Jair Bolsonaro se manifestou contrário à queima de caminhões e tratores usados por criminosos que agiam no desmate de uma floresta nacional em Rondônia, apesar de a destruição de maquinário apreendido em ações de combate à extração ilegal de madeira ser um procedimento previsto na legislação ambiental. De lá para cá, toda vez que o governo federal teve que escolher entre a ordem e a desordem, com notável frequência pronunciou-se em favor dos representantes da desordem: garimpeiros, invasores de terras indígenas, desmatadores. A quantidade de multas aplicadas pelo Ibama no primeiro bimestre de 2019 foi a menor em quase 25 anos.

Em janeiro de 2022, Bolsonaro comemorou o fato. Na abertura de uma feira do agronegócio, ele disse a ruralistas: "Paramos de ter grandes problemas com a questão ambiental, especialmente no tocante à multa. Tem que existir? Tem. Mas conversamos e nós reduzimos em mais de 80% as multagens [sic] no campo". A retomada do desmatamento na Amazônia antecede o governo Bolsonaro, e as causas são muitas: a promulgação do Código Florestal de 2012, mais leniente que o anterior; a redução, por medida provisória, de Unidades de Conservação para viabilizar obras de infraestrutura defendidas pelo governo Dilma Rousseff; a construção de Belo Monte; o esgotamento das políticas do PPCDAm, sem renovação de ferramentas. Depois de quase uma década de sucesso, "a faca começou a perder o fio", na expressão de Clarissa Gandour. Contudo, foi a partir de 2019 que o desmatamento na Amazônia explodiu. Entre a posse de Jair Bolsonaro, em janeiro de 2019, e o ano 2021, a região conviveu simultaneamente com a maior taxa de desmatamento e com o menor número de sanções ambientais — multas e embargos — dos últimos quinze anos. Não espanta, portanto, que os desmatamentos tenham disparado. Sempre que o Estado brasileiro decide ser leniente com o cumprimento da lei, a Amazônia fica desprotegida.

A Juparanã Comercial Agrícola Ltda., sediada em Paragominas, emprega quinhentos funcionários, doze deles engenheiros agrônomos. Moderna e diversificada, produz grãos, comercializa insumos e compra e vende commodities. Foi fundada por um pequeno cafeicultor capixaba que, atraído pelos programas do governo, chegou ao Pará em 1980 e recebeu terras com a obrigação de abrir a floresta. Como quase todo mundo na época, começou explorando madeira e depois migrou para a pecuária. Contudo, sendo essencialmente um agricultor, não se sentia realizado exercendo essas atividades. Há cerca de vinte anos, quando a fronteira agrícola alcançou Paragominas, decidiu plantar soja. Era o início da Juparanã, empresa que começou com cinco funcionários.

Flávio Carminati, de 42 anos, é filho do fundador. Tinha quatro anos quando chegou com a família a Paragominas, "um lugar sem energia elétrica", e cresceu vendo a geração de pioneiros moldar a região que um dia teria líderes empresariais como ele. Já há algum tempo, aqueles homens bem-sucedidos de pouca instrução e grande espírito aventureiro começaram a se retirar para suas fazendas, abrindo espaço para que jovens como Carminati assumissem o comando. Relógio Apple no pulso, naturalidade ao discorrer sobre a bolsa de commodities de Chicago, onde especula, e um português apurado são alguns marcadores que distinguem esses filhos de hoje daqueles pais de ontem.

"A agricultura nessa região é o resultado de um esforço coletivo", diz Carminati. Foi um encontro de vontades: de um lado, um pequeno grupo de empresários que desejava abandonar a madeira e a pecuária para se dedicar ao plantio de soja; de outro, o poder público, que àquela altura estimulava a transição. "Vinte e um empresários aportaram cada um o valor de um Toyota Corolla para investir numa grande plantação. Eles queriam demonstrar que a região tinha condições de produzir em escala. A prefeitura apoiou abrindo a porta dos bancos, dos institutos de pesquisa, mostrando os gargalos. No final dos anos 1990, o Almir Gabriel, que era o governador na época, subsidiou os cinco primeiros armazéns de grãos da região." Carminati não tergiversa: "A soja chegou aqui e começou a desmatar. Aí o mercado disse: 'Ei, não queremos mais'. A gente teve que se adaptar".

Em setembro de 2019, reuniram-se na sede da Juparanã com Flávio Carminati; o secretário municipal do Meio Ambiente da época, Felipe Zagalo; o então prefeito de Paragominas, Paulo Tocantins; e o pesquisador Paulo Amaral, todos comprometidos com a agenda ambiental. Carminati foi direto: "No passado nós abrimos muitas áreas sem aptidão para a agricultura, e isso está errado. É desnecessário derrubar floresta no Pará, tem muita terra abandonada e sem uso. Mas acho uma sacanagem dizer que o cara na Amazônia é responsável por mudar o clima do mundo. Tem muito exagero nessa história de pulmão do mundo. Não concordo com esse discurso do medo, de que se nós cortarmos a floresta vai chover menos e inviabilizar a nossa atividade. Mudança climática é um fenômeno natural".

A ciência, porém, não dá razão a Carminati. Já faz tempo que o debate sobre a causa dos atuais distúrbios climáticos está pacificado e que se tem como certo que é a ação humana que leva ao despejo de gases do efeito estufa na atmosfera. Em que pesem tais fatos incontroversos, nem os seus vinte anos de experiência no campo nem a faculdade de agronomia que interrompeu para começar a trabalhar conseguiram convencer Flávio Carminati sobre os benefícios ecossistêmicos de uma floresta de pé: "A floresta atrapalha o agricultor. Se você me perguntar, eu vou dizer: eu queria abrir a minha fazenda *todinha*". Em seguida ele aponta para o secretário do Meio Ambiente e diz, sorrindo: "Se ele aqui deixasse, eu derrubava tudo. Olha, tem um prejuízo associado a não abrir a floresta. O governo investiu em estradas e infraestrutura, então existe um custo para o país deixar de desenvolver as terras.

Por outro lado", conclui Carminati, "quem manda é o mercado. Eu não quero vender a minha soja por cinco reais. O município deixou de desmatar e pronto: o mercado voltou a se interessar, os bancos quiseram participar do negócio, as *traders* voltaram a comprar o nosso produto, e isso permitiu que o negócio crescesse. Tenho as minhas opiniões, mas elas não se sobrepõem às regras. Meu vizinho não pode desmatar, contamina a minha soja. O satélite passa todo dia em cima da gente. As imagens estão disponíveis para qualquer um consultar".

É uma fala instrutiva, que esclarece a dúvida sobre a motivação dos que pararam de desmatar. Para muitos produtores, o pacto firmado em 2008 se mantém graças a dois fatores: punição e pressão do mercado. Não são razões baseadas na convicção pessoal de que a floresta deva existir, como explicita a louvável franqueza de Carminati. São razões frágeis, portanto. Dependem de agentes externos, não de convencimento intelectual ou de imperativos da consciência.

Os órgãos de fiscalização vêm sendo sistematicamente manietados pelo governo Bolsonaro — o orçamento de 2021 do Ministério do Meio Ambiente foi o menor das duas últimas décadas —, enquanto se preparam mudanças nas leis ambientais. Caso passem, estimularão ainda mais a invasão de florestas públicas e o desmate. Para todos os efeitos, o atual governo abdicou de seu dever constitucional de fazer cumprir o Código Florestal e de proteger o bioma amazônico. "Embora o recrudescimento do desmate não seja de hoje — já dura uns cinco anos —, agora ficou pior, porque o governo deixou de ser um mediador confiável", afirma Justiniano Netto. "O governo passou a ter lado, e quando você percebe isso, acabou. O cara não senta mais na mesa porque sabe que as decisões já foram tomadas, aquilo é só teatro."

Nesse contexto, de fato retórica faz diferença. Nem é preciso alterar a legislação; basta mandar sinais, e impulsos que estavam apenas represados retornarão, às vezes com fúria. É o que se vê em várias partes da Amazônia, embora ainda não em Paragominas nesse início de terceira década do século XXI. É um equilíbrio instável, já que o desmatamento parece estar sempre a um discurso presidencial de distância. Poucos dias antes do encontro com Carminati na sede da Juparanã, uma ação do Ibama confiscara o maquinário de madeireiros que operavam ilegalmente dentro de uma reserva indígena em Paragominas. Ao ver que o fiscal se preparava para atear fogo no equipamento, um dos bandidos sacou o celular: "Eu tenho aqui uma gravação do presidente dizendo que não pode mais queimar o nosso material de trabalho". Naquele dia, tratores e caminhões arderam: "Se ele te disse isso, pra mim não falou nada", retrucou o fiscal. "Se afasta, porque vai ficar quente." Ainda era início do governo Bolsonaro. De lá para cá, inúmeros funcionários do Ibama foram afastados por empreenderem ações dessa natureza. O desmatamento no Brasil voltou a números de uma década atrás.

Resta o mercado. Até a redação desta frase, em setembro de 2022, produtores de grão na Amazônia ainda operavam segundo os termos da Moratória da Soja, o acordo que retirou sojicultores da linha de frente do desmatamento. Entretanto, no final de 2019, sob o novo clima político, a Associação Brasileira dos Produtores de Soja declarou que pretendia contestar o pacto. "A moratória fere a nossa soberania", declarou o presidente da entidade. Jair Bolsonaro apoiou a iniciativa. "Governo e agricultores unem forças contra Moratória da Soja na Amazônia", publicou na ocasião o jornal *Valor*.

Em julho de 2020, um artigo da revista *Science* analisou a situação da soja e da carne que a União Europeia importava do Cerrado e da Amazônia Legal. Assinado por pesquisadores brasileiros, alemães, suecos e norte-americanos, o estudo concluiu que 20% do grão e pelo menos 17% da carne que saíam dos dois biomas e iam para a mesa dos europeus podiam estar contaminados por desmatamento ilegal. "Embora apenas 1% das terras desmatadas recentemente na Amazônia tenham se destinado ao plantio da soja, em contraste com 5% no Cerrado, mesmo fazendeiros que seguem cumprindo a Moratória da Soja vêm convertendo a floresta em pastos e campos para outras lavouras no perímetro de suas propriedades. Continuam, portanto, a se beneficiar do desmatamento", afirmaram os autores do artigo da *Science*. A astúcia nem sequer era sofisticada: ocupavam com soja a parte da propriedade que podia ser legalmente desmatada e avançavam com o gado e com outras culturas sobre as reservas legais.

Os pesquisadores analisaram o Cadastro Ambiental Rural de 362 mil propriedades na Amazônia. Destas, cerca de 162 mil, ou 45%, não atendiam ao Código Florestal ou por invadirem Áreas de Preservação Permanente, ou por não conservarem suas reservas legais. O estatuto da Reserva Legal (RL) é um velho cavalo de batalha dos ruralistas. Raros são os que não criticam os termos que definem a RL no novo Código Florestal, de 2012, cujo texto, de resto, já foi redigido para reduzir as exigências do código anterior, de 1965, e atender a antigas reivindicações dos produtores. Para eles, o ponto mais ofensivo é justamente a obrigação de manter 80% de cobertura vegetal em imóveis rurais localizados dentro do bioma Amazônia. Como exigir que um fazendeiro tire sua renda de apenas 20% de sua propriedade?

O argumento encontra eco mesmo entre gestores públicos que tiveram atuação decisiva para reduzir o desmatamento nos anos 2000. Simão Jatene, responsável por criar inúmeras áreas de proteção ambiental quando governou o Pará, é um deles: "Tu só vais usar 20% da tua terra, mas tu vais ter que dar segurança aos outros 80%, porque se der problema tu vais precisar te entender com o governo. Em termos econômicos, nunca me bateu como razoável". A opinião do ex-prefeito Adnan Demachki é parecida:

"Tem um custo manter 80%. Você precisa proteger do fogo, impedir invasão pra tirar madeira, tudo isso sem poder monetizar oito partes de cada dez. É um negócio que causa desconforto. Os caras reclamam com razão".

Há uma réplica geral e outra específica a esse argumento. A geral é simples: tornar-se fazendeiro na maior floresta tropical do planeta é uma decisão voluntária. As regras são claras e resultam de um longo debate na sociedade brasileira. Se elas parecem pouco razoáveis, então que se evite o bioma. O contra-argumento específico pode ser resumido assim: parte de uma falácia o alarido sobre como os proprietários rurais na Amazônia, todos eles ou pelo menos a maioria, são forçados a preservar 80% de cobertura vegetal em seus imóveis. Um levantamento inédito feito pelo engenheiro florestal Heron Martins, especialista em análise de imagens de satélite — muitos dados que aparecem neste livro foram coligidos por ele —, mostra como a situação real difere da descrita pelos ruralistas e seus representantes.

Processando mais de 1 milhão de registros de CAR emitidos na Amazônia — número equivalente ao total de imóveis rurais do bioma incluídos no Sistema Nacional de Cadastro Ambiental Rural até 31 de janeiro de 2020 —, Martins eliminou duplicidades, sobreposições e impropriedades evidentes, tais como lotes no interior de terras indígenas ou de florestas nacionais. O restante corresponde a propriedades reais — fazendas e assentamentos — que podem ser legais ou não (grileiros também se registram no CAR, na expectativa de que ocorra alguma mudança nos marcos temporais da legislação, evento comum na história recente do Código Florestal. Nesse caso, o registro poderá servir de prova de que o grileiro ocupava a terra antes da nova data de corte, facultando-lhe o direito à posse). Martins, então, classificou cada um desses cadastros nas categorias previstas pelo Código Florestal, que são muitas, fato que não costuma aparecer na retórica do agronegócio. A classe de propriedades obrigadas a manter 80% de cobertura vegetal constitui apenas uma dentre seis possibilidades de classificação.

Existe, por exemplo, uma categoria flexível, que é a dos pequenos imóveis rurais. Tecnicamente, será assim considerado o imóvel que não exceder quatro módulos fiscais, unidade que varia de município para município. Para esse tipo de imóvel, a exigência de preservação adota como referência a área de floresta que cobria a propriedade em 22 de julho de 2008, a data de corte. Assim, se na ocasião o imóvel tinha apenas 15% de cobertura florestal, será esse o tamanho da área a ser preservada, ou seja, essa é a sua reserva legal. Conforme o levantamento de Martins, 87% dos cadastros rurais no bioma amazônico correspondem a pequenas propriedades, e, por lei, quase metade desse total pode manter uma reserva legal *inferior a 20%*. A necessidade de preservar 80% de cobertura vegetal recai sobre apenas 18% desses imóveis. "Encontrei inúmeros cadastros de pequenos imóveis registrados no mesmo nome. Quando a gente georreferencia, vê que eles são contíguos", explica Martins. "Nesses casos, os donos nem se dão ao trabalho de buscar um laranja. Eles simplesmente retalham a propriedade e passam a se beneficiar da regra que vale para os pequenos."

No caso das médias e grandes propriedades, são muitas as exceções aplicadas à Reserva Legal: se uma fazenda se encontra num município cuja área protegida (Unidades de Conservação e Terras Indígenas) excede 50% do território; se está localizada em regiões enquadradas em certo tipo de zoneamento econômico; se a vegetação é constituída de cerrados ou campos naturais... Cada uma dessas contingências modifica os termos da RL. Martins verificou que 56% das médias e grandes propriedades na Amazônia *não* precisam obedecer à regra dos 80%. Ao considerar a totalidade dos imóveis, do menor ao maior, ele constatou que de cada quatro propriedades no bioma *mais de três* se beneficiam das exceções especificadas na legislação, estando livres, portanto, do padrão 80/20 alardeado como universal pelos que combatem o código.

Martins resume o que seu trabalho revelou: "Em termos de Reserva Legal, as exceções na Amazônia viraram regra. O levantamento não diz uma palavra sobre o cumprimento ou não do Código Florestal. Isso demandaria outra pesquisa. Investiguei exclusivamente o que é permitido. Nas discussões do novo Código Florestal, o de 2012, os ruralistas queriam duas coisas: anistia e redução da área de Reserva Legal. Conseguiram as duas, mas mantiveram o discurso de que são obrigados a proteger a maior parte da propriedade". É uma estratégia que tem funcionado. Até mesmo a imprensa mais criteriosa costuma insistir no equívoco de que a maioria dos proprietários rurais com terras no bioma precisa manter 80% da vegetação nativa de pé. Formou-se um consenso sobre uma falsidade, permitindo que o ruralista se apresente como uma vítima do excesso regulatório, um produtor esmagado por um código injusto cujos artigos draconianos precisam ser rediscutidos.

Naquele dia de setembro de 2019 em que Felipe Zagalo, Paulo Tocantins e Paulo Amaral estavam reunidos com Flávio Carminati na sede da Juparanã Comercial Agrícola, as queimadas da Amazônia dominavam o noticiário internacional. Apesar de exportador, Carminati não parecia preocupado com as eventuais repercussões econômicas do desmanche da política ambiental brasileira. "Os bancos antigamente me perguntavam sobre a situação do desmatamento; agora, mesmo com toda essa cobertura, não voltaram ao assunto. Eles sabem que Paragominas é diferente." Até então em silêncio, o prefeito Paulo Tocantins opinou:

Os 338 mil imóveis pequenos no bioma Amazônia têm diferentes obrigações de *preservação ambiental*.

Dos 51 mil imóveis médios/grandes no bioma Amazônia, *só a minoria* é obrigada a preservar os 80% de reserva legal.

"Pois eu estou muito preocupado. Quando vi a escaramuça do Bolsonaro com o Emmanuel Macron, pensei: Isso vai chegar em Paragominas".*

* Em agosto de 2019, a poucos dias de uma reunião do G7, o presidente francês, Emmanuel Macron, convocou seus pares para discutir os focos de incêndio que se multiplicavam pela Amazônia. "Nossa casa está pegando fogo", disse, suge-

Bastava andar seis quilômetros para constatar que não era ociosa a preocupação de Tocantins. Na zona industrial de Paragominas está a Floraplac, fabricante de painéis de aglutinado de madeira para pisos e para a indústria moveleira, o chamado MDF (em inglês Medium Density Fiberboard, ou seja, Fibras de Média Densidade). Com 1300 funcionários, a empresa é a segunda maior empregadora do setor privado em Paragominas (a primeira é a mineradora norueguesa Hydro). A operação impressiona pelo tamanho. Além de duas unidades fabris, a primeira inaugurada em 2010 e a segunda em 2018, há uma termelétrica movida a biomassa que gera mais energia do que toda aquela consumida pelo município.

A Floraplac foi fundada por catarinenses. Dois deles, Vitório Sufredini Neto e Adriano D'Agnoluzzo, tio e sobrinho, ainda guardam um sotaque forte do Sul. Mudaram-se para o Pará atraídos pela madeira. Começaram com uma serraria, passaram para uma manufatura de compensados e, por fim, inauguraram a primeira fábrica de MDF da Amazônia, percurso que reproduz a evolução da indústria madeireira nas últimas quatro décadas. Da exportação primitiva de toras in natura, a empresa se voltou para um produto industrializado que acabou por substituir a madeira nativa. O declínio da atividade madeireira tradicional resulta em grande parte desta mudança tecnológica: as placas de MDF são feitas de madeira plantada. Têm grande estabilidade estrutural, não dilatam e não deformam, o que é uma ótima vantagem para a construção civil e para a indústria moveleira.

---

rindo que o tema deveria ser enfrentado com urgência já nas primeiras horas da cúpula. Bolsonaro o chamou de "sensacionalista" e o acusou de fazer uso político da situação; na semana seguinte, fez zombarias vulgares com a esposa de Macron.

D'Agnoluzzo e seus parentes deixaram de explorar madeira nativa em parte por causa da escassez de matéria-prima — "Você vira um nômade, cada vez tem que ir mais longe pra encontrar madeira que preste" —, em parte por cálculo mercadológico: enquanto a clientela doméstica não ligava para a origem da madeira, a estrangeira começara a recusar produtos oriundos de desmate.

De 2014 para cá, a Floraplac trabalha apenas com árvores de reflorestamento. O volume de madeira reflorestada que passa anualmente por suas máquinas equivale àquele que, no passado, era processado por 110 serrarias, empresas hoje desaparecidas que se espalhavam pela cidade e mastigavam as florestas prodigiosas de Paragominas. A matéria-prima processada na fábrica abastece outras duas empresas do grupo: a Expama, de pisos, e a Concrem Wood, de portas, janelas, alizares e batentes.

Os fundadores da Florapac investiram em pesquisa para encontrar as melhores espécies de eucalipto e começaram a plantar bosques em pastos abandonados. Conseguiram que a Expama firmasse um contrato com uma grande empresa norte-americana de pisos, a Lumber Liquidators Flooring, com sede na Virgínia. O negócio parecia selado, até ser submetido ao departamento de *compliance* da empresa. "Não passou pelos advogados", diz D'Agnoluzzo. "Há dois meses" — a conversa acontecia em setembro de 2019 — "eles avisaram que não podiam comprar madeira do Pará, que não iam assinar o contrato. Tentamos argumentar, mas eles alegaram que os madeireiros brasileiros não têm capacidade de garantir a cadeia de custódia da madeira exportada. Isso depois dos caras virem a Paragominas e visitarem a fábrica e as plantações. As queimadas mais recentes só pioraram a situação. Essa história de queimada atrapalha demais."

Adnan Demachki mostrava-se desconsolado com esse cenário. "Você recupera pasto degradado, substitui capim por árvore, contrata pesquisa na universidade pra encontrar as melhores variedades, emprega gente na economia florestal, no transporte e na indústria e, não satisfeito, ainda gera energia de biomassa. Aí faz piso e não consegue vender para os americanos. Não está certo."

A Expama chegou a operar dia e noite em três turnos, de segunda a segunda. Em setembro de 2019, não era mais assim. O grupo se expandira nos primeiros quinze anos do século, inaugurando a primeira fábrica em 2010; em 2015 os proprietários decidiram investir numa segunda unidade, mais moderna, equipada com maquinário alemão e não chinês. Foi também dessa época a decisão de construir a termelétrica para abastecer toda a operação fabril com energia própria. O tempo em que tudo isso se deu corresponde ao período de ouro da política ambiental brasileira, quando o país era tido como exemplo pelo mundo tropical. Estranhamente, D'Agnoluzzo e Sufredini não relacionam uma coisa com a outra — o sucesso nos negócios com o bom nome construído pelo país no plano internacional, um ativo de boa vontade que começaria a se perder na segunda metade da década de 2010. A despeito dos riscos crescentes que a devastação ambiental na Amazônia tem representado para quem exporta, Jair Bolsonaro continua a ser um dos políticos mais populares entre os produtores rurais. Laços ideológicos aparentemente se sobrepõem a considerações econômicas, mesmo sob o risco de automutilação.

Volta-se à velha questão da floresta: por que mantê-la? A impressão é que derrubá-la constitui não apenas um ato de interesse material, mas também de afirmação simbólica. Vitória sobre inimigos ideológicos: os ambientalistas, as ONGs, os povos originários, a academia, a ciência do clima, o cosmopolitismo das camadas urbanas, o consenso internacional sobre a importância da preservação. Para má sorte da Amazônia, a floresta veio ocupar o lugar de tudo isso. Eliminá-la é um marcador de identidade, um gesto de poder e domínio, a forma como um grupo exprime os seus valores e os impõe à coletividade.

Antes de Flávio Carminati se juntar à reunião de setembro de 2019, um funcionário da Juparanã projetou um breve filme institucional da empresa. O vídeo, bem produzido, abria e fechava com a imagem de um monomotor lançando defensivos agrícolas sobre uma plantação de soja. Na última cena, o avião despejava o produto e logo embicava em direção ao céu azul, deixando como rastro o nome da empresa. Ainda que todas as cenas tenham sido colhidas na Amazônia, a Amazônia estava ausente. Não se via uma só imagem da floresta nos quase dez minutos do filme.

Quando o Brasil foi à Suíça pleitear a realização dos Jogos Olímpicos no Rio de Janeiro, o filme promocional exibido aos membros do Comitê Olímpico Internacional mostrava o Rio sem a Rocinha, apagada eletronicamente da gravação. Não havia favelas no filme sobre o Rio de Janeiro. Uma Amazônia sem a selva é a mesma coisa. Durante o almoço com o grupo de pecuaristas na fazenda de José Carlos Gabriel, um dos presentes ecoou a opinião de muitos ao discordar do tratamento que a imprensa norte-americana vinha dando à Amazônia. Referindo-se a Paragominas, que mantinha cerca de 60% de sua cobertura vegetal, o convidado disse: "Ao contrário dos Estados Unidos, nós ainda estamos abrindo o país. Aqui ainda tem 60% de nada".

Nesse contexto, Paragominas é um experimento socioeconômico de grande importância. Se o pacto local resistir por ainda mais alguns anos, isso significará a possibilidade de construir uma cultura duradoura de boas práticas ambientais. Como numa prova de conceito, estará demonstrado que nos próximos cem anos não precisaremos mais nos relacionar com a Amazônia do mesmo modo como fizemos nos últimos cem.

7. O reencontro

A Amazônia nunca teve a sorte de ser bem imaginada pelos forasteiros que vieram dominá-la. Ela é vítima de um fracasso do pensamento, de uma pobreza de ideias, o que, porém, não se confunde com falta de ousadia. Ao contrário, muitas iniciativas levadas a cabo no bioma tiveram a marca da ambição — por vezes, a de uma ambição desmedida. O erro esteve sempre em não compreender a natureza específica do lugar, a complexidade do sistema. Por isso, além de violentas, essas iniciativas foram medíocres do ponto de vista epistemológico. E continuam a ser.

Pode-se esquematizar a exploração comercial da floresta em duas fases. A primeira diz respeito ao ciclo extrativista; a segunda, ao avanço da lavoura e da pecuária. A primeira extrai recursos da floresta, a segunda os extrai daquilo que deixou de ser floresta.

O ciclo da borracha representa o apogeu do extrativismo. O Brasil se associava perifericamente à Revolução Industrial, fornecendo a matéria-prima que a tecnologia europeia e norte-americana transformaria em pneus, correias, mangueiras e elásticos necessários aos processos fabris que descolariam de vez o mundo rico do mundo pobre. As condições de trabalho nos seringais eram geralmente brutais. Empregados viviam sob o jugo do "aviamento", termo que na Amazônia designa o sistema pelo qual o comerciante, ou aviador, adianta ao seringueiro provisões e ferramentas de trabalho, esperando que a dívida seja saldada com o látex. Inicia-se entre credor e devedor uma corrida interminável em que o segundo estará sempre atrás. No dizer do escritor Milton Hatoum, evocando o testemunho de Euclides da Cunha sobre a vida nos seringais, ali "os homens trabalham para virar escravos".

Em 1910 o Ministério das Relações Exteriores britânico enviou Roger Casement, representante consular da Coroa no Rio de Janeiro, para a Amazônia peruana, com a missão de avaliar as condições de trabalho abusivas numa empresa borracheira registrada no Reino Unido. Antes mesmo de chegar a seu destino, subindo o rio Amazonas a bordo do barco que o levaria até lá, registrou no seu diário a natureza obscena do colonialismo que arrancava pessoas de seus modos de vida, impondo-lhes formas postiças de estar no mundo. Ao ver ajuntamentos ribeirinhos cujos habitantes aparentavam "ter puro sangue índio", observou: "Andam vestidos — homens, mulheres, crianças — o que é uma estupidez, pois um corpo magnífico da cor do bronze em vestimentas sujas e saias arrastando na lama é um grande erro. Além disso, a moral se vai quando as roupas vêm". A última frase era um prenúncio do que estava por vir. O espetáculo dos seringais desafiava toda ordem moral. Casement testemunhou atos de estupro, tortura e assassinato, além de constatar a escravização sistemática de indígenas. O relatório que escreveu transcende a natureza incolor dos documentos oficiais. Atravessado pela consciência de um humanista, o texto é considerado uma peça notável de jornalismo investigativo. Publicado pelo Parlamento britânico ainda em 1910, foi um dos primeiros a usar a expressão "crimes contra a humanidade", incorporada ao direito internacional alguns anos antes.

A fusão de miséria e riqueza nas fazendas de látex transformou a cara de Belém e de Manaus. Entre 1890 e 1920, as duas cidades passaram a gozar de benfeitorias públicas que outras capitais ao sul levariam anos para conhecer, como bondes elétricos e bulevares inspirados nas experiências de redesenho urbano em curso na Europa. Aterraram-se pântanos e construíram-se teatros e cinemas para uma burguesia que então habitava palacetes art nouveau erguidos em bairros elegantes dotados de luz elétrica, água encanada e rede de esgoto.

Foi um ciclo de desenvolvimento cruel, concentrador e paradoxal. Produziu miséria humana e cultura. Andando pelo centro de Belém, o fotógrafo Luiz Braga, nascido na cidade, profundo conhecedor de sua história, aponta para o Cinema Olympia, inaugurado em 1912 e o mais antigo em funcionamento no Brasil, e comenta: "O pessoal da borracha deixou a música, que veio com a ópera — Carlos Gomes morreu em Belém, onde dirigia o Conservatório de Música do Pará —, deixou a cultura visual, que veio com a cenografia, deixou os fotógrafos e o urbanismo. Uma família aqui tinha em casa um Ticiano, que hoje está no Metropolitan de Nova York".

Essa aliança estreita entre violência e civilização, a segunda uma secreção da primeira, pode ser encontrada em outros momentos da história econômica brasileira. Por exemplo: à exceção de florestas destruídas e pastos abandonados, ainda não está claro qual será o legado dos atuais senhores do bioma. Não se fala aqui de teatros, cinemas ou ações de embelezamento urbano (embora se possa lamentar que nem isso eles tenham construído). A dúvida diz respeito aos frutos que as gerações futuras colherão do trabalho de seus antepassados. Durante o apogeu do ciclo da borracha, entre 1879 e 1912, a Amazônia respondia por parte significativa das exportações do Brasil. A região cresceu em relação ao país. Hoje, no momento de glória do agronegócio, ela encolhe. Empobrece.

Há um aspecto importante em que os ciclos de ontem e de hoje se assemelham: eles são historicamente míopes. O agronegócio brasileiro moderno é uma das principais forças de sustentação de um projeto político responsável pela destruição da floresta e, por conseguinte, pela alteração dos ciclos hídricos sem os quais a lavoura e a pecuária não sobrevivem. Além disso, como se verá no último capítulo, os velhos modos de produção alimentar estão sendo submetidos a pressões de várias naturezas — tecnológicas, culturais, éticas —, que transformarão de forma radical o modo como a comida será produzida. Não há nenhuma razão para imaginar que as inovações que vêm revolucionando a maneira como nos comunicamos, consumimos, trabalhamos, nos informamos e nos entretemos não afetarão também a comida que pomos no prato. O agronegócio brasileiro não dialoga com nada disso. Nesse sentido, afora a miopia histórica, ele compartilha com ciclos passados a característica de também ser tecnologicamente inepto. Está-se desenhando uma situação de colapso que, ao se materializar, lembrará histórias já vistas. O período de ouro da borracha se encerrou com o surgimento de alternativas mais competitivas ao produto brasileiro, situação para a qual as elites econômicas não se prepararam.

A história é conhecida. Por volta de 1875, Henry Wickham, um aventureiro inglês com uma longa coleção de fracassos, conseguiu escamotear sementes de *Hevea brasiliensis*, embarcando-as no cargueiro SS *Amazonas*, que partia de Santarém com destino a Liverpool. Foi sua primeira tacada de sucesso e, quem sabe, o maior ato de biopirataria da história. Dali a pouco, a árvore da seringa brasileira seria plantada em fileiras por colonos ingleses no Sudeste Asiático. Por volta de 1910, as fazendas da Malásia e do Ceilão já produziam látex com maior eficiência do que os seringais brasileiros. Era o fim dos teatros e dos palacetes da belle époque amazonense, antecipando a fragilidade que caracterizaria os modelos seguintes.

A borracha ainda daria dois suspiros de vida na Amazônia. O primeiro na década de 1920, quando o industrial norte-americano Henry Ford comprou uma área de 10 mil quilômetros quadrados perto de Santarém, equivalente a meio Sergipe, com a intenção de transformar a propriedade no polo fornecedor de borracha para os pneus de seus automóveis. Foi a prova de que o Brasil havia perdido o passo nessa história, pois as sementes usadas na empreitada não eram brasileiras, vinham de fazendas da Goodyear em Sumatra, onde haviam sido submetidas a processos de melhoramento genético. O país pagava por recursos naturais que já haviam sido seus. E por uma razão: não eram exatamente os *mesmos* recursos, mas recursos transformados por avanços tecnológicos que não dominávamos.

Desenrolou-se a seguir um enredo que se tornaria tristemente familiar na região: a consumação de um fracasso provocado pela ignorância. Os engenheiros da Ford desconheciam o ecossistema que pretendiam dominar. Milhões de árvores foram plantadas sem espaçamento adequado e em imensos bosques homogêneos, o que facilitou a vida das pragas. As plantações foram dizimadas.*

---

* O fato de a seringueira ter conseguido prosperar no Sudeste Asiático em regime de monocultura revela como é importante conhecer a história natural das espécies. A seringueira, planta nativa da Amazônia, coevoluiu com o fungo *Microcyclus ulei*. Nas condições naturais da floresta, o fungo não causa maiores problemas para a árvore. Já quando as seringueiras são retiradas da mata e plantadas em bosques homogêneos, o *Microcyclus ulei* se torna um adversário implacável, secando as folhas e os galhos da planta, o que pode levar à sua morte. Até hoje não se descobriu uma solução capaz de contornar o problema. É um obstáculo ecológico. Como no Sudeste Asiático não existe o *Microcyclus ulei*, as seringueiras brasileiras introduzidas lá crescem sem enfrentar o seu adversário natural. A plantation é possível. Entende-se, assim, por que aquela região passou a dominar a produção de borracha natural no mundo.

O segundo e último suspiro foi motivado por um cataclismo histórico da dimensão da Segunda Guerra Mundial. Com o Sudeste Asiático dominado pelo Eixo, os Estados Unidos recorreram ao Brasil para obter a borracha necessária ao esforço de guerra. As áreas abertas por Henry Ford foram reativadas e o governo alistou, compulsoriamente, trabalhadores nordestinos para a empreitada. Estima-se que entre 30 mil e 45 mil seringueiros tenham morrido na selva, vítimas de doença, maus-tratos e abandono. (A título de comparação, a Força Expedicionária Brasileira sofreu 468 baixas nos campos de batalha italianos.)

O término do conflito encerrou definitivamente o ciclo histórico da borracha na Amazônia. Inovações tecnológicas substituíram a matéria natural por borracha sintética derivada de petróleo. Um setor da economia que já sobrevivia por aparelhos foi jogado na obsolescência.

O experimento de Henry Ford deixou marcas. Foi ali que se promoveu a primeira grande queimada da Amazônia, uma das contribuições do norte-americano para o estabelecimento de um modus operandi de ocupação do bioma que nas décadas seguintes se tornaria regra geral. Tratava-se basicamente de substituir a selva pela monocultura e de não trabalhar mais com a floresta, mas contra ela. Num depoimento para o documentário *Muito além de Fordlândia*, de Marcos Colón, o jornalista e escritor norte-americano Joe Jackson, autor de uma biografia do homem que contrabandeou as sementes de *Hevea brasiliensis* para a Inglaterra, afirma que o mais importante legado da iniciativa malograda de Ford foi a noção de que era possível *mecanizar* a floresta. E, com isso, transformá-la em fábrica.

O Projeto Jari é a apoteose desse sonho. Em 1967, o empresário norte-americano Daniel K. Ludwig conseguiu extrair do governo militar uma série de concessões legais, fiscais, financeiras e trabalhistas como condição para implementar na Amazônia a maior companhia florestal do planeta. Ao menos na papelada, o enclave esparramado entre o Pará e o Amapá era a mais vasta propriedade em extensão contínua do mundo. Equivalia a uma Bélgica. Sua aquisição representava a maior transação imobiliária realizada por um indivíduo nos tempos modernos — maior pela metragem descrita nos documentos, não pelo valor; estima-se que Ludwig tenha pagado apenas 3 milhões de dólares pela sua Bélgica.

Os superlativos provavelmente agradavam ao homem discreto que deu apenas uma entrevista em toda a vida e cuja imaginação empresarial não cansava de espantar o mundo dos negócios. Ludwig era um self-made man que começara a trabalhar muito cedo — dizem que aos nove anos já vendia pipoca e engraxava sapatos — e que enriquecera elaborando esquemas engenhosos para financiar suas iniciativas. Sua fortuna vinha do transporte naval. Embora tenha frequentado a escola só até o oitavo ano, conhecia profundamente os navios e sua mecânica, tendo convivido com eles desde criança. Pensava como o engenheiro que nunca foi. No final da Segunda Guerra, percebeu que novas técnicas de soldagem de cascos desenvolvidas durante o esforço militar poderiam ser adaptadas à navegação civil e que isso revolucionaria a indústria petroleira. Até então, os cargueiros transportavam não mais de 86 mil toneladas de óleo. Ludwig imaginou ser possível triplicar esse volume, ou quase. Tomou um empréstimo vultoso e construiu três navios de 230 mil toneladas. Era a invenção dos superpetroleiros.

A partir daí, expandiria seus negócios para todos os continentes (com exceção da Antártica), chegando a controlar duzentas companhias em cinquenta países. No México, tornou-se dono da maior refinaria de sal do mundo. Explorava carvão na Austrália e cítricos no Panamá. Tinha hotéis no Caribe e na América do Norte, fazendas na África, cemitérios na Venezuela, bancos e seguradoras na Europa e nos Estados Unidos. No auge de sua empresa de navegação, comandou uma frota de sessenta cargueiros.

Ludwig foi um dos primeiros bilionários da história. Apontado pela imprensa como um dos homens mais ricos do mundo, se não o mais rico, em 1967 não tinha mais nada a provar. No entanto, no ano em que se tornou um septuagenário, decidiu apostar seu legado na Amazônia. Intuiu, com presciência, que dali a duas décadas a economia mundial enfrentaria uma escassez de madeira e celulose — e ele estaria preparado para supri-la. Junto aos bosques plantados onde antes existira a selva, planejou cultivar também imensas lavouras de arroz que, segundo relatos da imprensa brasileira, atenderiam a 30% da demanda mundial. Dando certo, o Jari ofuscaria tudo o que ele realizara até então.

Originalmente, o norte-americano quis levar seu projeto para a Nigéria, que preferia ao Brasil, mas a guerra civil que estourou naquele país em 1967 inviabilizou os negócios. O governo brasileiro se mexeu, despachando para Nova York o ministro do Planejamento, Roberto Campos, com a missão de seduzir o empresário. Foram tantas as benesses oferecidas por Campos que o norte-americano desembarcou no Rio, onde foi recebido por um obsequioso presidente Castelo Branco: "*Welcome to Brazil, Mr. Ludwig. Hoje em dia temos aqui um país seguro*". O negócio foi fechado.

Foi na Nigéria que os botânicos de Ludwig — nenhum deles brasileiro — encontraram a espécie que julgaram perfeita para a operação florestal. A *Gmelina arborea*, ou gamelina, é nativa do Sudeste Asiático. Sua grande vantagem é a velocidade com que cresce; em condições ideais, trinta centímetros por mês. Seis anos depois de plantada já pode virar polpa para o fabrico de celulose; depois de oito anos, pode ser processada pela indústria madeireira.

A tarefa era trocar a floresta por bosques plantados. Anos depois, numa rara entrevista à imprensa, Ludwig diria: "Eu sempre quis plantar árvores como num milharal, em fila". A ideia de uma selva "ofendia sua cabeça de engenheiro", escreveu Jerry Shields numa biografia do empresário, *The Invisible Billionaire* [O bilionário invisível]: "Aquilo era desarrumado demais, todas aquelas árvores, os cipós e o mato se alastrando caoticamente pela paisagem. Ele queria asseio — árvores perfiladas como soldados em colunas retas, à espera de serem cortadas e despachadas para o mercado".

Ludwig estava ciente dos problemas que Ford havia enfrentado quase cinquenta anos antes. Apostava, porém, que 1960 era muito diferente de 1920. A ciência avançara, havia novos defensivos e fertilizantes. Confiava em ter os recursos, o arsenal químico e o engenho humano necessários para enfrentar a resistência da floresta. Passou os dois anos seguintes derrubando a selva. Seus botânicos nem se deram ao trabalho de fazer um levantamento florístico para saber o que estavam destruindo. Acharam mais prático queimar tudo.

Era o início de uma história de equívocos. O peso dos tratores usados no desmatamento compactou o solo, tornando-o impermeável ao esforço de raízes que precisavam se espraiar e vencer a terra para alcançar a luz. E não só. No trabalho de mastigar o chão, as imensas pás do maquinário rasparam a fina camada de húmus, empobrecendo ainda mais um solo já por si muito pobre.

Repetia-se o clássico erro da incompreensão ecológica. A floresta não é o conjunto de animais, plantas, fungos e microrganismos que vivem nela, mas uma trama, o produto das relações entre tudo que lá está. Onde Ludwig enxergava apenas desordem, havia um complexo sistema de interdependências em que cada parte necessitava da outra — animais de plantas, plantas de animais, fungos de plantas, plantas de fungos, animais de animais, plantas de plantas, fungos de fungos. Tudo vivia de tudo. "Sendo incapaz de perceber isso", escreve Shields, "[Ludwig] destruiu os próprios elementos que poderiam ter feito do Jari um sucesso."

A gamelina se revelou um fiasco. Na Amazônia profundamente transformada de Ludwig, as árvores cresciam pouco e mal, magras demais para os imensos tratores comprados para manipulá-las. Quando vingavam, eram atacadas por fungos. A pelo menos um visitante, funcionários da empresa disseram estranhar que passarinhos não fizessem seus ninhos nelas. "Eles não vão lá, evitam. Outros animais também." Os engenheiros agrônomos sugeriram misturar a espécie plantada com árvores nativas, o que levaria a revista *Fortune* a registrar anos mais tarde: "Depois de uma década queimando boa parte da floresta original e gastando milhões numa espécie importada, essa manobra ultrapassa toda tentativa de ironia".

Levaria uma década para o projeto florestal entrar nos trilhos. Ao longo da segunda metade dos anos 1970, a gamelina foi sendo substituída com sucesso pelo eucalipto e também pelo pínus, uma árvore da família dos pinheiros mais adaptada ao solo arenoso do Jari.

"Ludwig era um homem de ideias", diz o holandês Johan Zweede, engenheiro florestal que por nove anos dirigiu toda a operação madeireira e agropecuária do empreendimento. "Viu que nos Estados Unidos a terra para produção de papel era muito cara. No Canadá, a rotação dos bosques é lentíssima. Ele só precisava de sol e chuva, isto é, de bens que você não compra. Já o adubo se compra, o que significa que o solo não precisa ser rico."

Grande, forte e com físico de lenhador, Zweede é um exemplo do tipo de profissional que Ludwig levaria para o Jari, uma gente inquieta e disposta a tomar riscos. Sua vida foi venturosa. Nascido durante a Segunda Guerra Mundial numa fazenda de café e borracha em Java, tinha três anos quando a família foi levada para um campo de concentração japonês. Saiu de lá com seis anos, órfão de pai, assassinado no campo. Sua mãe se casou de novo, com um funcionário do Banco Mundial, e todos se mudaram para os Estados Unidos.

Zweede se formou em biologia e engenharia florestal. Havia nascido no mundo tropical e queria voltar para ele. Depois de um estágio no Suriname, onde praticou técnicas de manejo sustentável em florestas públicas, foi contratado por uma empresa norte-americana para trabalhar numa operação madeireira em Portel, município do Pará. Era 1964. Começava ali seu tempo nas florestas brasileiras, onde passaria boa parte da vida profissional, se tornaria pai e contrairia um catálogo de doenças tropicais, entre elas três malárias.

Em 1970, Ludwig o levou para o Jari, onde Zweede subiu rapidamente de cargo, até se tornar o responsável por toda a produção de madeira e alimentos. Não teve dificuldade em assumir a silvicultura, área em que era especialista; já de agropecuária, não entendia nada. "Búfalos e arroz: eu tive que aprender." Nos anos seguintes, seria um dos responsáveis pela bem-sucedida substituição da gamelina por espécies mais afeitas às condições da Amazônia.

Superados os problemas iniciais, em 1978 Ludwig deu o passo que o marcaria para sempre. Contratando os estaleiros japoneses dos seus tempos de armador, construiu duas gigantescas instalações fabris, rebocou-as pelo mar e as fez avançar por águas fluviais até seu destino final, no interior da floresta. A primeira, uma fábrica de celulose; a segunda, uma usina elétrica. No dia 1º de fevereiro daquele ano, as duas estruturas flutuantes, grandes demais para as dimensões do Canal do Panamá — cada uma tinha quase vinte andares de altura —, deixaram os estaleiros da cidade de Kure, perto de Hiroshima, e começaram a viagem de 25 mil quilômetros rumo ao Jari. "As fábricas foram sendo feitas em alto-mar", conta, ainda abismado, Aurelio Wackslavowski, atual diretor industrial da Jari Celulose, caminhando por dentro da mesma estrutura que atravessou o Índico, passou ao largo da Cidade do Cabo, cruzou o Atlântico Sul, subiu a costa do Brasil, entrou pela boca do Amazonas, subiu o rio Jari e, quarenta anos depois, segue produzindo celulose. A revista *National Geographic* conta que, ao ver uma das fábricas surgir numa dobra do Jari, um menino que pescava gritou: "Tem uma cidade subindo o rio!".

As fábricas deslizaram até a margem do rio, onde flutuaram acima de 2 mil estacas de maçaranduba submersas no leito de uma laguna artificial. Durante três dias, na presença de Ludwig, trabalhadores manejaram essas estruturas flutuantes até ajustá-las no grau máximo de precisão — o alinhamento dos orifícios perfurados no casco pelo estaleiro japonês não podia desviar mais que uns poucos milímetros dos encaixes no fundo da laguna. Eram como relojoeiros trabalhando numa bancada líquida, instável. Quando os engenheiros julgaram que as estruturas estavam em posição, os cascos foram inundados. Lado a lado, como uma dupla de atletas do nado sincronizado, a fábrica de celulose e a usina elétrica, cada qual pesando 32 mil toneladas, começaram a submergir em perfeita linha vertical até seus encaixes encontrarem as estacas de maçaranduba, madeira amazônica extraordinariamente densa e resistente à água. Estão ali até hoje.

A fábrica de celulose e a usina elétrica eram apenas a primeira etapa do projeto de industrialização do Jari imaginado por Ludwig. Haveria uma terceira fábrica, essa de papel, também rebocada do Japão. Para beneficiar os imensos depósitos de bauxita encontrados em suas terras, também seria construída uma refinaria de alumínio, e isso deixava o empresário diante de um grande obstáculo: a operação demandaria muito mais energia do que a produzida pela caldeira japonesa. Ludwig tinha a solução: construir uma hidrelétrica privada no rio Jari.

Contudo, as condições políticas haviam mudado. No período mais duro do regime, os militares haviam aceitado servilmente todas as demandas de Ludwig, dando-lhe o direito de tocar o Jari de acordo com suas próprias regras, sem se submeter às inconveniências das leis do país. Era uma situação fadada a causar problemas. Em 1973, durante uma visita do presidente Médici ao Jari, a imprensa registrou um grupo de homens que ameaçava um protesto: QUEREMOS LIBERDADE, lia-se na faixa que carregavam. Formalmente não eram funcionários do Jari, mas trabalhadores terceirizados que, para horror de Ludwig, sua empresa fora obrigada a contratar a fim de substituir o maquinário impróprio que os engenheiros florestais haviam encomendado para lidar com a gamelina. Arregimentados por capatazes — os "gatos" — nas favelas de Belém, viviam em condições sub-humanas, sujeitos a malária, disenteria e diarreia, endividados no comércio local e sem meios de voltar para casa. Não demoraria muito até que A AMAZÔNIA É NOSSA e FORA LUDWIG começassem a ocupar os muros das capitais brasileiras.

Nos tempos de Castelo Branco e Roberto Campos, talvez Ludwig conseguisse a aquiescência do governo à sua hidrelétrica. No início da década de 1980, não mais. "A opinião pública começava a contar", lembra Zweede. O Jari se tornara um exemplo da subserviência brasileira aos interesses dos Estados Unidos; os militares, logo eles, nominalmente tão ciosos da soberania nacional, eram acusados de entregar em regime de porteira fechada um pedaço do país a um barão do imperialismo norte-americano. Hidrelétricas eram questão de segurança nacional. Pertenciam ao Estado, não a entes privados. No Rio de Janeiro, o nome do empresário recebia vaias sempre que pronunciado durante a peça *Jari, o país de mister Ludwig*, espetáculo do Grupo Paraíso descrito pela imprensa da época como "uma abordagem fictício-realista sobre os problemas e contradições" da aventura amazônica do norte-americano.

O projeto se desfazia em várias frentes. A situação trabalhista escandalosa exposta ao Brasil durante a visita de Médici ao Jari deixara o presidente em situação constrangedora — o Jari, afinal, nascera de uma concessão do regime — e exigia uma resposta pública. Ela foi dada na exigência de que Ludwig estendesse os benefícios sociais previstos em lei a toda a mão de obra empregada no Jari, sem distinção entre funcionários diretos e terceirizados. Ele se recusou. No campo econômico, embora a demanda global por celulose de fato tivesse aumentado como Ludwig previra, regiões fora da Amazônia conseguiram oferecer o produto a preços mais competitivos do que os do Jari. No front agropecuário, a produção de arroz decepcionava e a silvicultura, joia da coroa, sofrera um golpe do qual Ludwig não se recuperaria.

Era um problema de natureza diferente daquele enfrentado por Henry Ford décadas antes. Não fungos e pestes, mas outro tipo de nó produzido pela ocupação desordenada do bioma: a questão fundiária. Ludwig imaginava ter comprado uma propriedade de 32 mil quilômetros quadrados. Era o que dizia a papelada de 1967, afiançada pelo governo militar. Ao mensurar efetivamente as terras compreendidas nos limites do Jari, verificou que era dono de metade disso, 17 mil quilômetros quadrados. O território era o mesmo, a área é que não correspondia à documentação. A sua Bélgica havia encolhido e virado um Kuwait. Furioso, Ludwig reivindicou o direito de explorar recursos madeireiros num raio equivalente ao consignado no papelório. Como precisava alimentar sua fábrica de madeira nativa enquanto os bosques plantados não crescessem, era essencial dispor dessas florestas.

O governo tergiversou. Em agosto de 1980, Ludwig escreveu uma carta ao general Golbery do Couto e Silva, chefe da Casa Civil do presidente João Batista Figueiredo e homem forte do regime, afirmando que, se o governo não se comprometesse a regularizar as terras do projeto e a assumir os custos sociais impostos ao Jari pelas autoridades trabalhistas, ele desistiria do negócio. Politicamente eram demandas impossíveis de atender, ainda mais depois do evento trágico ocorrido em janeiro de 1981, quando uma balsa com mulheres e filhos de trabalhadores naufragou perto de Monte Dourado — a *company town* que Ludwig construiu para alojar seus funcionários —, deixando mais de trezentos corpos no rio Jari. O governo entendeu a carta como um ultimato e não aceitou os termos do norte-americano. Ludwig decidiu ir embora do país.

"Era o projeto favorito dele", diz Zweede. Também foi o único que não vingou. Em 1981, quando desistiu do negócio, Ludwig tinha 84 anos e fracassava pela primeira vez. Zweede o viu antes do fim: "Foi em Nova York. Eu estava na cidade de férias e ele me chamou no escritório dele. Tudo escuro, a luz apagada, ele lá sentado, com mais de noventa anos. Era um homem acabado. O sonho final dele não tinha dado certo".

Zweede permaneceu até o fim, e ainda é visível sua admiração pelo que se tentou fazer no Jari. Ele, que segue no Brasil, morando em Fortaleza com sua mulher, considera um equívoco afirmar que o projeto resultou num fracasso econômico. "Foi, isso sim, um fracasso político." Se naufragou, as razões não foram técnicas. A aposta era boa, defende. Na sua avaliação, o sonho de Ludwig ruiu quando o governo rechaçou a proposta de construir a hidrelétrica.

Mas houve ainda outras razões. A incompreensão ecológica inicial comprometeu os planos de um homem que, aos setenta anos, tinha pressa. A essa arrogância intelectual de destruir antes de conhecer somou-se outra, semelhante mas não exatamente igual: a de tentar impor uma nova natureza a um dos sistemas biológicos mais complexos que existem. A terceira razão, esta imperial, foi acreditar que era possível seguir ditando regras a um país subdesenvolvido que supostamente jamais deixaria de ser dócil. Os grandes projetos amazônicos também fracassam por desconhecimento do contexto político. Ainda hoje, menos de 5% da situação fundiária do Pará está pacificada, isto é, não é objeto de pendências jurídicas. As consequências são pesadas para quem ignora essa realidade.

Como sempre nas histórias da Amazônia, o país herdou o prejuízo. Consta que Ludwig perdeu cerca de 1 bilhão de dólares em sua empreitada. Para um homem cuja fortuna foi estimada em 6 bilhões de dólares, era um valor fácil de ser absorvido. O Jari passou para as mãos de um empresário amigo de Ludwig, Augusto Azevedo Antunes, que aceitou o negócio a pedido do governo. Teve condições de compra bastante favoráveis, uma vez que as dívidas contraídas pelo norte-americano junto a bancos internacionais para financiar a construção e o transporte das duas fábricas ficaram penduradas no Banco do Brasil e no BNDES. "Ludwig tinha comprado o Jari por 3 milhões de dólares. Agora o Brasil era obrigado a pagar cem vezes mais para recuperar a área", escreve o biógrafo Jerry Shields.

No ano 2000, Azevedo Antunes entregou a operação ao BNDES, que a repassou para o Grupo Orsa, na época com sede em São Paulo, pelo valor simbólico de um real. O comprador assumia a dívida, então estimada em 410 milhões de dólares, que o banco herdara na ocasião da saída de Ludwig. Jorge Rafael Barbosa Almeida, coordenador de operações sociais da Fundação Jari, braço criado pelo Grupo Orsa para lidar com as dezenas de comunidades que estavam dentro da propriedade, conta que o grande nó do projeto sempre foi a situação fundiária. "Aos olhos do Estado, até hoje o Jari é visto como uma área no meio da Amazônia invadida por um norte-americano." A posse dos 17 mil quilômetros quadrados da papelada original continua em litígio. A Bélgica com a qual Ludwig sonhava não se transformou na Bélgica de Azevedo Antunes e tampouco na Bélgica do Grupo Orsa. Metade da propriedade continua sendo contestada. "Só nesse último ano [2019] recebi cinco empresas internacionais interessadas em se associar ao projeto", conta Almeida. "É um pessoal que já vem com as contas feitas, ou seja, eles querem entrar, mas a história se complica na hora em que você diz a verdade em relação aos títulos de propriedade. Como você explica para um potencial investidor: 'Olha, você é *e não é* dono? É teu mas não é'?"

Foram muitos os erros e desacertos do Projeto Jari durante os anos de Ludwig. Nada muito diferente das chagas usuais impostas ao bioma por forasteiros, sejam eles estrangeiros (alguns) ou brasileiros (inúmeros), ontem e hoje. Por outro lado, havia um tipo novo de ambição. Não apenas a corriqueira, que planeja destruir para pôr coisas medíocres no lugar. A substituição da floresta por uma paisagem simplificada era, sem dúvida, um dos aspectos do Jari. Contudo, havia mais. Tratava-se também de imaginar o impensável. As duas fábricas não eram apenas as duas maiores instalações industriais já movidas pelos mares. Instalá-las prontas nas barrancas de um rio amazônico não se resumia a um feito inédito de engenharia. Acima de tudo, e à parte o aspecto Fitzcarraldo da empreitada, o fato novo foi Ludwig ter tomado uma direção contrária ao consenso da época ao dizer que a matéria-prima de países subdesenvolvidos não tinha que ser levada ao mundo rico para ser transformada.

No auge, o Projeto Jari empregava 1400 engenheiros. No momento da instalação das fábricas, mais de quarenta idiomas eram falados na empresa. Compare-se isso com os atuais projetos do governo para o bioma: garimpo e pecuária em terras indígenas, mudanças na legislação ambiental que acabarão por premiar grileiros e facilitar a conversão de mais floresta em pasto vagabundo. O encolhimento dos sonhos é humilhante.

E uma ironia final: é o projeto desmesurado de um bilionário norte-americano que ainda hoje mantém as florestas da região relativamente protegidas. Ludwig desmatou bastante, mas numa propriedade daquelas dimensões foi pouco o que se cortou, se comparado ao todo. Da área original de 17 mil quilômetros quadrados, a empresa que atualmente comanda o Jari tem autorização para abrir 1280 quilômetros quadrados, dos quais 430 já foram efetivamente replantados com bosques. Cerca de 80% do restante é constituído de floresta nativa. Sendo os desmates ilegais responsabilidade do dono da terra, a empresa controla a grilagem, o corte ilegal de madeira, o fogo e o garimpo, tão comuns fora dos limites da propriedade. Ludwig jamais imaginou que seu maior legado no Jari seriam as florestas que ele não derrubou.

Florestas baixas, capoeiras, pastos, roçados, bosques plantados, matas densas, rios caudalosos, igarapés cristalinos, povoados, fábricas de porte — no Projeto Jari é possível ver tudo isso da janela de um carro que roda horas e horas sem jamais deixar os limites da propriedade. Dentro de suas fronteiras, pode-se passar por uma cidade, por duas, por três; por uma Unidade de Conservação, depois por outra, por uma terceira e ainda por uma quarta. Por um aeroporto. Por quatro vilas industriais — as silvovilas, como são chamadas —, servidas por clube, clínica, igreja e mercado. Por 98 comunidades tradicionais que, espalhadas pelas florestas do empreendimento, abrigam 14 mil pessoas. Vai-se de um ponto a outro escolhendo trajetos formados por 9 mil quilômetros de estradas e ramais.

Saindo de jipe de Monte Dourado, anda-se indefinidamente por estradas de terra que avançam pela mata como serpentes. De um lado e do outro passam árvores, lianas, bromélias, flores. Nos trechos mais fechados, galhos riscam os vidros e folhas caem dentro da cabine.

Aos olhos de um amador, a floresta não parece imponente. Não é preciso inclinar muito o rosto para ver o dossel, observação sem muito valor para quem estuda a Amazônia. Há muitas florestas dentro da floresta, e o elemento do espanto — em especial, o espanto de um leigo — diz quase nada (se é que diz alguma coisa) sobre a complexidade ecológica dessas várias fisionomias vegetais.

Contudo, mesmo um olho destreinado identifica diferenças na mata contínua, seções mais altas ou mais baixas, mais luminosas ou mais escuras, mais ruidosas ou mais quietas, com menos ou mais céu à vista. Afora os trechos em que o homem deixou visível o seu trabalho — um corte raso, um pasto —, as transições são suaves. Em meio a árvores de diâmetro modesto, começam a aparecer as de tronco mais robusto. No início, uma aqui, outra acolá. Em seguida, duas juntas, depois três. Uma leve inclinação de cabeça logo encontra a copa e o sol que ofusca, mas dali a duzentos metros o dossel se fecha, a luz cai, a temperatura também e o sol desaparece. Para ver o fim da árvore, já não basta dobrar o pescoço, é preciso inclinar um pouco o corpo. Esse é o lugar do espanto.

Três carros do Projeto Jari param no meio dessa mata desconcertante. Funcionários da empresa, pesquisadores de organizações não governamentais e um antropólogo da Secretaria de Meio Ambiente e Sustentabilidade do Pará (Semas) descem e caminham até uma sumaúma. Quarenta metros de altura, estima um engenheiro agrônomo, talvez cinquenta, sugere o homem da Semas. Raízes nascem altas no tronco e se lançam à terra como as costuras de uma saia rodada. São raízes tabulares que ajudam a árvore a respirar e também cumprem a função dos arcobotantes numa catedral, afixando a estrutura imensa no solo. Como se a gravidade tivesse mudado de eixo e puxasse para outra direção, todos agora estão inclinados para trás, os rostos apontados para o céu — um céu que apenas se entrevê.

Árvores assim não são raras nesse lugar. É possível encontrá-las a poucos passos de distância, com seus troncos que seis ou sete homens de mãos dadas não conseguem enlaçar. Joanísio Mesquita, o antropólogo, fica de cócoras, espana as folhas e apanha uma lasca no meio da serrapilheira. "Cerâmica indígena", diz. Todos deixam de olhar para cima e passam a vasculhar o chão. Fragmentos de artefatos humanos se espalham por toda a área. Estão cobertos de folhas ou ocultos sob a terra — uma terra mais escura que as outras, coalhada de pequenos sedimentos, granular ao toque. "Solo estruturado, terra feita por índio."

"A Amazônia é ocupada há mais de 10 mil anos, em alguns casos por populações de milhares de pessoas. É de se esperar, portanto, que a floresta que hoje recobre muitos sítios arqueológicos tenha, além de uma história natural, também uma história cultural." Esse trecho é do livro *Arqueologia da Amazônia*, do pesquisador Eduardo Góes Neves, um dos responsáveis por mudar nossa compreensão do que vem a ser uma *floresta*.

Reconhecemos a obra de civilizações antigas por marcas que nos são familiares, por ruínas que lemos como encarnações antigas de estruturas contemporâneas. O templo romano é a catedral, a mesquita, a sinagoga; o anfiteatro grego é a sala de espetáculos; a pirâmide egípcia é o túmulo e o monumento. Vale também para as construções simbólicas — para as epopeias, as leis, o Estado. Não temos dificuldade em identificá-las e valorizá-las porque sabemos do que se trata: somos feitos dessas mesmas coisas.

Ocorre que essa é uma forma bastante específica de apreender o que os tempos antigos nos deixaram: "O passado se encaixa na variabilidade do presente", sintetiza um colega de Neves, o antropólogo norte-americano Michael J. Heckenberger. Significa não só que notamos essencialmente o que faz parte da nossa experiência, que enxergamos melhor o que vemos todos os dias, mas também — e talvez principalmente — que interpretamos como *falta* a inexistência, no passado, de estruturas com as quais estejamos familiarizados no presente.

Na Amazônia não se encontraram (até agora pelo menos) indícios do uso de metal, de domesticação significativa de animais, de estruturas centrais de poder que remetam à ideia de Estado. Mais prosaicamente, não vemos pirâmides na floresta, e ainda hoje essas ausências induzem à interpretação de que as civilizações amazônidas ficaram atoladas numa espécie de estágio inaugural da aventura humana.

Em *The Ecology of Power* [A ecologia do poder], um estudo sobre a vida dos povos xinguanos antes e depois do encontro com o colonizador europeu, Heckenberger cita o filósofo inglês John Locke, que em 1690 escreveu: "No início, o Mundo todo era *América*". Na origem da História, todos viviam vidas primitivas, submetidos à natureza, não mestres dela. Hobbes, anteriormente, havia proposto um "estado de natureza", estágio do desenvolvimento humano que seria "não só 'outro' e inferior ao da sociedade europeia, mas também anterior a ela". Heckenberger traz então a conhecida passagem em que Hobbes descreve a vida ali onde "cada homem é inimigo de cada homem", onde "todos estão em guerra contra todos": "Numa tal situação não há lugar para indústria, pois seu fruto é incerto; consequentemente não há cultivo da terra [...], não há conhecimento da face da Terra, nem cômputo do tempo, nem artes, nem letras; não há sociedade; e, o que é pior do que tudo, um constante temor e perigo de morte violenta. E a vida do homem é solitária, pobre, sórdida, embrutecida e curta".

Não há História aqui. Por definição, o estado de natureza é sempre igual a si mesmo, os homens existem apenas para sobreviver, sem capacidade ou imaginação para tornar o futuro diferente do passado. Somente quando a empresa humana se livra do jugo da natureza é que as estruturas simbólicas e as obras materiais que reconhecemos como marcas de civilização começam a ser criadas, dando início, então, ao tempo histórico. Povos que viveriam hoje como viviam milênios atrás são, portanto, povos desprovidos de História — "nossos ancestrais contemporâneos", na expressão de Heckenberger.*

O presente, claro, não determina o passado. Como lembram Neves, Heckenberger e outros estudiosos, a Amazônia de hoje

---

* É uma concepção da História que se fecha à possibilidade de estar no mundo de outras formas. Por essa régua, civilizações são medidas apenas pela casa que ocupam no tabuleiro do progresso. "O índio mudou, tá evoluindo, cada vez mais o índio é um ser humano igual a nós", disse famosamente Jair Bolsonaro. Foi o melhor resumo de como ele enxerga os povos indígenas. Curiosamente, esse enunciado sobre os povos originários, vocalização rudimentar de ideias surgidas no século XVII, não serve para descrever seu autor. O presidente do Brasil não evolui. É e será um contemporâneo de Hobbes e Locke.

não é a Amazônia de ontem. Basta ler o relato de frei Gaspar de Carvajal — passageiro da primeira embarcação europeia a fazer a travessia do rio Amazonas, em meados do século XVI — para constatar como a região era densamente povoada. São raras as páginas em que os espanhóis não precisam se haver com um novo ajuntamento humano; não há sossego, a todo instante brotam novos guerreiros prontos para o combate. Hoje, boa parte dessas margens está vazia.

Iniciada no século XVI, a colonização europeia alterou profundamente a vida dos povos da Amazônia, afirma o arqueólogo Eduardo Neves: "A maior prova disso é o [...] fato de que, atualmente, grande parte das terras indígenas da região está localizada em áreas distantes do rio Amazonas [...]. Paradoxalmente, áreas próximas aos rios Amazonas e Solimões, ou mesmo a ilha de Marajó, que não são hoje ocupadas por grupos indígenas numerosos, mas sim por seus descendentes caboclos, estão repletas de sítios arqueológicos, alguns deles de grande porte. A explicação mais simples para essa questão é que muitos dos grupos que viviam nessas áreas à época do descobrimento foram exterminados pela transmissão de doenças contra as quais não tinham imunidade, pela guerra e pela escravidão".

Para Neves, o golpe final talvez tenha sido dado pelo ciclo da borracha das últimas décadas do século XIX e início do XX, "uma época de extrema violência contra os índios e ao mesmo tempo de forte ocupação da Amazônia por famílias empobrecidas de migrantes nordestinos". Os efeitos desse nefasto conjunto de circunstâncias históricas levaram ao equívoco de supor que a região sempre havia se caracterizado por uma baixíssima densidade demográfica: "Foi também nessa época que se iniciaram as pesquisas antropológicas na região. Talvez por isso a imagem consolidada entre cientistas e o público em geral seja a de que a Amazônia foi sempre esparsamente povoada. Atualmente, a arqueologia contribui para modificar essa visão, trazendo evidências de uma rica história pré-colonial", diz Neves.

Estima-se que, quando os europeus chegaram, de 8 milhões a 10 milhões de pessoas ocupavam a floresta. Passadas as primeiras décadas do contato, 90% dessa população desapareceu, num processo tão abrangente e brutal que seriam necessários quase cinco séculos — até a década de 1960 — para que o bioma voltasse ao patamar demográfico do mundo pré-cabralino.

Heckenberger observa que houve um grande intervalo entre os primeiros exploradores da Amazônia, ansiosos por dobrar a região às suas vontades, "ostensivamente em nome de Deus e do Reino", e os naturalistas que se embrenharam pelos rios em fins do século XVIII, "ostensivamente em nome da ciência". Quando esses naturalistas alcançaram as áreas que seus conterrâneos haviam atravessado séculos antes, "o rolo compressor do colonialismo europeu já havia varrido as Américas". Drasticamente reduzidos, muitos grupos originais haviam abandonado suas antigas moradas à margem dos rios, pois a fertilidade das várzeas e a abundância de peixes passaram a contar menos do que o escudo protetor oferecido pela floresta.

"Quando a 'ciência' descobriu as Américas, o objeto antropológico, inevitavelmente, já era um artefato da devastação do colonialismo", escreve Heckenberger. "[Muito] do que chamamos de 'tradicional' é uma resposta ao colonialismo, e muito do que se considera 'simples' representa na verdade uma resposta política e estratégica à agressão e às consequências históricas da 'Grande Mortandade'" — da dizimação dos povos ancestrais. "Não surpreende que aldeias e monumentos contemporâneos sejam pequenos e que as comunidades sejam extremamente móveis e tecnologicamente modestas."

O passado era diferente. A Amazônia pré-cabralina se caracterizava por "grandes aldeias", escreve Eduardo Neves, "algumas ocupadas por milhares de pessoas, integradas em amplas redes regionais de comércio e em federações políticas regionais". Em estados como Acre e Rondônia, a derrubada da floresta pelo agronegócio em expansão tem revelado figuras imensas desenhadas no solo, geóglifos cujas formas só podem ser verdadeiramente apreendidas do alto. Aterros humanos como os encontrados em Marajó — os chamados *tesos*, colinas artificiais — eram parte de um complexo sistema de controle das águas, prevenindo alagamentos em períodos de cheia. Obras de aterramento também assentavam casas, praças, estradas, lagos artificiais, hortos.

Um bioma assim tão grande comportava uma imensa diversidade social. Havia grupos dedicados à caça e à coleta, outros que viviam da agricultura, havia nômades e sedentários. Havia falantes de pelo menos quatro troncos linguísticos, uma variedade raramente encontrada em outras partes do mundo. Eduardo Neves compara: "Todas as línguas modernas da Europa — com exceção do basco, do estoniano, do húngaro, do finlandês e das línguas trazidas pelos imigrantes da Ásia e da África — pertencem a uma única família linguística, a indo-europeia". Tudo considerado, a região é o oposto "de uma certa visão tradicional que enxerga a Amazônia como um grande ecossistema homogêneo — seja ele um inferno verde ou um paraíso perdido — ocupado por grupos essencialmente iguais entre si".

Havia, contudo, um elemento comum à vida de todos esses povos: a floresta. Fossem eles coletores, caçadores ou agricultores, fossem exímios cesteiros ou exímios ceramistas, fossem de uma cultura pacífica ou de uma mais propensa à beligerância, o que definia a imaginação deles era o mundo aquático, botânico, animal que os cercava. Eram filhos, todos eles, de *civilizações orgânicas*. A floresta era o almoxarifado onde recolhiam os materiais para erguer suas obras. A pedra permanece, o metal permanece; a madeira, o cipó, a palma retornam ao solo e são reabsorvidos pelo que nasce e vive. Ruínas de civilizações orgânicas são mais difíceis de serem reconhecidas porque se confundem com a paisagem natural. Mais até: em certos casos elas *são* a própria paisagem natural, como se verá adiante.

As civilizações amazônidas precisam ser compreendidas nos seus próprios termos, sem tomar de empréstimo modelos exteriores à floresta, erigidos sobre cidades, palácios, templos e estátuas. Aqui, coisas diferentes importam; coisas que, tomadas em conjunto, configuram uma complexidade de outro tipo. Na falta de expressão melhor, pode-se chamá-la *inteligência ecológica*.

Exemplo dessa inteligência é a manipulação de espécies vegetais. "Uma das maiores contribuições dos índios das Américas para a humanidade foi a domesticação de uma série de plantas que atualmente são consumidas de diferentes modos por todo o planeta", diz Eduardo Neves. A Amazônia é um dos quatro centros de domesticação das Américas, ao lado dos Andes Centrais, da Mesoamérica e de uma pequena região no Leste dos Estados Unidos. Heckenberger fala em 83 plantas domesticadas, o que supera, por exemplo, o legado da antiga civilização chinesa nesse campo. Abacaxi, amendoim, mamão, mandioca, pupunha, cacau, guaraná e açaí estão entre as plantas selvagens que, submetidas a um lento processo de manipulação, resultaram em variedades resistentes, mais dóceis ao cultivo e de frutos maiores. A Amazônia é um dos berços da agrobiodiversidade.

Essa obra se revela ainda mais notável se levamos em conta as condições em que se desenvolveu. A região é formada por terrenos geologicamente muito antigos que há milênios vêm sendo fustigados pelas condições extremas do clima equatorial. No correr dos séculos, chuvas torrenciais e a evaporação provocada por um sol inclemente varreram os nutrientes do solo, deixando-o ácido e pouco propício à lavoura. Apenas 6% dos solos da Amazônia são naturalmente férteis; segundo uma interpretação predominante entre arqueólogos e endossada por alguns ecólogos (mas contestada por outros), todas as terras ricas que excedem esses 6% resultam de ação humana.

Ninguém nega a excepcionalidade dessas terras manejadas, que se classificam entre as de maior fertilidade no mundo. Ao longo de milênios, os habitantes da floresta alteraram a composição do solo, enriquecendo-o com resíduos de fogueira, fragmentos de cerâmica, sepultamentos e descarte de matéria orgânica. Sobre esse chão modificado, as populações originárias selecionaram plantas, domesticaram seu plantio e redesenharam a paisagem, aumentando a oferta de alimento animal e vegetal.

Na região de Berbice, na Guiana, escavações arqueológicas revelaram estratos dessas terras férteis com até 5 mil anos de idade. As camadas chegam a cinco metros de profundidade, os sedimentos do fundo e os da superfície separados por mais de cem anos, uma geração passando para a seguinte o trabalho de construção da fertilidade. Em Rondônia há sítios como o Teotônio, no rio Madeira, onde se identificaram terras pretas de quase 5 mil anos; nas áreas adjacentes ao Solimões e ao Amazonas, "tais tipos de solo — bastante férteis e com grande importância econômica — são mais recentes, tendo mais ou menos 2 mil anos de idade".

A idade é um dado crucial. Em teoria, solos expostos às intempéries tropicais não se manteriam férteis por tanto tempo. Que permaneçam assim sinaliza que, salvo a fertilidade, eles guardam uma segunda característica quem sabe até mais notável do que a primeira: são solos estáveis. "Por conta dessa propriedade, esforços interdisciplinares têm sido feitos por agrônomos, pedólogos (cientistas de solo), geólogos, químicos, antropólogos e arqueólogos com o objetivo de determinar os processos responsáveis pela formação das terras pretas e as características que promovem sua estabilidade", escreve Neves.

As terras pretas de índio — esse é o nome — impactam diretamente a paisagem. O que não nasceria naturalmente em solo pobre ali pode existir. A escala dessa interferência ainda é uma questão aberta. Alguns estimam que essas terras cubram até 10% da floresta, uma área maior que a França. O arqueólogo Eduardo Neves prefere falar em alguma coisa entre 1% e 3% — ainda assim, entre uma Irlanda e uma Inglaterra de solos construídos. Michael Heckenberger considera que 50% da área não inundada do Alto Xingu — 17,5 mil quilômetros quadrados, pouco menos que um Sergipe — foi profundamente modificada pela ação humana.

Em artigo de 2008 publicado na revista *Science*, Heckenberger e outros pesquisadores, entre os quais o antropólogo Carlos Fausto, do Museu Nacional, descrevem uma vasta rede de povoamentos que se espalhava pelo território e se articulava através de vias, muitas delas levando a grandes praças — os principais nodos da malha — dedicadas à celebração coletiva de cultos e rituais. É um modelo de organização espacial diferente do das sociedades urbanas clássicas, caracterizadas por um centro definido e suas periferias, com cidades-sede em torno das quais gravitam vilas e ajuntamentos secundários. Os pesquisadores dão a essa organização o nome "galáxias urbanísticas", um modo multicêntrico de ocupar o território em que a dispersão predomina sobre a concentração.

Essa forma de estar um pouco em todos os lugares favorecia o contato extensivo das populações com a riqueza natural do bioma. Ao redor dos povoados havia zonas de lavoura e áreas para práticas extrativistas, uma paisagem em que se alternavam roçados e matas baixas. Mais ao longe, a floresta densa. Com maior ou menor intensidade, todo esse grande mosaico era explorado, o que permite dizer que os habitantes da floresta eram especialistas em variedade biológica. Eduardo Neves escreve: "É provável que, ao longo desses milênios, entre 6000 e 1000 a.C., a ocupação humana da Amazônia tenha sido realizada por populações com economia mista, baseada em caça, pesca, coleta e em uma agricultura de baixa intensidade. Tais estratégias diversificadas, por certo, mimetizavam a própria biodiversidade da floresta".

A estreita conexão entre os povoados e a paisagem levou alguns pesquisadores a denominá-los "cidades-jardim", um padrão urbano de baixa densidade demográfica marcado pela transição sutil entre cidade, campo e floresta. A economia de muitos desses povos originários baseava-se em sistemas agroecológicos — em vez de agricultura, *horticultura*, para usar o termo de Heckenberger, a manipulação de plantas e a lavoura em consórcio com a mata, revelando a preferência pela variedade e pelas passagens suaves entre a perturbação humana e o mundo natural. O contrário, portanto, da plantation do projeto colonial, modelo em que as descontinuidades promovidas pela monocultura não deixam dúvida sobre onde termina a natureza e onde começa a ação humana. Entre a mata e a soja não existe denominador comum.

A consequência desse modo de proceder é a conversão da floresta não em lavoura ou pasto, mas em *outro tipo* de floresta. Em uma floresta modificada, antrópica, ou, como querem alguns estudiosos, florestas que são também jardins. Num mesmo ambiente, uma variedade de plantas domesticadas de diversos portes — árvores, arbustos, plantas rasteiras, tubérculos etc. — cresce em meio à sombra intermitente oferecida por espécies não manipuladas com as quais trocam nutrientes através de redes subterrâneas de fungos. Agora é o caso de perguntar: o que temos à nossa frente? Quando olhamos certas paisagens profundamente modificadas por milênios de interação humana, o que vemos é natureza ou artefato? Qualquer resposta passa pela noção de intencionalidade. As terras pretas, a sutil manipulação do ecossistema, essa outra floresta, tudo é planejado?

"Não acho que a terra preta tenha sido formada intencionalmente, ao menos não no começo", especula Eduardo Neves, falando por Zoom a um grupo de pesquisadores e ambientalistas em fevereiro de 2022. "Colegas agrônomos diziam: 'A terra preta é a engenharia agronômica do passado pra resolver a escassez da Amazônia, pra sair da mandioca'. E eu respondia: 'Olha, isso não me soa amazônico, essa ideia de que você vai ter que investir, derrubar...'" O raciocínio lhe parecia demasiado utilitário, uma forma de assenhoreamento da natureza sem correspondência com os modos indígenas de se relacionar com o mundo. "Acho que no começo era compostagem. Os xinguanos sabem que ao queimar o lixo eles estão formando terra preta." Sabem da sua fertilidade, diz Neves, "mas a lógica não é preparar o terreno para uma monocultura. Terra preta é consequência do estabelecimento de populações sedentárias. Depois disso, era natural que notassem as propriedades daqueles solos e passassem a plantar ali".

De novo, é preciso tentar compreender o fenômeno nos termos do próprio lugar. A episteme dos povos da floresta não atribui ao homem a centralidade na transformação do mundo. A agência humana é apenas uma entre tantas forças que dão forma à paisagem. A intencionalidade existe, mas seu caráter é outro, observa o antropólogo Carlos Fausto; na cosmovisão de certas tradições indígenas, a floresta é uma coprodução em que humanos e não humanos se unem em interações complexas e de longo prazo. O homem alinha suas ações com as de outros seres — animais, plantas, fungos, liquens — e, dessa parceria, nasce uma floresta específica.

À diferença do que determina a prática da monocultura, nessa civilização orgânica as relações entre espécies são intensificadas, de forma que colaborem umas com as outras. Na expressão de Fausto, estabelece-se uma cumplicidade. *O que significa criar uma floresta?* A resposta indígena a essa pergunta não enfatizará o elemento antropogênico: a mata é *obra coletiva*.

Sejam quais forem os termos dessa obra, a ideia de uma floresta intocada vem se revelando cada vez mais frágil. Em 2013 um grupo de 121 pesquisadores ligados a instituições ao redor do mundo publicou na *Science* um estudo de grande impacto sobre a variedade das espécies arbóreas da floresta amazônica. Analisando mais de meio milhão de árvores em 1170 parcelas espalhadas pelo bioma, eles estimaram que a Amazônia abriga 390 bilhões de árvores nascidas de aproximadamente 16 mil espécies. Num achado notável, o estudo mostrou que, apesar dessa extraordinária variedade, apenas 227 espécies — 1,4% do total — respondem por 50% de todas as árvores da floresta. Tal prevalência requer uma explicação. "As causas subjacentes à hiperdominância dessas espécies permanecem desconhecidas", escrevem os pesquisadores, acrescentando que, por "convincentes, duas hipóteses merecem ser testadas: superioridade competitiva e cultivo generalizado por humanos antes de 1492".

Eduardo Neves considera a segunda hipótese bastante plausível. Como explicou na conversa por Zoom: "Dessas 227 espécies hiperdominantes, a mais comum é o açaí-do-mato. Além dele, nós temos açaí-do-pará, bacaba, paxiúba, paxiubão, cacau, seringueira... Carolina Levis, uma ecóloga brasileira brilhante, escreveu um trabalho em que explora essas espécies. Pois bem, grande parte das plantas que hoje compõem o panorama das árvores na Amazônia tem uma importância econômica e simbólica fundamental para os povos indígenas. [...] Como arqueólogo, penso que não se pode separar a dimensão da presença humana do padrão representado por esses dados".

A floresta manipulada é, assim, também uma floresta cultural. É simultaneamente natureza *e* artefato.* Dotada dessa dupla condição, pode ser lida como documento que registra a existên-

---

* Veja-se o título de um trabalho seminal publicado em 2003 por Heckenberger e colegas na revista *Science*: "Amazonia 1492: Pristine Forest or Cultural Parkland?" [Amazônia 1492: Floresta intocada ou sítio cultural?].

cia de determinada civilização no tempo histórico. A vegetação é o pergaminho. Ou, como diz lindamente Eduardo Neves: "A floresta são as nossas pirâmides".

A hipótese tem implicações profundas. Nas terras pretas do Jari, por exemplo, quem olhasse para aquele trecho específico de floresta não estaria enxergando apenas um patrimônio natural. Veria também um monumento arquitetônico, a ruína histórica, botânica e viva de uma civilização antiga. É a floresta como o legado de um povo, um lugar construído para o qual seus arquitetos — e os filhos e as filhas de seus arquitetos —, quando distantes, querem retornar, assim como nós queremos voltar para a cidade em que crescemos.

O rio Paru delimita a fronteira ocidental do Projeto Jari. Subindo quinhentos quilômetros em direção à sua nascente, chega-se à fronteira do Suriname. Lá fica a serra do Tumucumaque, que é outra natureza, outra paisagem, uma topografia de montanhas entremeada por campos naturais e savanas. De lá, de uma missão franciscana isolada do mundo, uma mulher decidiu retornar.

A HISTÓRIA DE ESTER YMERIKI KAXUYANA

"Primeiro ela vai contar sobre a avó materna dela. Agora vai começar", anuncia a filha, Vaneusa Tirtiri Kaxuyana de Sousa, que em novembro de 2019 tinha vinte anos. Ela se vira para a mãe e fica em silêncio.

Ester Ymeriki Kaxuyana é capaz das mais extraordinárias modulações de voz. Na pouca luz da casa, seu relato é uma presença tangível, um puro fato sonoro que, livre do fardo do sentido, ganha a dimensão de outro corpo na sala, mais presente até que as silhuetas na penumbra. Para quem não fala kaxuyana, é um som que comunica de outra maneira, por transições quase instantâneas entre sussurros e silvos, lamentos e gargalhadas, angústia e alegria, simulacros de choro e sorrisos de deleite, declamação e canto. Ester Ymeriki Kaxuyana poderia ser uma atriz do teatro nô.

Ela fala por alguns minutos, depois se cala. A filha traduz: Ela disse que no começo, como os brancos viviam atrás dos indígenas e dos negros, eles se afugentaram lá na mata, lá no rio. *Lá*, neste lugar aqui.

Esse lugar, essa região — norte do Pará, na Amazônia Setentrional — é de difícil acesso. Florestas densas e rios encachoeirados formam barreiras quase intransponíveis para feitores brancos que perseguiam escravizados em fuga, razão pela qual o território indígena passou a ser partilhado com quilombolas.

A mãe retoma a história, Vaneusa traduz: Ela disse que esses grupos de índios fugiam, e fugiam, e fugiam, e fugiam não só dos brancos, mas também dos negros, porque eles tinham medo, e foram todos parar nas margens de um rio, e lá apareceu outro grupo, e nesse grupo tinha um homem, e o tio da avó dela falou: "Ah, você tem que casar com ele porque já tá moça, pra formar familiares". E a avó dela casou com esse homem.

O casamento durou pouco. O marido adoeceu e os remédios caseiros não funcionaram. Ainda jovem, a avó de Ester ficou viúva. Os parentes lhe disseram para se casar de novo, então com um primo, um homem mais velho, e foi o que ela fez. Mudou-se para a aldeia desse homem, no rio Kaxuru, terra ancestral dos kaxuyanas. Essa é "a denominação dos índios que se reconhecem como a 'gente' (-yana) do 'Cachorro' (Kaxuru)", de acordo com os antropólogos Ruben Caixeta de Queiroz e Luisa Gonçalves Girardi. A aldeia ficava num mundo de rios e florestas.

A jovem deixou para trás a parentela. A família começava a se dispersar, num movimento pendular de afastamentos e reaproximações que, em escala fractal, reproduzia a dinâmica de grupos indígenas inteiros. No caso específico do povo kaxuyana, como se verá, esses "movimentos de maré", no dizer de antropólogos, ganhariam feições drásticas por intervenção do Estado brasileiro. O governo militar seria o agente da diáspora; os indígenas providenciariam o retorno à terra original.

Com o tempo ela teria um filho com o novo marido. Esse homem partia para longas caçadas e pescarias, e os parentes iam coletar remédios e alimentos na floresta, manipulando a mata e manejando seus recursos. Volta e meia davam com negros fugidos de seringais.

A filha conta o que ouve da mãe: Ela disse que foi nesse tempo que a avó teve o primeiro encontro com um negro, o primeiro entre o indígena e o negro. Apareceu por lá um negro com uma bebezinha, vinha fugido dos brancos e a esposa dele tinha morrido. Eram só eles, esse negro e a bebê. Como a avó também tinha um filhinho, eles dois foram acolhidos, e todos viviam bem.

Ester sobe a voz, como quem muda de oitava. É um ponto de inflexão. A filha traduz sem alterar o tom: Ela disse que o marido saía pra caçar e pescar, pra fazer essas coisas todas, e durante esse período a avó dela, mãe da mãe dela, teve um relacionamento com esse negro. Ester começa a rir enquanto fala, o rosto feliz com o desdobramento da história. Vaneusa traduz: Ela disse que o marido ficava na pesca e não sabia de nada, e como eles tinham relações sexuais ele não desconfiou quando deu com a mulher grávida um dia que voltou dessas viagens. Só que a criança nasceu negra, muito, muito escura mesmo. Pra esconder, ela pegava uma cuia d'água e passava pasta de tapioca na cabeça do bebê pra não ficar... Era o cabelo, né? E ela bonita, branquinha, de cabelo bem liso...

A astúcia durou pouco. Não foi possível esconder que o menino era de outro. O marido aceitou. Eram pessoas boas, diz Vaneusa, pessoas sábias. O negro fugido se chamava Tiago Vieira e o filho ganhou um nome português, não indígena: Mirtão Vieira. Mirtão cresceu junto com o filho indígena da avó dela, a criança negra numa família kaxuyana.

O marido já estava com certa idade, o corpo enfraquecia, ele caçava menos. Passou a fabricar remos, que negociava com a comunidade. A atividade o levava para o mato, agora por breves períodos, o suficiente apenas para encontrar a madeira e trazê-la de volta. Numa dessas ocasiões, trouxe também um jabuti.

Vaneusa traduz: Ela disse que ele entregou o jabuti pra avó dela, mãe da mãe dela, pedindo assim: Faz essa comida pras crianças — que eram o filho dele e o filho desse negro — que eu vou pro mato por causa do remo. Quando ele voltou, parece que o almoço ainda não tinha ficado pronto, e aí ele não gostou. Ele sabia que a mulher dele continuava de caso com o negro, porque ele era pessoa sábia, mas nesse dia ele ficou com raiva e disse: Você tava bem namorando, então você não teve tempo de fazer o almoço por esse motivo. Um monte de coisas ele falou. Nesse tempo quem mandava era o homem, então ela fez o almoço fingindo que ia tudo bem. O marido almoçou e voltou pro mato. Acontece que o namorado dela, o negro, ficou ouvindo atrás da bananeira, e aí foi ele que ficou com raiva.

Ester retoma, Vaneusa acompanha: Ela disse que ninguém sabe o que aconteceu, se teve violência, se não teve. Quando acharam o marido, ele tava morto, e ninguém sabe se foi o negro ou se foi acidente. Aí, como ele já tinha falecido, os dois ficaram juntos. Vivendo juntos, entendeu? Ele era o único negro entre os parentes. Porque ele casou com a avó, então teve que morar lá. Os dois viviam de comércio, vendiam castanha em troca de terçado, essas coisas, né?

Algum tempo depois, a avó engravidou novamente. A filha conta: Ela disse que naquela época os indígenas faziam rituais e ele, Tiago, decidiu olhar. É proibido. Os parentes falavam: Não vai. Mas ele desobedeceu, e o que aconteceu depois ninguém sabe. Ele passou a agredir a esposa grávida e a errar muito. Os parentes vieram, parentes dele, viram que ele tava enfeitiçado e levaram ele embora, e foram até um lugar onde não tinha ninguém. Parece que mataram. Minha mãe disse que não sabe o que aconteceu, na época foi só isso que falaram pra avó dela: Ele tá morto.

A avó de Ester não sobreviveu ao parto; a bebê, sim. Essa menina de pele negra viria a ser a mãe de Ester, avó de Vaneusa.

Sentada num balde de boca para o chão, as costas apoiadas na parede, Ester fecha os punhos e os aperta contra o peito. Solta um gemido. Vaneusa ouve e reconta: Ela disse que a avó da menina, bisavó dela, mãe da mãe que tinha morrido no parto, não quis ficar com a neta, achava que essa neta era uma aberração. Ela, a bisavó, era kaxuyana, a menina não era. Ela não gostava de pessoas negras, tinha o preconceito, e então preferiu ficar só com o neto kaxuyana da filha morta.

A criança ficou com o irmão, Mirtão Vieira, que já era um menino crescido. Ao saber da morte do filho, a mãe de Tiago Vieira, matriarca negra que até então não convivia com os indígenas, foi até o rio Kaxuru, viu a criancinha e perguntou ao neto Mirtão: Quem é? É minha irmã, eu tô cuidando. Não tá mais, ela disse, e ficou no Kaxuru pra cuidar da menina.

Certo dia, um primo adulto da avó kaxuyana de Ester voltou da pesca e encontrou a criança sozinha na rede, chorando. Com pena, resolveu ajudar a cuidar de Mirtão e da bebezinha, as duas crianças negras. Tornou-se pai de criação de ambas.

O tronco de Ester balança muito lentamente, os braços embalam uma criança. Os braços se desfazem, a mão espalmada contra o chão vai subindo, subindo, é a criança — a mãe dela, a mãe de Ester — que cresce e vira moça.

Ela disse que veio a primeira menstruação da mãe dela. Aí, como a mãe era prima com o próprio pai de criação, os parentes falaram pra esse pai: Vocês têm que casar. Você criou ela, agora casa e forma outras famílias. Ele não queria, tinha criado ela, considerava uma irmã, e ela era negra. Casar era diferente de criar, ele falava que não ia conseguir pentear o cabelo dela. Então tinha preconceito também, né? Mas casou, ela tinha doze anos, e os dois tiveram um bebezinho que morreu logo porque eles não sabiam cortar o cordão umbilical. O pai dela, o meu avô, então foi pro mato junto com outros anciãos porque ia virar pajé, e ficou lá quase um ano porque pra se tornar sábio precisa muito tempo, e quando ele voltou a minha avó, minha avó negra, mãe dela, tava grávida. O pai chamava Okoyi e era filho de criação do meu avô. Mas Okoyi cresceu e se apaixonou pela madrasta dele, e eles tiveram um filho, que foi o primeiro irmão da minha mãe, o meu tio João Batista. O meu avô viu aquilo e sabia que o filho não era dele. A princípio ele voltou pro mato, deixando claro que minha avó tinha que se virar. Eu não vou ficar perto de mulher que tem filho que não é meu, foi o que ele disse, mas lá no mato ele sentiu falta dela e decidiu retornar. Vamos voltar a ter relação entre marido e mulher, mas não aqui. E aí mudaram de aldeia.

Vaneusa prossegue: Ela disse que lá ele se apaixonou por outra mulher e decidiu que ia viver com as duas. A minha avó, minha avó negra, mãe da minha mãe Ester, não podia falar nada porque tinha um filho no colo que não era dele, né? Então eles passaram a dormir todos juntos. Quando o meu tio João Batista tinha cinco anos, nasceu minha mãe.

Ester passaria seus primeiros anos ali, em terras kaxuyanas, nadando no Cachorro e no Trombetas, a filha de traços indígenas de mãe negra. Foi quando o Protásio, o alemão, veio pelo rio, diz Vaneusa.

Quem é Protásio, pergunta um dos ouvintes.

Era um padre.

Protásio era um padre?

Era. Ele passava nas aldeias e falava: Vamos, vamos.

E por que isso?

Era o assunto das missões. Ele falava sobre a Bíblia, essas histórias, né? Ela disse: Ele ensinava essas coisas todas, e os indígenas não sabiam de nada, eles acreditavam nos deuses deles. Não queriam saber, mas ele insistia: Vocês têm que saber mais sobre Deus, vocês não podem mais ser assim. Ele foi querendo mudar, entendeu? Falava assim: Vocês não podem mais acreditar nessas coisas que vocês fazem. Então o pai dela resolveu acompanhar esse padre e foram todos parar na Missão Tiriyó, na serra do Tumucumaque, fronteira com o Suriname.

Tiriyóooooo... O nome sai como um sopro distante, um eco que se ouve lá longe. É a única palavra que Ester enuncia desse modo.

Ela disse que em Tiriyó tinha um grupo de indígenas muito bravos que os padres vinham tentando catequizar, e que foi nessa hora que chegou o grupo da mãe dela. A convivência era difícil. O pai dela não pensava em ficar lá, mas os padres insistiam: Vocês têm que mudar e por isso precisam ficar aqui.

Não demoraram a retornar para o Cachorro, pois logo chegou a notícia de que o irmão do pai havia morrido. Era melhor partir, ele decidiu. Fizeram o longo caminho de volta. Ester viveria novamente nas florestas e nos rios onde nascera, quase sem memória do pouco tempo que havia passado na Missão Tiriyó. O pai continuava a morar com suas duas mulheres, e a segunda, aquela por quem se apaixonara, era da nação Tiriyó. Como a tradição era os maridos ficarem perto dos sogros, ele acabou voltando para as terras dela, juntando-se uma vez mais aos padres da missão. Com doze anos, Ester foi levada de novo para o Tumucumaque, deixando para trás a paisagem de sua infância.

Eram terras do povo tiriyó, conta a filha, e os tiriyós eram bravos, então eles não eram felizes lá, não se sentiam bem. Ela disse que o pai dela sempre pedia: Quando eu morrer, quero que você volte pra nossa terra, porque aqui a gente não é feliz. Acontece que ele já não podia voltar, ele tinha que morar na terra da mulher tiriyó, então a minha avó e a minha mãe foram junto com ele. Ela disse que não tem boas lembranças de lá.

Ester viveu na missão até os 33 anos, quando seu pai morreu por mordida de cobra. Ela já tinha quatro filhas, a mais nova com três anos. Apesar de jovem, sentia-se doente e não queria morrer ali. Era uma kaxuyana, e os tiriyós não a consideravam bem-vinda — na missão, o afluxo de gente de seu povo era percebido como invasão de território.

Vaneusa traduz: Ela disse que pensou assim: Eu vou voltar. O meu pai falou que eu tinha que retornar pras minhas terras, que as aldeias ainda existiam. Ela pensou: Eu prefiro morrer lá onde eu nasci, eu quero morrer do mesmo jeito que os meus antepassados, eu tenho saudade das minhas terras.

Então ela decidiu retornar, só que não sabia como. Porque lá na missão eles não têm essas coisas de barco. Não tem nada lá, é isolado, parece que você é um preso, entendeu? Quando ela disse que ia voltar, teve dois kaxuyanas, Frederico e Madalena, um senhor e uma senhora, que falaram assim pra ela: Leva a gente com você. E a minha mãe disse: Mas como? Eu não tenho dinheiro, não sei como fazer pra sair daqui. E o Frederico falou que ia conseguir algum dinheiro.

A decisão foi de Ester?

Foi sim, foi dela, não tinha mais nenhum índio kaxuyana aqui, explica a filha, referindo-se ao lugar onde está e onde nasceu, a Terra Quilombola Cachoeira Porteira, município de Oriximiná, nas margens do rio Trombetas, a floresta onde Ester viveu até os doze anos.

A única forma de sair de lá era de avião. Ester resolveu deixar as três filhas mais velhas com o pai das crianças e trazer apenas a menor. Embarcou num monomotor da missão e voou sobre seiscentos quilômetros de selva até Macapá. Não sabia falar português, Frederico e Madalena tampouco. Na tentativa de se comunicar com os passantes, repetia o nome dos rios e das aldeias de sua infância. Até que alguém compreendeu e disse: Só dá pra ir de barco, e foi o que ela fez. De Macapá a Santarém, quinhentos quilômetros pelo rio Amazonas. De Santarém a Óbidos, 120 quilômetros também pelo Amazonas. De Óbidos a Oriximiná, 45 quilômetros pelo Amazonas e depois pelo Trombetas. De Oriximiná até Cachoeira Porteira, 175 quilômetros pelo Trombetas.

Ao descer a última perna do rio, Ester se sentiu bem. Aquela era a paisagem em que crescera, muito diferente das serras e dos campos de Tumucumaque. A filha traduz: Ela disse que reconheceu, era a casa dela.

Ester afaga seu cabelo longo e liso. O balde emborcado em que ela continua sentada a deixa quase ao rés do chão. Sob a luz débil que vem da cozinha, um Cristo em 3-D colado à parede abre e fecha os braços. Acima dele, quase na junção com o teto, um urso de pelúcia fixado na madeira com um prego lembra uma segunda crucificação.

Na missão ela foi ficando católica, explica a filha, mas depois que voltou viu que havia outras religiões e ficou perturbada. Ela perguntava: Mas quantas religiões que tem? Porque lá na missão era só padre, então minha mãe ficou em dúvida. Mas hoje ela é indígena e acredita em tudo o que vê. Ela acredita em tudo.

Da soleira da casa, o pai de Vaneusa, marido de Ester, membro da Comunidade Remanescente de Quilombo de Cachoeira Porteira, corrige a filha: Ela é evangélica, ela me acompanha.

Ester percebeu que, embora duas décadas de ausência não houvessem mudado a floresta, a paisagem humana era outra. Vaneusa diz que a mãe se espantou com a quantidade de negros. Quando ela partiu, com doze anos, eles já estavam na região, mas conviviam pouco com os indígenas: Ela disse que sentiu dificuldade, porque no passado, tirando a mãe dela, aqui ela vivia só com os kaxuyanas. Podiam aparecer negros pra fazer comércio de castanha, mas depois eles iam embora, e agora eram só eles na região. Não tinha mais nenhum kaxuyana. Só ela, Frederico, Madalena e minha irmã.

Ela teria mais chances de encontrar parentes se procurasse pelo ramo da mãe. Guardara a lembrança do tio Mirtão, mas não sabia do destino dele: Então minha mãe procurou os quilombolas e pra cada um perguntava: Conhece esse senhor? Até que um respondeu: Ele mora lá no... E ela então reencontrou o tio e teve uma esperança quando viu esse tio, porque agora ela sabia que nem todos tinham morrido. Aqueles eram os nossos parentes, os Vieira, e aquilo deixou ela feliz.

Ester passou a viver com os Vieira. Pouco tempo depois — Ester não sabe dizer quando —, o irmão João Batista deixou a Missão Tiriyó. Queria saber da irmã e saiu à procura dela. Encontrou-a entre os quilombolas e então soube que o retorno era possível. Ao voltar para a missão, juntou o seu povo e disse: Lá ainda tem os nossos parentes e as nossas aldeias.

Eles viram que existia aquela chance de retornar pros lugares de origem. Minha mãe tinha conseguido, eles também podiam voltar, e aí decidiram que não queriam mais ficar naquele lugar estranho, que era terra de Tiriyó, né? Então os kaxuyanas começaram a retornar: Ah, é aqui que o meu avô morava, preciso retornar pra esse lugar. Ah, é aqui que eu nasci, preciso retornar pra esse lugar. E, pensando na minha mãe, eles apontavam para a minha avó negra, que ainda estava no Tiriyó. Falavam: A filha e a neta dela já conseguiram voltar, vamos agora nós também, e assim eles retornaram às origens onde nasceram.

Ester ainda voltou duas vezes à missão. Tinha saudade das filhas que deixara lá e tentou recompor a vida com o marido, mas não se acostumou mais: Porque ela se sentia triste, entendeu? Não eram os rios da infância, não era a floresta, não eram os parentes dela. Então ela se sentiu acolhida de novo onde ela nasceu, perto dos familiares e do tio dela, né? Aí trouxe de volta as outras filhas, as minhas irmãs, mas a mãe dela, a minha avó, a avó negra, ela não quis voltar.

Vaneusa vai até uma pilha de papéis e traz uma fotografia. Duas mulheres sentadas num banco de madeira, uma indígena e uma negra, Ester e a mãe. A mãe, de cabelos muito brancos, olha para fora do quadro com uma expressão serena e firme; Ester, de cabelos escorridos, escuros, veste uma blusa branca e olha para a lente com um sorriso triste e sem jeito. Uma está em casa, a outra não. A fotografia foi tirada na Missão Tiriyó.

Minha mãe não pretende mais sair daqui, entendeu? Ela pretende morrer aqui, ficar pra sempre.

Ester Ymeriki Kaxuyana meneia a cabeça, em concordância com a última frase da noite. Sua história se interrompe aqui, enquanto ela continua encolhida contra a parede, pequena e ocupando pouco espaço, uma forma modesta de estar no mundo.

A HISTÓRIA DE GUNTHER PROTASIUS FRIKEL

Protásio, como o chamavam no Brasil, nasceu em 1912, na cidade alemã de Breslau, hoje Wrocław, na Polônia, filho de um relojoeiro. Uma nota biográfica publicada em 1978 por um pesquisador do Museu Goeldi, de Belém, conta que, com vinte e poucos anos, ele chegou ao Brasil movido pela vocação religiosa e que aqui entrou na ordem dos franciscanos menores. Cursou filosofia em Olinda e teologia em Salvador. Os estudos o puseram em contato com os cultos afro-brasileiros, pelos quais desenvolveu um vivo interesse. Era a sua abertura para a antropologia. Nas décadas seguintes, tentaria conciliar o trabalho da fé com o da razão.

Transferido para a Amazônia, Gunther Protasius Frikel foi missionário entre os povos munduruku do Alto Tapajós e tiriyó no extremo norte do Pará. "Nesse período, que se inicia em 1938, estuda também os 'mocambeiros', descendentes de escravos fugidos que foram se abrigar nos altos rios Trombetas, Curuá e Cuminá [rio Paru de Oeste]", diz a nota biográfica, "[...] no que entra em contato com os índios Kaxuyana, Parukotó, Wayana, Aparaí, além dos Tiriyó." Eram as peças se arranjando para que dali a três décadas seu destino e o da menina Ester Ymeriki Kaxuyana se cruzassem.

Desde o início do século XX os kaxuyanas do Médio Trombetas vinham sendo dizimados por moléstias trazidas por forasteiros. Entre 1923 e 1925, um surto de sarampo disseminado por trabalhadores de castanhais se alastrou pelas aldeias:

> Os índios enfermos, com febre alta, procuraram "refrescar o sangue", tomando banho na água fria. Em consequência disso pegaram, as mais das vezes, pneumonia e com isso a morte certa. A mortandade foi enorme. Os índios entraram em pânico. Foi uma tragédia! Durante a nossa estadia no Kaxuru, os índios mais ve-

lhos contaram que aqueles que ainda estavam bons já não tinham mais tempo, nem vontade de enterrar os mortos, abandonando os cadáveres juntamente com os doentes, fugiram para a mata [...]. O sarampo arrasou, praticamente, todas as faixas da população de idade madura (dos trinta anos para cima), da qual somente seis a oito sobreviveram.

O relato foi escrito por Frikel, que àquela altura, 1970, já abrasileirara seu prenome e assinava Protásio. Desde 1957 estava ligado ao Museu Goeldi, instituição pela qual começaria a publicar importantes estudos etnográficos. Segundo a nota biográfica escrita pelo colega do museu, Frikel se deu conta da impossibilidade de conciliar as obrigações de missionário com a atividade científica. Por trinta anos atuou como religioso e pesquisador, até por fim escolher a antropologia e abandonar a ordem franciscana. Até sua morte, em 1974, publicou mais de vinte trabalhos, muitos deles com a ajuda de sua mulher, Marlene, que o acompanhava nas viagens.

Foi esse Protásio — não mais um frei, agora um antropólogo — que em 1968 despontou pelo rio na aldeia da menina Ester. Vinha tomado por um sentido de urgência. Novas doenças estavam dizimando o povo kaxuyana dos rios Cachorro e Trombetas. Nos testemunhos que colheu entre os sobreviventes dos surtos da década de 1920, Frikel registrara uma tragédia humana e uma tragédia epistêmica: "Como, em certa ocasião, o chefe kaxuyana nos explicou, o sarampo, causando a morte de quase todos os velhos, foi responsável também pela tão grande falta de conhecimentos de plantas medicinais e remédios nativos entre eles. Não houve mais tempo de transmitir estes conhecimentos pelas vias tradicionais e funcionais da tribo".

Agora tudo se repetia, e com um agravante: a questão do parentesco. Frikel escreve sobre os kaxuyanas no rio Trombetas:

"Todavia, naqueles anos, grande parte destes últimos morreu. Os restantes, por necessidade, ligaram-se novamente aos índios do rio Kaxuru que, outrossim, também foram dizimados por doenças. Em relação aos adultos, o número dos jovens estava em certa desproporção de excedentes, mas — e aí começa novamente o grande problema para os kaxuyanas — todos estavam tão aparentados entre si que, para a maioria dos jovens, não havia mais possibilidade de casamento dentro das leis tribais de parentesco etc.".

Para sobreviverem, seria preciso que se dispersassem, que partissem em busca de novos grupos que os aceitassem e com cujos membros pudessem começar novas famílias. Havia duas possibilidades: "[Uma] era descer o rio Trombetas para a região da Porteira, morar no meio da população negra e mesclar-se com ela. Mas isto não lhes agradava. Tinham ainda bastante consciência tribal de querer ser e continuar 'gente', isto é, índio. Outra era a de se agregar a um dos grupos dos altos rios". Um desses grupos vivia às margens do rio Paru de Oeste, na serra do Tumucumaque. Eram os tiriyós.

O verbete sobre o povo kaxuyana no site do Instituto Socioambiental (ISA) informa que "cerca de 48 sobreviventes […] se reuniram e concordaram em ser transferidos, com ajuda da FAB (Força Aérea Brasileira), em 1968, para a Missão Tiriyó, na Terra Indígena Parque do Tumucumaque/PA". Ester Ymeriki Kaxuyana provavelmente era uma dessas 48 pessoas.

A missão nascera de um esforço conjunto entre a Prelazia de Óbidos e o Exército brasileiro. Os antropólogos Ruben Caixeta de Queiroz e Luisa Gonçalves Girardi escrevem que, do ponto de vista da Igreja, a iniciativa era uma forma de converter os índios ao cristianismo; do ponto de vista militar, um modo de fixar populações nativas em pontos de fronteira, assegurando assim a ocupação do território nacional, ainda que à custa de dispersar os indígenas para longe de suas terras ancestrais.

Frikel, que tinha trabalhado como missionário na juventude, regressava agora como antropólogo em uma emergência sanitária. Conhecia os padres, o Exército, a missão e os povos indígenas. Recolhera histórias do passado sobre a devastação das epidemias. Tudo convergia nele. Talvez tenha sido o facilitador do arranjo migratório; talvez tenha sido apenas seu estudioso. No trabalho em que menciona a diáspora, escreve como observador. Não toma parte no episódio, o que pode ter sido o caso. "O que nos interessa no momento é a sobrevivência dos Kaxuyana", afirma já no final do artigo. "Cremos que sob o ponto de vista sanitário, a mudança foi a sua salvação. Chegaram em Tiriyós cheios de sarnas, piras, impingens, doenças venéreas e uma série de casos de tuberculose, doenças todas apanhadas pelo contato com os caboclos e negros castanheiros do Trombetas. A Missão Franciscana e a FAB operaram aí em conjunto, de uma maneira extraordinária."

Em 2003, os kaxuyanas da Missão Tiriyó escreveram uma carta à Funai. Dizia assim:

> No ano de 1968, o povo kaxuyana foi transferido pelos missionários franciscanos do rio Cachorro, seu território original que fica no município de Oriximiná, para a Missão Tiriyó. Algumas famílias decidiram ir para o rio Nhamundá. Nessa época tinha pouca gente. No total, eram cerca de sessenta pessoas, sendo que quarenta foram levadas para se juntarem com o povo Tiriyó, dentro da região do Parque do Tumucumaque no Pará, localizado no rio Paru de Oeste. [...] O motivo pelo qual os Kaxuyana foram transferidos de sua terra habitual para a terra habitada pelos Tiriyó era a falta de assistência para apoiar esse povo. Quando os missionários entraram em contato com os Kaxuyana, esse povo estava se acabando com doenças.

Os remetentes chegam logo ao ponto:

O povo que só tinha quarenta pessoas aumentou muito na Missão Tiriyó. Então os novatos kaxuyana que nasceram na Missão Tiriyó estão querendo retornar a habitar sua terra natal que seus avós deixaram para eles futuramente. Eles estão a caminho de abrir a aldeia no rio Cachorro, onde se localizam aldeias antigas kaxuyana.

Desterrados por causa de epidemias e ações missionárias, os kaxuyanas nunca se esqueceram de suas terras ancestrais, do lugar "onde nossos pais foram enterrados", citação que aparece em Caixeta e Giradi. O "país estrangeiro", no dizer dos antropólogos, era simultaneamente terra de acolhida e de estranhamento; eles não eram dali, condição que lhes era sugerida veladamente pelos povos locais e, de forma clara, pela vegetação de serra, savana e campos gerais, tão diferente da floresta tropical a que estavam habituados no rio Cachorro. Tinham motivos para voltar:

> Assim mesmo, chegaremos um por um, devagarinho, sem ter pressa. Os que estão indo primeiro irão ver a terra e fazer roça. Já tem três famílias — Frederico, Renato e Ester Kaxuyana — morando numa aldeia na Boca do rio Cachorro (Katxuru) no rio Trombetas (Kahu) [...]. Sendo assim, nós já temos ponto de apoio na nossa Terra.

A carta se encerra com um pedido para que o governo brasileiro assegure o retorno e faça a demarcação da terra kaxuyana. Não seria uma volta destituída de tensões. Nos anos posteriores haveria conflitos com os quilombolas, ocupantes igualmente legítimos de vastos territórios na bacia do rio Trombetas. Com o tempo, viriam a pacificação e um convívio cordial.

No trecho da carta em que os kaxuyanas se referem ao momento do êxodo, há uma menção a Protásio Frikel: "O missionário Protásio Frikel conversou com os mais velhos sobre a transferência". É tocante que os dois personagens desta história — Protásio e Ester — tenham se encontrado novamente, agora não em vida, mas num documento que pede o retorno à terra de origem, trinta e tantos anos depois do dia em que se viram pela primeira vez, quando o barco que trouxe o ex-missionário aportou numa aldeia indígena assolada pela doença.

Quatro anos antes de morrer, com o corpo maltratado pelas "incursões ao interior e pela malária", Frikel escreveu que, do ponto vista sanitário, o grupo que chegara à missão estava de fato a salvo; já em relação à sobrevivência deles como povo, "os Kaxuyana talvez não [tivessem] tanta sorte". Era cedo para fazer prognósticos, escreveu, ainda não havia elementos para saber como a situação evoluiria. A maior liberdade de casamentos asseguraria a sobrevivência biológica das estirpes, isso era certo. Contudo, "como grupo próprio, étnico, possivelmente desaparecerão dentro de uma ou duas gerações ou até antes".

Protásio não contava com Ester.*

---

* É certo que os kaxuyanas de hoje não são os kaxuyanas de 1968. Contudo, eles se reconhecem como kaxuyanas, reafirmando-se com frequência como "povo misturado", característica de que a história de Ester é exemplar. Eles já não estão desterritorializados, voltaram para suas terras ancestrais — são "gente do Cachorro".

8. Um colono descobre a variedade

Esta é a história de um pai e de seu filho, dois homens que compreenderam e quiseram a mata.

Em setembro de 1929, um grupo de 189 imigrantes japoneses — 43 famílias e nove pessoas solteiras — chegou à Colônia Acará, localizada no atual município de Tomé-Açu, no nordeste paraense. Vinham diretamente do Japão e nunca tinham posto os pés no mundo tropical. Não eram os primeiros japoneses a enfrentar a Floresta Amazônica — no início do século, alguns conterrâneos deles, atraídos pelo boom da borracha, se instalaram na Amazônia brasileira depois de atravessar a Cordilheira dos Andes —, mas eles eram os primeiros a chegar ao bioma como resultado de políticas de Estado.

Esses imigrantes vinham sob os auspícios da Companhia de Colonização Sul-Americana S.A. e de sua subsidiária, a Companhia Nipônica de Plantação do Brasil, empresas fundadas por incentivo do governo japonês com o propósito específico de criar colônias agrícolas no ultramar. Do ponto de vista brasileiro, o que inspirara o empenho em trazê-los foi a boa experiência com as lavouras do Sul do país. "O governador do Pará também queria os seus japoneses", diz o agricultor Francisco Wataru Sakaguchi com um sorriso maroto no rosto. E, como de fato os quisesse, o governador encaminhou ao embaixador do Japão a proposta de conceder 500 mil hectares, mais de duas Tóquios, para a construção de um assentamento japonês na região.

Às vésperas de completar 61 anos, Sakaguchi é um tipo divertido. De início, quase não fala, prefere observar. Tem um conhecimento profundo da floresta tropical, mas só revela esse tesouro aos poucos, quem sabe depois de se convencer de que a curiosidade do interlocutor justifica essa concessão. Tem mais o que fazer e de saída prefere adotar o figurino do matuto de quem não se deve esperar muito.

Quando não está na sua propriedade, Sakaguchi pode ser encontrado numa venda modesta à beira de uma estrada estadual que passa por Tomé-Açu. Numa manhã de setembro de 2019, ali estava ele, de camisa polo, bermuda e sandália Crocs com meia, comerciando os produtos de sua lavoura. A filha caçula, igualmente silenciosa, o ajudava atrás do balcão. O lugar é pequeno e sem luxos, cada palmo de superfície ocupado por frutas, verduras, nozes, farinhas, especiarias, bolos e garrafas de mel. De certa forma, é uma abundância conquistada ao preço de imensos fracassos — não de Francisco Sakaguchi, mas das gerações que o precederam. Ou, mais precisamente, das que precederam a de seu pai.

Noboru Sakaguchi desembarcou no Pará em 1957. Acabava de se formar em engenharia florestal na Universidade de Agricultura de Tóquio (Tóquio-Nodai) e, sem muitas perspectivas no Japão do pós-guerra, decidiu emigrar. Fazia isso estimulado pelo governo, que, de olho na obtenção de matéria-prima para as indústrias nascentes da reconstrução, incentivava jovens profissionais como ele a se estabelecer em países como Indonésia e Brasil, para se dedicar ao cultivo da seringueira e à produção de borracha.

Prometeu aos pais que a aventura duraria apenas alguns anos. Adquirida a experiência, voltaria para o Japão. "Era mentira", diz Francisco, o filho. "Ele embarcou no navio já sabendo que nunca mais voltaria." Ao zarpar do porto de Yokohama, Noboru não tinha noção exata do que encontraria do outro lado do oceano. Seu conhecimento do mundo tropical era acadêmico. Nada sabia de florestas equatoriais, com suas águas de dilúvio, seu sol de martelo, suas pragas, moléstias, sua solidão. Era o que o aguardava ao fim da travessia.

Assim como as 189 pessoas que aportaram no Pará em 1929, Noboru estava prestes a constatar que, nos trópicos, as coisas acontecem de outro modo. Aqueles pioneiros haviam chegado com a intenção de desenvolver na região de Tomé-Açu o maior projeto de cultivo de cacau do mundo. "O problema é que a maioria só conhecia plantio de hortaliças e arroz", diz Francisco. "Você sabe, a rizicultura é quase uma obrigação para o japonês." O resto era um mistério. "Vieram sem conhecer o clima e o lugar. Desmataram tudo e botaram fogo na roça, porque na cabeça deles essa era a única forma de limpar a área. Plantaram cacau em pleno sol e não na sombra, como se deve. Não deu certo." Para piorar, a lavoura intensiva de hortaliças e arroz atraiu a praga dos gafanhotos, que acabaram devorando também os cacaueiros. "Virou tudo banquete de inseto", resume Sakaguchi.

Seis anos depois de iniciada, a experiência de implantação da Colônia Acará parecia irremediavelmente fracassada. Em 1936, um surto de malária levou um número considerável de famílias a desistir do projeto. Muitas regressariam ao Japão. A Companhia de Colonização Sul-Americana S.A. também jogou a toalha. A colônia agora ficaria a cargo dos próprios colonos — dos poucos que insistiam em permanecer.

Do cacau, esses resistentes passaram para a pimenta-do-reino — segundo Sakaguchi, trazida à Colônia Acará por uma infelicidade. Ainda na década de 1930, mais um navio repleto de imigrantes deixou o porto de Kobe. No caminho, tendo falecido uma senhora, o capitão pediu autorização para atracar em Cingapura e sepultá-la. "Lá eles embarcaram treze mudas de pimenta-do--reino, e me parece que conseguiram salvar três", conta Sakaguchi. Essas três mudas deram início ao plantio no Pará.

Em 1942 o Brasil cortou relações diplomáticas com o Japão. Em Tomé-Açu, os bens que ainda pertenciam ao Estado japonês ou a seus súditos foram confiscados e a Colônia Acará se transformou em campo de confinamento de imigrantes oriundos dos países do Eixo. Declarados "alienígenas hostis", os italianos, alemães e japoneses que viviam nas vastas regiões cortadas pelo curso superior do rio Amazonas foram retirados de suas propriedades e levados para diversos campos. Só deixariam os limites dessas colônias com o fim da guerra.

"Os japoneses confinados na Colônia Acará eram usados principalmente na construção de estradas", informa uma publicação da biblioteca do Parlamento japonês. Os que não estavam nas frentes de trabalho e ainda podiam se dedicar à lavoura começaram a experimentar as mudas vindas de Cingapura, e o resultado foi bom. Quando recuperaram o direito de ir e vir, os agricultores de Tomé-Açu tinham nas mãos uma lavoura promissora.

O sucesso viria no início dos anos 1950. Com a independência da Indonésia em 1949 — mesmo ano em que a Acará foi rebatizada de Colônia Tomé-Açu, nome que guarda até hoje —, boa parte das plantações de pimenta-do-reino naquele país foi convertida em campos de arroz para atender ao consumo local. Como os indonésios eram grandes produtores da planta, o preço explodiu. A especiaria começou a fazer fortunas no Pará — falava-se em "magnatas da pimenta" — e a lavoura se espalhou pela região da colônia. Passados alguns anos, 7% de toda a pimenta comercializada no mundo era fruto do trabalho de duzentas famílias na Amazônia.

* * *

Noboru Sakaguchi chegou ao Pará nessa época. Seu sonho era plantar seringais e, assim, cumprir com diligência os objetivos de Estado que o haviam trazido até a Amazônia. "No quintal da casa em que a gente cresceu ainda tem os cinco primeiros pés de seringueira que ele plantou", conta o filho. Noboru destinou doze hectares à espécie, mas o negócio não vingou. O retorno financeiro não justificava o esforço e o investimento.

A solução era a pimenta. Na década seguinte, Noboru se dedicaria somente a ela e, como tantos compatriotas que haviam feito trajeto similar, ele também prosperaria. Começava a se sentir confortável no novo continente, já conseguia se comunicar em português e, sobretudo, estabelecera laços sólidos na comunidade nipônica que o acolhera. Para as questões do espírito, ele era o monge budista da Colônia Tomé-Açu; para as questões terrenas ou, mais especificamente, agronômicas, Noboru ocupava uma das diretorias da cooperativa local, aquela responsável por prospectar novas culturas.

Tudo caminhava bem até que, mais uma vez, a floresta mandou suas tropas. Dessa feita, elas não vieram do céu, mas do solo. Provocada por fungos, a fusariose é uma doença que apodrece a raiz das plantas. Quando encontra uma monocultura pela frente, alastra-se sem piedade. Foi o que aconteceu no final da década de 1960 com as pimenteiras de Tomé-Açu. "Dizimou tudo", relata Francisco Sakaguchi. "Os japoneses foram trazidos pra instalar no Norte os mesmos sistemas do Sul. Ou seja, monocultivos. Só que aqui a coisa era diferente."

À frente da diretoria de inovação da cooperativa, Noboru saiu à cata de soluções. Era preciso extirpar as plantas doentes, zelar pelas pouquíssimas que se mantinham saudáveis e criar alternativas de renda enquanto as plantações não se recuperassem.

Tratava-se de "desbastar a mata e no meio da pimenta incentivar a cultura branca: arroz, feijão, milho", explica o filho.

Havia ali o início de alguma coisa, o vislumbre de um convívio de espécies, mas não ainda a grande intuição. "A lógica era puramente econômica", continua Francisco, "meu pai falava em *otimizar a área*, ou seja: plantar aquilo que desse um retorno econômico mais imediato." Sem receita corrente não havia como financiar a guerra contra a fusariose. A diversificação servia para isso.

Alguns agricultores tentaram a estratégia; outros, repetindo seus conterrâneos vencidos pelos malogros da década de 1930, desistiram e foram embora. Tentando manter viva a comunidade, Noboru viajou pelo Brasil à procura de espécies frutíferas que pudessem servir de alternativa à pimenta. Algumas vingaram, mas em geral as pragas acabavam triunfando. Diante desse quadro, lembra Francisco, "meu pai foi buscar ideias". Lembra que o ano era 1973 ou 1974. Vendo que nada dava certo, Noboru decidiu que precisava refletir. Tomou uma embarcação comercial que fazia a ligação entre Tomé-Açu e Belém e partiu. Usaria a viagem para pensar.

No sistema de cabotagem fluvial, o barco ia parando nas aldeias para embarcar passageiros ou mercadorias. Numa dessas paradas, Noboru desceu para espairecer. Era uma comunidade ribeirinha, e ele logo se viu diante do quintal de uma casa onde um homem chupava uma fruta. Os dois ficaram ali se olhando, o engenheiro florestal japonês e o ribeirinho que lanchava, um na frente do outro, em silêncio, incapazes de saber que alguma coisa muito importante estava prestes a acontecer.

Noboru, então, se deu conta do que despertara seu interesse: o quintal era um copioso pomar de árvores frutíferas. Apontando para uma delas, perguntou com seu português claudicante: "Quem plantou?". "Meu avô", respondeu o ribeirinho. "E aquela?" "Meu bisavô." "Essa?" "Meu avô também. E a de trás, meu bisavô. E aquela lá foi papai." Noboru pensou: Essas árvores vêm se mantendo por várias gerações. Alguém comeu, achou gostoso e plantou. Muitas sementes provavelmente não deram em nada, mas outras germinaram e estão aí até hoje.

Francisco traduz a cena: "Foi o insight. Aquele quintal continha biodiversidade. Meu pai pensou: Por que não transformar isso em campo de agricultura? Ou seja, por que não transformar o quintal num exemplo, rejeitar a monocultura, misturar tudo e fazer um plantio biodiverso?".

Era a intuição que, por caminhos próprios, o faria desenvolver o que os indígenas já conheciam e que hoje se chama de *sistema agroflorestal*. O que Noboru Sakaguchi observara no quintal do ribeirinho era a própria floresta nativa com sua exuberância de variedades. Imaginar que essa lógica da multiplicidade pudesse substituir a conveniência já testada de uma lavoura homogênea era um conceito novo para os conterrâneos de Noboru. "Tanto assim que foi contestado pela colônia", conta Francisco. O pai dizia: "Vamos plantar cacau no meio da pimenta". "De jeito nenhum", respondiam os cooperados. Já tinham a experiência desastrosa do cacau, não queriam se arriscar de novo. E justificavam: "Isso é confuso, parece uma salada de frutas". Noboru insistia: "Planta misturado. Nem tudo vai sobreviver, mas não é um problema. Morreu, perdeu o lugar. Planta outra coisa".

Noboru previu que as lavouras conviveriam com a mata. Ou, por outra, trariam a mata de volta, combinando reflorestamento natural — aquele feito por pássaros e outros dispersores de sementes — com plantio de espécies comerciais, um sistema híbrido que, como novamente informa a biblioteca do Parlamento japonês, é capaz de recuperar entre metade e dois terços de uma floresta nativa 25 anos depois de plantadas as árvores de maior porte.

Aos poucos a colônia se convenceu das razões de Noboru Sakaguchi. Ele próprio adotara o sistema e as pessoas viam que dava resultado. As pragas que atacavam uma planta nada faziam contra outra. Além disso, como o sistema preservava a biodiversidade, cada fungo, inseto ou parasita que aparecia na vizinhança tinha que se haver com predadores e concorrentes. As forças se equilibravam, o que tornava improvável, quando não impossível, situações de terra arrasada típicas de monoculturas atacadas por pragas como a fusariose.

Isso era importante, pois representava um último argumento para Noboru convencer seus conterrâneos e colegas de colônia. Tinha diante de si imigrantes que estavam cansados de andar. O novo sistema, por ser estável, trazia a promessa de fixação no lugar. Noboru dizia: "Durante anos a gente abre novas áreas pra fugir da praga, planta a pimenta, e a praga chega. Então vamos viver como ciganos pra sempre? Nós temos que nos fixar na terra. Em quatro ou cinco anos, a pimenta morre, então você precisa ir pensando em outras espécies que podem entrar no lugar dela: o cacau, o açaí, o cupuaçu...". Como ninguém mais queria seguir andando, o argumento teve força.

Noboru Sakaguchi faleceu em 2007. Francisco, que de 2003 a 2015 presidiu a cooperativa da qual seu pai tinha sido diretor, conta que hoje 98% da agricultura do município adota alguma modalidade do sistema imaginado por Noboru. Isso significa que cerca de 5 mil famílias tiram seu sustento de uma agricultura que trabalha junto com a floresta, não contra ela.

"Observe a natureza", recomendava o velho Sakaguchi. Um conselho de uma singeleza quase banal, mas revolucionário na história da ocupação da Amazônia. Noboru Sakaguchi decidiu enxergar a floresta quando a norma foi sempre eliminá-la. Viu que a inteligência ecológica dependia da variedade e fez disso o princípio do seu sistema.

A singeleza, afinal, era simplicidade, que nada tem de banal. Pode ser apenas outro nome que se dá à sabedoria. No site da biblioteca do Parlamento japonês se lê: "Em Tomé-Açu, o lucro obtido por uma propriedade com 25 hectares é equivalente ao lucro obtido com mais de mil hectares de criação de gado". Essa é a parte fácil de ser calculada. Mais difícil é aferir o importe da floresta de pé, com todas as suas criaturas vivas, pois nela não é o preço que conta, e sim o valor.

 Perto do fim da vida, Noboru Sakaguchi deu uma entrevista à TV Record. "O senhor não pretende voltar para o Japão?", perguntaram-lhe. "Não, eu amo esta terra." Aqui ele se estabelecera, se casara com uma nissei que conhecera na colônia, aqui haviam nascido seus filhos e aqui ele transformara a vida de sua comunidade.
 Seus filhos — eram oito — também gostavam da terra. Contudo, à diferença do pai, alguns passaram a namorar a ideia de uma "aventura reversa", na expressão de Francisco.
 Por volta de 1985, o movimento de retorno para o Japão começou a ganhar fôlego. Os novos imigrantes eram os decasséguis, descendentes de japoneses que, em busca de trabalho ou de uma vida melhor, iam ao encontro do país de seus ancestrais. Em certo dia de 1989, Noboru chamou o filho Francisco e lhe disse: "Os seus irmãos querem ir. Eles não falam a língua, vai ser muito difícil, alguém precisa ajudar. Ou vai você com eles, ou vou eu". Francisco nunca havia pensado nisso — "A ideia não batia muito comigo" —, mas, ironicamente, era o único dos irmãos que falava japonês. Tinha 29 anos. Soube que cabia a ele a tarefa, pois não submeteria seu pai às tristezas de regressar a um país que já não era o dele, e apenas para deixar os filhos ali.
 Francisco Sakaguchi ficou seis anos no Japão, e não demorou para identificar as razões de seu desenraizamento. "Apesar de eu falar as duas línguas, você descobre que não é nem japonês nem brasileiro. Lá você é tratado como brasileiro, como aqui te

tratavam como japonês. Você se sente sem pátria." A comida foi outra dificuldade. Não o cardápio japonês, ao qual se habituara desde criança, mas a ausência da dieta básica brasileira. Não tinha arroz com feijão, nem tinha charque. "A gente fica doido com isso, né?"

Não eram dores insuperáveis e tampouco se distinguiam substancialmente da experiência de qualquer um que vá fazer a vida em terra estrangeira. Num país próspero com oportunidades para oferecer, Francisco logo explorou as que se abriram. Começou no chão de fábrica da Suzuki, na linha de montagem de automóveis. Em seguida, atuou como intérprete de uma firma que empregava nisseis brasileiros. Por fim, abriu um comércio de alimentos para atender os conterrâneos. Morava num prédio ocupado por nisseis. Certo dia, quando conseguiu uma partida de charque do Brasil, espalhou que ofereceria uma panelada à vizinhança. Estavam todos convidados. Na hora combinada, o apartamento lotou. Um homem deu um passo à frente: "Eu sou o brasileiro que está há mais tempo no Japão, então tenho o direito de ser o primeiro a experimentar". Sakaguchi relembra a cena: "Esse cidadão lacrimejou quando pôs o charque na boca. Eu pensei: 'Olha só que coisa'". Nasceu assim a decisão de abrir o comércio de gêneros brasileiros. "Fui bem-sucedido", conta.

Durante todo o tempo, e a despeito de seu êxito comercial, Francisco Sakaguchi pensou em voltar para Tomé-Açu. Ele tinha "essa ideia fixa" de que sua terra era o Brasil. Sentia saudades dos cheiros da mata — eram os da sua infância, incutidos não só pelo pai, mas também pela mãe, cuja dedicação ao trabalho na terra o impressionou desde menino. Àquela altura, setembro de 2019, Francisco seguia impressionado: com 87 anos, ela continuava ativa. "Minha mãe nasceu e foi criada aqui. Sei lá, é coisa de berço. Eu sempre fui mato, sempre fui floresta", disse.

Sakaguchi casou-se no Japão com uma nissei de São Paulo. Nasceu a primeira filha, e quando ela fez dois anos o casal sentou para conversar: "A gente precisa tomar uma decisão". Os dois concordavam que, se matriculassem a filha na creche, a sorte estaria lançada: a escolha seria ficar. Não se podia interromper uma educação tão singular para substituí-la pela de um país completamente diferente. Dali em diante a vida estaria decidida, seria uma vida japonesa. "Mas se você não quiser continuar morando aqui", Sakaguchi disse à mulher, "a hora de ir é agora. Vamos educar nossa filha no Brasil. O que você quer?" Ela deu a resposta que ele queria ouvir.

Afastando um galho com o braço, Francisco Sakaguchi avança pela mata densa de sua propriedade. São 350 hectares, herdados do pai. Qualquer leigo que deite os olhos no lugar dirá que está numa floresta. Mas não, é uma lavoura. Não espanta que, no início, a ideia de um sistema agroflorestal fosse recebida com desconfiança. É outro modo de fazer as coisas, outro modo de estar no mundo. A mecanização é difícil, por exemplo. A diversidade de espécies exige não apenas *uma* competência, como as monoculturas, mas *várias*, tantas quanto forem as plantas ali presentes. É uma agricultura para artesãos, não para industriais.

Como se passassem por um conta-gotas, Sakaguchi vai soltando aos poucos, muito aos poucos, as tantas coisas que produz. Mostra um trecho da mata aparentemente idêntico aos que ficaram para trás e aos que virão em seguida. "Por ano, aqui eu tiro quarenta sacas de café", e aponta para um cafeeiro. Difícil dizer onde estão os outros. "Ali: dez toneladas de andiroba." *Ali* igual a acolá. Dez passos adiante: "Aqui: de quatro a cinco toneladas de cacau".

Quem já esteve no silêncio dos campos de soja, de milho ou de qualquer monocultura sente o imenso contraste que é estar nessa floresta rica de sons. O alarido é exuberante. Não se tem dúvida da quantidade de vida que existe ali.

"Doze toneladas de açaí", continua Sakaguchi. "Era pra ser mais, mas roubam muito." Sua falta de pressa ao pingar os nomes só não é maior do que a naturalidade com que empilha espécie sobre espécie sobre espécie, num acúmulo que, pela desmesura, se torna cômico. "Tem uns cem pés de pitaia. Uns quinhentos de mangostão." Minutos depois: "Vários outros de butão, parecido com a lichia, que meu pai trouxe da Malásia. Pimenta-do-reino. Castanha. Canela-da-china". Ao cabo de outros cinquenta passos: "Puxuri. Guaraná. Cupuaçu. Quinina. Cardamomo, da família do gengibre". Numa pinguela sobre um igarapé: "Camu-camu. Acerola. Sapucaia. Graviola. Limão. Tangerina. *Langsat*. Cumaru. Pupunha. Abiu. Durião". Lembra a cena clássica de um filme dos irmãos Marx, na qual a pequena cabine de um navio vai se enchendo de gente — camareiras, mecânicos, assistentes de mecânico, manicures, faxineiras, visitas, garçons —, num excesso que desafia as leis da física e provoca gargalhadas de tão absurdo. Sakaguchi conta que um dia resolveu fazer a lista "das coisas que tem aqui". Pegou lápis e caderno e começou a anotar. "Quando chegou em 86 espécies, cansei."

Quatro irmãos seus ficaram no Japão. Ele não se arrepende de ter voltado. "A selva de lá é diferente da selva daqui", diz. "O meu pai deixou um legado muito grande. Ele permitiu que eu passasse o resto da vida sem precisar dar murro em ponta de faca. Não posso reclamar, tive uma vida de classe média."

Noboru plantou, Francisco agora só colhe. "Passei de agricultor a extrativista", resume, entre a pilhéria e o orgulho. Tornou-se o zelador de um patrimônio que exige — sobretudo e simplesmente — proteção e cuidado. Mantida a integridade do sistema — esse "sistema orgânico que preserva todas as espécies vegetais", como Noboru dizia —, a natureza se incumbe do resto. Sakaguchi não aduba, não usa defensivo, não adota nenhuma tecnologia. "O meu sistema é o 'largânico'", explica com ar douto. Em outras palavras: ele larga na mão da floresta. Francisco acredita em Darwin: "Quanto mais esforço você faz com a natureza, maior é a batalha. Se tiver fungo, a planta vai morrer, é da vida, vem outra no lugar". Ele abre os braços: "Isto aqui me serve pro resto da vida. Aqui eu não preciso fazer nada".

Nos próximos anos, ele vai precisar decidir que destino dar ao que ele e o pai construíram. Sakaguchi tem três filhas. A mais velha é bacharel em direito, a do meio tem mestrado em geografia e a mais nova, aquela que o ajuda na venda, está estudando administração. Não acredita que elas queiram permanecer no campo. "Então, vai chegar a hora em que vou ter que pensar numa maneira de eternizar isto aqui." Como? "Na verdade, eu nem sei por onde começar." Mas pode ser que já exista uma solução. Se, como é justo, as filhas vão escolher o próprio caminho e não pensam em levar adiante o legado dos avós e dos pais, então a obra deve pertencer à comunidade, "onde a gente vive e sempre gostou de viver". Se a ideia se concretizar, futuramente a propriedade será uma benfeitoria para todos.

Sakaguchi sabe da necessidade de formalizar essas decisões. Os riscos e as tentações econômicas existem e não devem ser menosprezados. A pressão urbana é grande, a cidade se aproxima e está cada vez mais difícil e caro evitar invasões. Simultaneamente, o preço da terra aumenta, oferecendo oportunidades sedutoras. "Às vezes essas coisas acabam falando mais alto", diz, não se excluindo do dilema. Mas a ideia é logo rejeitada: "A gente é apenas um habitante por determinado tempo, né? Eu acho que a gente deve usufruir, preservar e deixar alguma coisa pra outra geração".

Em parte, ele já começou a agir. Não faz tempo, doou nove hectares da fazenda à Universidade Federal Rural da Amazônia. Hoje, numa das pontas da agrofloresta plantada por seu pai, existe um campus em que já funcionam cursos de biologia, engenharia agrícola, ciências contábeis, letras e administração.

O passeio pela mata-lavoura termina em frente a uma árvore meio sem graça na qual cresce uma trepadeira. Sakaguchi abre um sorriso. "Isto aqui é um tesouro", diz, apontando para a planta ornamental, "um quilo vale mais que um quilo de prata." É baunilha, uma espécie de orquídea nativa do México e sem polinizador natural fora de lá. Todas as manhãs, ele vai até a árvore, sobe na escada para alcançar as extensões mais altas da planta e a poliniza com as mãos. É um trabalho de relojoeiro, a última imagem de um homem que, tal como seu pai, decidiu compreender a natureza e se integrar a ela.

9. O que queremos?

O Museu Emílio Goeldi ocupa uma área de cinco hectares em Belém. É um pedaço da Floresta Amazônica fincado no centro de uma cidade árida que eliminou sua paisagem original. Numa manhã de setembro de 2019, uma família estava parada diante de um mogno, uma das árvores mais magníficas da floresta. Em silêncio, todos olhavam como que para o céu, hipnotizados. Alta feito um prédio de dez andares, era uma árvore de mais de trezentos anos. Passados alguns instantes, o filho pequeno quebrou o encanto: "Pai, ela dá fruta?". O pai pensou antes de responder: "Não. Serve pra fazer compensado". E seguiram adiante.

A cena é uma destilação precisa dos sonhos brasileiros em relação à Amazônia. *Chega de lendas, vamos faturar!*, propunha, com entusiasmo, um anúncio de 1970 assinado pelo Ministério do Interior, pela Sudam e pelo Banco da Amazônia. No mapa do Brasil, a parte onde a Amazônia deveria estar é ocupada por gado, torres, instalações industriais, concreto e operários. "Muitas pessoas estão sendo capazes, hoje, de tirar proveito das riquezas da Amazônia. Com o aplauso e o incentivo da Sudam", diz o tex-

to, convidando o leitor a também ir buscar o seu naco do bioma. "A Transamazônica está aí: a pista da mina de ouro."

Para o Estado nacional, a serventia do mais complexo repositório de vida do planeta era virar moeda sonante. O bom brasileiro é o que sabia transformar biologia em pecúnia, coisa viva em matéria morta. É penosamente atual.

* * *

Em 31 de julho de 2019, o jornal *O Globo* publicou um editorial com o seguinte título: "Exploração de terras indígenas é causa de atrito com o Congresso". O governo defendia a expansão da fronteira econômica para o interior das reservas indígenas. Agricultura, pecuária, mineração e garimpo passariam a ser atividades lícitas nessas terras que hoje estão entre as menos desmatadas do bioma. Em fevereiro de 2020, um projeto de lei regulamentando a proposta foi encaminhado ao Congresso. Assinado pelo ministro Bento Albuquerque, de Minas e Energia, e pelo então ministro da Justiça, Sergio Moro, a peça segue avançando na Casa. Manifestando-se em favor da causa, Jair Bolsonaro declarou: "O Brasil vive de commodities. [...] O que nós temos aqui além de commodities?".

É uma fala instrutiva, na medida em que exprime uma visão de país. O papel que nos caberia no xadrez da geopolítica global seria o de fornecedor de produtos primários para nações mais desenvolvidas do que nós. Termina aí a ambição. Nenhum projeto se anuncia na fala do presidente além da pretensão de criar "pequenas Serras Peladas" em terras indígenas, um desejo expresso mais de uma vez, a sua utopia para a maior floresta tropical do planeta. Como ele foi eleito pela maioria dos brasileiros, desde 2018, e até segunda ordem, essa é também a utopia do país.

A ciência econômica ensina que apostar num modelo de desenvolvimento baseado em commodities não é necessariamente um problema. Países prósperos como a Austrália (mineração) e a Noruega (petróleo e gás) são exemplos disso. A exploração de recursos naturais por indústrias extrativistas também desempenha papel importante na economia da Finlândia (indústria madeireira) e na do Canadá (mineração). A questão não é de onde provêm as riquezas, mas para onde vão. Nos países mencionados, elas foram canalizadas para a construção de bem-estar social e a criação de alternativas de futuro.

Essa segunda diretriz é essencial. A indústria madeireira da Finlândia de cinquenta anos atrás teria dificuldade em reconhecer o que o setor é capaz de fazer hoje. O catálogo de itens comercializados não se limita a papel e derivados de madeira. Foram desenvolvidos segmentos de bio-óleos, bioenergia e novos materiais à base de celulose. Um setor puramente extrativista passou a ocupar o centro de uma bioeconomia pujante ancorada em conhecimento e engenho humano. O exemplo vale para os outros países listados aqui. Em todos eles, investiram-se recursos maciços em educação, ciência e tecnologia. Dá trabalho, leva tempo e requer imaginação.

Agregar valor, transformar em bem singular um bem disponível em outras partes do mundo, ampliar as possibilidades de um setor, torná-lo mais complexo — em maior ou menor grau, tudo isso aconteceu nos países que contaram com seus recursos naturais para se tornar ricos. É difícil imaginar que dirigentes de nações bem-sucedidas recuassem quarenta anos no tempo a fim de ir buscar no passado a solução para problemas nacionais contemporâneos, como fez Bolsonaro com sua proposta de espalhar "pequenas Serras Peladas" pela floresta. Sobretudo quando essa solução representa a selvageria de um modo de exploração econômica que gerou quadros aterradores de miséria humana e devastação ambiental.

Sonhos regressivos como esse indicam que o poder está apaziguado com aquilo em que a Amazônia vem se transformando. Que acha bom e julga correto o caminho escolhido. Parece conformado, quando não satisfeito, com o fato de que sessenta anos desse modelo de desenvolvimento empobreceram o bioma em comparação com o restante do país. Mais violência, menos educação, menos saúde, mais informalidade no mercado de trabalho

— os indicadores sociais mostram que a cada década a Amazônia fica mais para trás. E que a cada década há menos Amazônia.

Não é apenas um atraso em relação aos países que souberam reinventar sua economia. É um retrocesso em relação a nós mesmos. Como evidenciam os resultados da agricultura tropical que o país desenvolveu nos anos 1970 e da política de combate ao desmatamento da primeira década do novo século, tanto na ditadura como no regime democrático, tanto em governos de direita como de esquerda, o país se provou competente para identificar e resolver problemas relativos à sua condição de maior nação dos trópicos úmidos.

Quatro meses depois do editorial sobre a exploração econômica em terras indígenas, *O Globo* publicou outra novidade sobre os projetos brasileiros para a Amazônia: "Bolsonaro confirma interesse em liberar exportação in natura de madeira nativa da Amazônia". A proibição de exportar madeira em tora é consenso há mais de quarenta anos. Trocando em miúdos, aceitar essa exportação significa dizer que o modelo praticado em 1500 ainda é bom. Até José Sarney, não propriamente um visionário, chegou a perceber, quando presidente, que a prática não faz nenhum sentido em economias minimamente desenvolvidas. Hoje, esse tipo de comércio só acontece em cantos isolados do mundo (entre Sibéria e China, por exemplo). De novo: a proposta evidencia uma visão de país. No caso, a de que não temos competência nem para serrar.

Faltam ideias.

Em setembro de 2019, a Universidade Federal do Oeste do Pará (Ufopa), com sede em Santarém, organizou um evento intitulado Construindo Alternativas de Desenvolvimento Rural para Comunidades Sustentáveis no Brasil. Durante três dias, debatedores de várias partes do mundo se revezaram para discutir modelos econômicos capazes de produzir uma distribuição mais justa da riqueza e uma ocupação menos predatória da floresta. A diversidade de experiências de vida representada no palco dava ao encontro um caráter singular, em forte contraste com a relativa homogeneidade das biografias que costumam frequentar eventos acadêmicos. Além de pesquisadores, falaram trabalhadores rurais, religiosos, ativistas, representantes do terceiro setor e empreendedores sociais.

Se havia um consenso entre os presentes — tanto palestrantes como plateia —, ele nascia da convicção de que o agronegócio tradicional se revelara uma máquina de injustiça social e devastação ecológica. "A nossa produção está diminuindo porque o grande agronegócio está chegando perto e com ele vêm junto os agrotóxicos. Então as abelhas morrem, e das abelhas depende a nossa agricultura familiar", relatou Ladilson Amaral, o representante do Sindicato dos Trabalhadores e Trabalhadoras Rurais de Santarém. Guillermo Grisales, o coordenador das Pastorais Sociais da Arquidiocese de Santarém, um padre na casa dos setenta anos, de expressão firme e pele curtida de sol, contou sobre uma família em Belterra forçada a abandonar seu roçado e a se mudar para a periferia da cidade por causa da pulverização nas fazendas vizinhas, que "empurrava as pragas e os animais pra terra deles". Falou-se de violência no campo, da força política dos ruralistas, da poluição dos rios, dos bois e da soja que expulsam o pequeno agricultor do seu meio.

A agricultura familiar como alternativa de desenvolvimento ao agronegócio ocupou toda uma manhã de debates. Lideranças dos pequenos produtores explicaram que lutam contra a invisibilidade. Num evento sobre produção agrícola organizado pelo governo, disse uma delas, foi projetado um slide do PIB da agricultura brasileira: "Só contaram o agronegócio e a pecuária, não a produção familiar. A gente é invisível".

É mesmo espantoso, uma vez que, segundo dados de 2018 do IBGE, 75% dos imóveis rurais no país devem ser incluídos nessa categoria. São pequenos produtores rurais, povos originários e comunidades tradicionais, assentados da reforma agrária, silvicultores, aquicultores, extrativistas e pescadores, uma massa de trabalhadores responsável por quase um quarto da produção agrícola brasileira e que gera emprego e renda para cerca de 10 milhões de pessoas.

Um doutorando em economia assumiu o microfone e chamou o primeiro slide. Dizia respeito à Feira de Agricultura Familiar da Ufopa, iniciativa descrita como "uma forma de integração econômica", no caso entre pequenos agricultores, academia e sociedade local. A sequência de slides trouxe os números do projeto: em 2016 a feira gerou uma receita de 12,9 mil reais; em 2017, ao longo de 42 edições, o resultado saltou para 52 036 reais; por fim, em 2018, 46 edições levaram a um faturamento de 91 359 reais. "Ou seja, em três anos a feira gerou uma receita total de 156 295 reais", informou o palestrante.

Modos de produção e distribuição que fogem dos padrões impostos pela monocultura são laboratórios em que as pessoas exploram outras formas de se relacionar com a terra, a mata e o alimento. Nessa experimentação reside o valor de iniciativas como a feira da Ufopa. Elas são um fato socioecológico. Também é verdade que, para um produtor familiar de hortaliças em Belterra, a progressão dos valores apresentados naquela manhã deve ser significativa. Seria, porém, um erro estratégico satisfazer-se apenas com a constatação de que é possível produzir de outro modo. É necessário também avaliar se as alternativas apresentadas são capazes de competir com os modelos hegemônicos.

Por esse prisma, é difícil imaginar que as experiências defendidas naquela manhã possam servir de solução sistêmica para o problema da justiça social em discussão no seminário. Ainda assim, o entusiasmo dos participantes sugeria que as ideias no auditório não divergiam muito desse tipo de resposta. O que se oferecia como alternativa a portos, silos, rodovias, ferrovias e hidrelétricas, as armas ali apresentadas para enfrentar a força avassaladora do agronegócio — força econômica, geopolítica, cultural —, eram o turismo de base comunitária, a produção de orgânicos, o fortalecimento de programas federais de apoio à agricultura familiar (aquisição de alimentos para a merenda escolar e para a formação de estoques) e a multiplicação de iniciativas como a Feira de Agricultura Familiar da Ufopa, aptas a promover o "comércio justo e solidário".

Na plateia, o engenheiro agrônomo Adalberto Veríssimo balançava a cabeça. Como tantos outros pesquisadores comprometidos com a Amazônia, ele também estava desesperadamente em busca de projetos de desenvolvimento que se contraponham à feroz destruição em marcha. Desanimado, comentou: "Nós estamos passando as tropas em revista, e as notícias não são boas. Com essas armas nós não vamos vencer".

Se violência social e ecológica é a marca que distingue as soluções para o bioma defendidas pelo governo e por sua base ruralista e garimpeira, não há outro desfecho possível ante o modo cruento como esses agentes se apoderam dos rios e das florestas senão o colapso da natureza. À esquerda, o impasse é de outra natureza: as ideias parecem cansadas, impotentes. Não se reciclaram. Mais do que antigas, soam ineficazes.

Naquele mesmo dia do evento da Ufopa o empreendedor social Caetano Scannavino recebeu Veríssimo para jantar em sua casa, em Alter do Chão, um distrito de Santarém conhecido pela beleza de suas praias fluviais e, mais recentemente, pela crescente turbidez e toxicidade de suas águas outrora transparentes, resultado da explosão do garimpo na bacia do rio Tapajós. Assim como o paraibano Veríssimo, o paulista Scannavino também foi capturado pela força gravitacional da floresta. Toda a sua vida profissional transcorreu ali. Com o irmão, o médico sanitarista Eugênio, fundou em 1987 a ONG Saúde & Alegria, que presta assistência médica e implementa projetos de fortalecimento comunitário na bacia do rio Tapajós.

Os dois amigos ambientalistas rememoraram lutas de décadas passadas, algumas com participação direta de um ou de outro. Veríssimo passara a manhã no evento da Ufopa e o que ouvira ainda estava na sua cabeça. "A turma da Ufopa esteve no poder", disse. "O governo do Lula estava atento à agricultura familiar. Teve dinheiro subsidiado do Pronaf [Programa Nacional de Fortalecimento da Agricultura Familiar], teve sensibilidade para o problema dos sem-terra. A área total de assentamentos na região, a reforma agrária na Amazônia Legal, é de uns 300 mil quilômetros quadrados. Isso dá 6% da Amazônia, ou o estado do Rio somado com o de São Paulo. O Brasil destinou terras expressivas para os pequenos. Existe aí o elemento da justiça social, mas como projeto de desenvolvimento sustentável é um profundo fracasso." Alguns dilemas centrais nunca foram equacionados: "Se você tem lotes de trezentos hectares para subsistência, a agricultura de subsistência vira agricultura de corte e queima. É agricultura de desmatamento, não tem jeito. E aí começa o conluio com a madeira, com o garimpo, com a pecuária. Sai caro para o meio ambiente e caro para o Estado, mas há quem faça uma defesa ideológica desse sistema".

Scannavino aquiesceu. A situação vinha se agravando: "O governo elimina a saúde, o saneamento, a educação, corta praticamente todos os serviços sociais prestados pelo Estado", disse. "Aí o filho do índio fica doente. A quem ele vai pedir dinheiro pro remédio? Ao madeireiro, ao garimpeiro, que imediatamente respondem: 'Sim, claro!'. E pronto: a partir desse momento o madeireiro e o garimpeiro viram a solução. O governo joga essas populações desassistidas no colo da atividade ilegal."

De fato, áreas de assentamento não têm apresentado bom desempenho ambiental. Segundo o Prodes, entre 2013 e 2020 a maior parte do desmatamento ocorreu em terras públicas não destinadas* — 42% de tudo o que se derrubou estavam nelas. Os assentamentos vêm em seguida. Eles foram responsáveis por cerca de um quarto de toda a devastação florestal ocorrida na Amazônia Legal nesse período. O exemplo vale sobretudo para o produtor familiar assentado em regiões com pouca infraestrutura e sem acesso a mercados. (Terras indígenas são a categoria fundiária com os menores índices de desmatamento.)

O quadro é agravado por equívocos de política pública. Um relatório do Instituto de Pesquisa Ambiental da Amazônia (Ipam) mostra que entre 2001 e 2012 cerca de 70% dos recursos que o Pronaf destinou para a Amazônia Legal financiaram a pecuária, vetor principal do desmatamento no bioma. A proporção dedicada à atividade aumentou ao longo do tempo, passando de 60% em 2001 para 80% em 2011-2. O pesquisador Paulo Barreto atualizou os dados para o quinquênio 2015-20: no período, a pecuária representou 90% de todo o financiamento. A produtividade média da atividade nessas áreas de assentamento é ainda menor do que a praticada nas propriedades maiores, já em si muito baixa. É o Estado brasileiro financiando o atraso.

Era tarde e a conversa já ia morrendo quando Veríssimo se virou para Scannavino:

— Caetano, nós tínhamos três tarefas para cumprir nesses últimos vinte anos.

— Nós quem?

---

* Terras não destinadas são áreas que não foram delimitadas como Unidade de Conservação, área quilombola ou terras indígenas, mas que pertencem ao poder público.

— Nós, a sociedade civil, as organizações que estão aqui na Amazônia, a academia, os ambientalistas. Nós — disse Veríssimo, indo e vindo com o indicador entre o peito de Scannavino e o dele próprio.

— Que tarefas?

— Entender como o desmatamento acontecia. Isso a gente fez. Criar estratégias para diminuir o desmatamento. Isso a gente também soube fazer. O que nós não fizemos foi apresentar um novo projeto de desenvolvimento para a Amazônia.

A falha descrita por Adalberto Veríssimo remete a um impasse profundo: esse modelo alternativo existe?

A Amazônia dos bois e da soja, dos tratores e dos fertilizantes, da produção de proteína animal e de ração para animais que serão convertidos em proteína — a Amazônia comandada pelo agronegócio, em suma — é o modelo que existe hoje. "Nós não temos outro", reconheceu em 2019 o governador do Pará, Helder Barbalho, durante a conferência sobre a Amazônia na Universidade de Princeton. Nesse modelo, a floresta compete com a produção. E perde sempre.

A capa de uma publicação de 1971 da Sudam, é uma representação exemplar desse fato.

Duas imagens idênticas ocupam a área abaixo do título. É a figura da "Amazônia ontem, hoje, amanhã". Lê-se a ilustração de cima para baixo. No alto, fazendo as vezes de *ontem*, uma floresta; logo abaixo, no papel de *hoje*, um trator na mata já desbastada; no pé da página, representando o *amanhã*, um prédio de vários pavimentos e uma fábrica cujas chaminés expelem orgulhosamente a fumaça da civilização industrial. As árvores se foram — todas. Uma linha sinuosa liga as três ilustrações: pode ser o ca-

minho que o trator tomou para construir o futuro, pode ser a figuração simbólica do progresso, que, embora forçado a fazer desvios, avança sempre, até a utopia final de um mundo urbano e sem florestas. A única diferença entre as duas imagens é a cor. A da esquerda é marrom; a da direita, verde. Se levarmos em conta que 25% de tudo o que foi destruído na Amazônia está abandonado, a imagem da esquerda representa melhor o progresso decantado pela *Sudam em Revista*. É a cor da terra nua.

O economista Juliano Assunção, da PUC-Rio, que há anos vem se dedicando a compreender a natureza dos impasses econômicos e sociais que caracterizam o bioma,* faz uma observação importante: "Nenhuma das grandes cadeias produtivas desenvolvidas na região se beneficia do fato de estar na Amazônia".

Centenas de milhares de pessoas foram atraídas para o Norte com a promessa de riqueza fácil, sem que o Estado brasileiro tivesse um plano para se valer das vantagens comparativas do lugar. Do que a floresta é capaz? Essa pergunta não foi feita em momento algum.

Isolados das outras partes do país, distantes dos mercados, vivendo numa região imensa em que toda infraestrutura é necessariamente dispendiosa e de difícil manutenção, esses brasileiros foram incentivados a tirar a madeira e a trocar a selva por pastos e alguma lavoura. Um dia o Estado os alcançaria. No futuro, diziam, a Amazônia alimentaria o mundo. Era esse o seu destino. O pecuarista Mauro Lúcio de Castro Costa, cuja fazenda se situa no município de Tailândia, no nordeste paraense, tem um bom comentário a esse respeito: "Dizem que a vocação da Amazônia é a produção agropecuária. Mentira. A vocação da Amazônia é a produção de mato. Eu sei o custo danado que tenho pra impedir que a floresta tome conta de tudo".

---

* Em parceria com Adalberto Veríssimo, Juliano Assunção coordena o projeto Amazônia 2030, uma iniciativa de pesquisadores brasileiros para desenvolver um plano de desenvolvimento sustentável para a Amazônia brasileira. Vários estudos citados neste capítulo foram encomendados pelo projeto. O Amazônia 2030 contou com o apoio do autor.

Numa ótica estritamente produtivista, sem levar em conta o custo ecológico e a violência contra populações originárias,* a aposta agropecuária foi bem-sucedida nas zonas mais secas da Amazônia Legal, que representam 17% do território. Nos 83% restantes, área que na prática se limita ao bioma amazônico — à floresta propriamente dita —, as condições climáticas são por demais desfavoráveis. Chuvas torrenciais lavam o solo que a lavoura pôs a nu. Lama e erosão desfazem as estradas construídas para escoar a produção. A pecuária ainda é possível — formar um pasto medíocre requer menos competência e capital do que plantar um campo de soja —, mas é quase certo que seja uma atividade de baixa produtividade, de característica extensiva, com pouquíssimos animais por hectare, a prodigalidade incomensurável da floresta trocada por um quase nada que o olho registra sem dificuldade como terra em ruínas. Estudos dos anos 2000 indicam que, na época, a melhor opção de uso do solo nessa Amazônia úmida seria o manejo florestal sustentado. Muitas empresas se especializaram nessa área — o Serviço Florestal Brasileiro foi criado com a finalidade de cuidar da atividade —, mas nem de longe elas representam o modelo dominante na região. Faltam recursos, estratégia e, nos últimos anos, repressão às atividades ilegais que sabotam a competitividade do manejo sustentável.

A primeira área de concessão florestal na Amazônia foi estabelecida em Rondônia e adquirida em 2008 pela Amata,** empresa sediada em São Paulo. Os primeiros quatro anos transcorreram sem dificuldades. Entre o quarto e o oitavo ano, os madeireiros ilegais foram chegando cada vez mais perto dos limites da conces-

---

* De um fazendeiro na Amazônia citado na biografia de Daniel Ludwig: "Veja bem, eu sou cristão. Não acho que índio bom é índio morto, como dizem os gringos. Mas acredito, sim, que o único índio bom é o índio sem terra".
** O autor tem ações da Amata.

são. Em abril de 2019, o Ibama e o Instituto Chico Mendes de Conservação da Biodiversidade (ICMBio) deflagraram várias operações de repressão contra esses grupos. As ações aconteceram tanto no interior da área de responsabilidade da empresa quanto fora dela, e nos dois casos houve prisões e destruição de maquinário usado na atividade ilegal, procedimento previsto nas leis ambientais.

Uma dessas ações repressivas, executada bem próximo ao perímetro da área de concessão, provocou a reação imediata de Jair Bolsonaro e de seu então ministro do Meio Ambiente, Ricardo Salles. Por exigência do presidente, foi aberta uma ação administrativa contra os fiscais do Ibama. Salles determinou que dali por diante estava proibida a destruição de equipamento confiscado. A situação não seria diferente se uma plataforma pirata de petróleo começasse a retirar óleo na fronteira de um bloco do pré-sal concedido à Petrobras, à Shell ou à BP, e o presidente da República e o ministro de Minas e Energia fizessem um destampatório contra quem reprimiu o delito, em vez de uma declaração enérgica de apoio aos concessionários — que, afinal, pagam ao governo pelo direito de estar ali.

Em 2020 a Amata devolveu a concessão. A ação de criminosos tirou de operação a primeira concessionária de um sistema criado para demonstrar a viabilidade do manejo em florestas nacionais. O que nos traz de volta à observação do economista Juliano Assunção sobre como as grandes cadeias produtivas na Amazônia não se beneficiam de estar onde estão. Pelo contrário, até. Hoje, produzir no bioma se tornou um ônus.

Luiz Gonzaga, o ex-pecuarista de Capitão Poço que substituiu pastos por bosques de teca, árvore de grande aceitação nos mercados internacionais, é um bom exemplo das dificuldades que a destruição da Amazônia traz para quem trabalha conforme as regras. Ao tentar vender sua madeira para uma empresa norte-americana, descobriu que o fato de estar no Pará era um obstáculo instransponível. "Eles não acreditam nos nossos documentos. Eu acho que o prejuízo nem começou. Você tá na Amazônia…" Não é um caso isolado.

Leônidas Souza e seu filho Leônidas Dahás são donos da Ebata Produtos Florestais Ltda., madeireira com sede em Icoaraci, distrito industrial de Belém. Catarinense de Joaçaba, Leônidas Souza chegou ao Pará em 1973, com dezessete anos, e logo entrou para o negócio de madeira. Foi madeireiro à moda da época, o que significa que passou boa parte da vida tirando seus proventos de uma ocupação que prosperava na economia informal. "A maior novidade do setor foi o sistema de concessão de florestas públicas", diz. "Demorou bastante até virar lei, um erro, porque enquanto isso a floresta era derrubada. Mas tudo bem, Marina [Silva] fez, tomou a iniciativa." A Ebata explora duas áreas que somam 55 mil hectares dentro da primeira floresta outorgada do Pará, a Floresta Nacional de Saracá-Taquera, no noroeste do estado.

Numa manhã de setembro de 2019, um holandês se materializou na porta da empresa. Havia chegado naquele mesmo dia e batera lá sem aviso. Era um cliente. "Não veio comprar, queria vistoriar o nosso pátio e compreender o que está se passando na Amazônia", disse Leônidas filho. O homem estava com dificuldade para revender a madeira importada da Ebata: "Nunca tinha acontecido uma visita dessas. Nós usamos agentes para comercializar a madeira, agora foi o cliente direto que veio", disse Leônidas pai. Leônidas filho acrescentou: "O problema é que o cliente olha a madeira e só vê o desmatamento. Mas ninguém olha pro plástico e pensa no petróleo".

Até pensa, mas Leônidas Filho não deixa de ter certa razão. Quando um governo encampa uma política antiambiental, é muito difícil que a floresta em chamas não se materialize na cabeça de um norte-americano ou de um europeu prestes a decidir se forra ou não o piso da sala com assoalho de madeira amazônica.

Piorou a situação? "Só para os legais", lamentam os dois Leônidas em uníssono. "Para os ilegais, nada", confirma o filho. "Você liga pra quem se quiser falar com o ilegal? Ele não tem telefone. Somos nós que aparecemos."

Em Novo Progresso, um pecuarista que não quis dar o nome por receio de represália dos pares — na época da conversa, também setembro de 2019, o Sindicato dos Produtores Rurais do município era dirigido por Agamenon Menezes, acusado de liderar o Dia do Fogo, em 10 de agosto — fez um desabafo: "A vida está ficando cada vez mais difícil porque a região está adquirindo a fama de só ter bandido, o que complica cada vez mais o escoamento da produção".

Não é uma opinião solitária. Osvaldo Romanholi, o ex-prefeito de Novo Progresso, diz coisa parecida: "Sem investimento isto aqui não avança, e não tem investimento por causa da desordem. A mineradora chega e pergunta: 'O que tem aqui?'. 'Ouro.' 'E como é?' 'Garimpo.' 'Opa, então não quero'". Um relatório de 2020 do Instituto Igarapé, organização que se dedica a estudar a relação entre violência e desenvolvimento, afirma que o garimpo está cada vez mais imbricado com o tráfico de drogas. Qualquer empresa que se instale em regiões dominadas pela ilegalidade terá que se haver com três tipos de risco: os pessoais, incorridos pelos seus funcionários; os econômicos, causados pela ação do banditismo; e os de reputação, que podem afetar a marca corporativa.

Um trabalho de 2021 liderado pelo economista Rodrigo Soares, do Insper, estudou o crescimento vertiginoso da taxa de homicídios na Amazônia Legal a partir do início do século XXI. Considerando os vinte anos entre 1999 e 2019, Soares e dois colaboradores, Leila Pereira e Rafael Pucci, ambos do Climate Policy

Initiative (CPI) da PUC-Rio, escrevem: "A região, que tinha níveis relativamente baixos de violência até o fim da década de 1990, se tornou uma das mais violentas do país no período recente. Colocando em perspectiva, se fosse um país, em 1999 a Amazônia ocuparia a 26ª posição entre as taxas de homicídio mais altas do mundo (segundo o ranking do Health Metrics and Evaluation). Já em 2017, a região ocuparia a 4ª posição nesse mesmo ranking, ficando atrás somente de El Salvador, Venezuela e Honduras".

O estudo, intitulado "Ilegalidade e violência na Amazônia", mostra que se em 1990 os índices estavam abaixo dos registrados no resto do país, hoje eles são o dobro da média nacional. Como vimos,* a presença do garimpo, da extração ilegal de madeira e da grilagem de terras em municípios com até 100 mil habitantes é um bom preditor daquilo que os pesquisadores chamam de "excesso de violência" — número que "corresponde ao total de vidas que teriam sido salvas caso os municípios pequenos da região tivessem mantido, ao longo dos últimos vinte anos, taxas de homicídio semelhantes àquelas observadas nos municípios pequenos do restante do Brasil". No caso, 12 160 vidas seriam salvas entre 1999 e 2019, ou seja, mais de uma dezena de milhar de homens, mulheres e crianças não teriam sido assassinados caso a violência na região não houvesse se descolado da do resto do país. A pesquisa revelou que um número relativamente pequeno de municípios "sob maior risco de atividades ilegais associadas a grilagem e extração ilegal de madeira e ouro é responsável, em média, por 70% desse 'excesso de violência'".

Recentemente, esse quadro vem se alterando, e não porque municípios que reúnem as três atividades ilegais tenham se tornado menos violentos. Ao contrário. Outros fatores vêm se im-

* Ver a terceira nota da p. 151.

pondo como causa de uma violência ainda maior. Soares, Pereira e Pucci explicam: "De fato, a análise estatística indica que municípios sob risco de crimes ambientais se tornam menos relevantes na explicação do 'excesso de violência' da região nos últimos cinco anos do período estudado. Isso ocorre não porque esses municípios tenham se tornado menos violentos, mas porque níveis elevados de violência se tornam muito mais comuns na região. Parte desse padrão parece decorrer do papel crescente que a região vem assumindo no tráfico internacional de drogas, com municípios situados nas rotas hidroviárias e rodoviárias usadas pelo tráfico registrando aumentos excepcionais de violência".

O ciclo de crescimento da violência verificado pelos pesquisadores foi interrompido apenas duas vezes, a primeira delas entre 1991 e 1997, a segunda de 2007 a 2012. A razão dessa queda ainda é uma questão aberta. Pode-se, contudo, especular. De 1990 até seu impedimento, em 1992, Fernando Collor pôs em prática uma política eficaz de combate ao garimpo cujos desdobramentos talvez tenham se estendido para além do seu governo. Isso explicaria a primeira queda. Quanto à segunda, é no mínimo digno de atenção que o alento nos índices de homicídio corresponda aos anos de redução do desmatamento no Brasil, processo que se iniciou em 2005 e seguiu em queda livre até 2012, quando se registra a menor taxa de destruição da floresta de toda a série histórica. Esse é o período das grandes ações do governo contra os crimes ambientais. São os anos do PPCDAM.

A partir de 2013, a violência na Amazônia Legal voltou a crescer, uma tendência que, com algum intervalo, foi seguida pela taxas de desmatamento. É importante notar que em 2012, portanto um ano antes do repique da violência, o Congresso aprovou um novo Código Florestal. A nova lei reduziu a reserva legal de certa categoria de propriedade, diminuiu as áreas de proteção permanente (beira de rios, topo de morros e encostas) e facilitou a conversão de multas em reflorestamento para quem desmatou até 2008, o que na prática corresponde à anistia do crime. Na medida em que as mudanças premiaram a vida de quem havia delinquido, representaram um incentivo para quem pensava em delinquir — se o crime de ontem foi perdoado hoje, o crime de hoje poderá ser perdoado amanhã. Isso decerto contribuiu para que se interrompesse ali a queda do desmatamento no Brasil. A violência acompanhou a onda.

Crimes ambientais estão enraizados na vida política e econômica da região. Como mostrou Robert R. Schneider, cidades de fronteira desenvolvem uma economia da fronteira, o que quase sempre significa viver de atividades ilegais. É bastante comum que lideranças políticas locais sejam oriundas desse mundo, prefeitos que mantêm laços econômicos com o garimpo (como era o caso de Novo Progresso) ou que foram denunciados por roubo de terra e desmatamento (Itaituba). Caetano Scannavino chama esse estado de coisas de *cultura do ilegalismo*: "Não adianta falar de desenvolvimento sustentável sem antes resolver a cultura do ilegalismo que impera na região, onde legal é o ilegal, onde aqueles que grilam terras, derrubam árvores ou contaminam rios ditam regras como 'cidadãos de bem' que movem as economias locais em nome do progresso", escreveu ele num artigo para a *Folha de S.Paulo*. O relatório do Instituto Igarapé confirma o quadro: "Fatores como altas taxas de impunidade, acesso inadequado a serviços públicos e escassez relativa de empregos formais praticamente asseguram que crimes ambientais se tornem um meio de vida para certas populações. Por exemplo, algumas pequenas cidades ribeirinhas são completamente dependentes das receitas dos delitos ambientais, o que se desdobra numa complexa economia política de apoio tanto público quanto privado à manutenção de um status quo ligado ao mercado negro".

O que acontece hoje na Amazônia lembra, em grande escala, o desregramento que ajudou a esvaziar economicamente o Rio de Janeiro. O crime ocupa cada vez mais território, afastando os bons investimentos. Entre 2011 e 2017, quando dirigiu um programa de regularização ambiental na Secretaria de Desenvolvimento Econômico do Pará, o advogado Justiniano de Queiroz Netto tentou convencer os grandes fundos internacionais a investir na região. "Ninguém se comoveu. Fiz rodadas de prospecção em São Paulo, fui no Carlyle, em vários outros. Empresas que já estão aqui querem desinvestir. Pôr dinheiro na Amazônia é um problema."

Vários grupos empresariais consolidados desistiram da região. Só no ramo madeireiro, a dinamarquesa Nordisk Timber desfez os investimentos na Amazônia e foi embora por não conseguir assegurar a origem da madeira comprada. "Venderam tudo", diz Netto, referindo-se aos donos estrangeiros. Uma subsidiária da multinacional francesa Saint-Gobain também partiu. E a Eidai, do grupo Mitsubishi, que chegou a ser a maior madeireira da Amazônia, jogou a toalha depois de ser achacada. A empresa reagiu gravando o achacador, um superintendente do Ibama que foi preso em maio de 2000. Feita a denúncia, a Eidai arrumou as malas e se despediu da Amazônia.

Em janeiro de 2021, o banco norte-americano J. P. Morgan publicou um relatório de 63 páginas intitulado *Grow, Forest, Grow* [Cresça, floresta, cresça], em que analisa os riscos financeiros a que estão expostos os grandes frigoríficos brasileiros que operam na Amazônia. O texto começa com a afirmação de que a destruição da floresta comporta dimensões geopolíticas e econômicas, pois põe em dúvida tratados comerciais e pode acarretar sanções aos produtos brasileiros. O quarto parágrafo aponta o principal responsável: "A pecuária é um grande vetor do desmatamento no Brasil [...]. 88% do desmatamento no bioma amazônico entre 2010 e 2015 ocorreu em áreas potencialmente destinadas à atividade". O banco afirma em seguida que nenhum dos principais frigoríficos em atividade na área — JBS, Marfrig, Minerva e BRF — "encontrou ainda uma solução para rastrear toda a cadeia de fornecedores indiretos".

O problema é bem conhecido. Não basta certificar-se de que o boi que acaba de chegar ao frigorífico foi embarcado numa fazenda em dia com a legislação ambiental. É preciso conhecer toda a história do animal, de modo a evitar que o último pouso não seja apenas uma escala astuciosa para apagar as marcas do desmatamento. É uma prática comum. Vamos chamá-la de *lavagem bovina*: nascido e engordado em área irregular, o animal só é transferido para uma propriedade legal meses antes do abate. O problema se resolveria facilmente com o rastreamento eletrônico de cem por cento do rebanho, tecnologia adotada por inúmeros países, alguns dos quais incomparavelmente mais pobres do que o Brasil. Os ruralistas brasileiros sempre se opuseram a qualquer legislação nesse sentido.

Uma investigação do Ministério Público do Pará em 2020 descobriu que, entre janeiro de 2018 e julho de 2019, a JBS, maior empresa de proteína animal do mundo, havia comprado 301 mil animais de fazendas paraenses envolvidas com desmatamento ilegal — um terço de todas as suas compras no estado. Com base em um rol de imóveis rurais que fornecem animais para a JBS, informação que a própria empresa põe à disposição do público, o *New York Times* fez uma constatação espantosa. Georreferenciando os limites dessas propriedades, o jornal verificou que "fazendas que cobriam cerca de 2500 milhas quadradas" — cerca de 6500 quilômetros quadrados — "sobrepunham-se significativamente a terras indígenas, a uma Unidade de Conservação e a uma área desmatada após 2008, quando leis que regulam o desmatamento foram implantadas no Brasil".

Em resposta, a JBS reconheceu que, de fato, quase três quartos das fazendas identificadas na análise sobrepunham-se a terras que os órgãos de fiscalização classificam ou como desmatadas ilegalmente, ou como terras indígenas, ou finalmente como Unidades de Conservação. Contudo, argumentou, no momento em que passaram a fornecer animais para a JBS, tais imóveis já haviam entrado em conformidade com a lei, seja pagando multas, seja redefinindo seus limites, seja ainda reflorestando as áreas desmatadas. Ainda assim, a empresa admitiu que "o grande desafio para a JBS, bem como para toda a cadeia da carne, é monitorar os fornecedores dos nossos fornecedores, uma vez que não temos informações sobre eles".

As duas maiores concorrentes da JBS no país, as empresas Marfrig e Minerva, admitiram a mesma coisa. As três se disseram surpresas quando o *New York Times* as informou que estavam abatendo animais criados numa fazenda de Rondônia cujo proprietário, falando ao repórter, se vangloriara de "ter derrubado a floresta e de não ter pago pela terra". Tampouco se constrangera em informar que organizava suas vendas de maneira a esconder a origem de seu gado, vendendo-o, antes do abate, a um intermediário legal.

A onipresença de tais práticas criminosas na região, aliada à falta de disposição do governo em combatê-las, explica por que a ratificação do acordo comercial entre a União Europeia e o Mercosul vem enfrentando resistência em vários parlamentos nacionais. Um estudo de 2020 conduzido pelo Imazon em parceria com universidades norte-americanas atestou que, se validado sem salvaguardas ambientais mais consistentes, o acordo gerará um desmatamento adicional de até 260 mil hectares nos países do bloco sul-americano (a soma dos territórios das cidades do Rio de Janeiro e de São Paulo), estando 55% dessa área nos biomas Cerrado e Amazônia. Assim que a informação veio à luz, uma eurodeputada alemã tuitou: "Em qualquer cenário atual, o acordo levará a um possível desmatamento de até 173 mil hectares só no Brasil = mais que toda a área de desmatamento anual da UE".

Ruralistas e governo rechaçam essas resistências. Dizem que não passam de cortina de fumaça para defender com tinturas ambientais as práticas protecionistas da agricultura europeia. Seria ingênuo negar que existe protecionismo. Igualmente míope é refutar a existência de razões climáticas, ecológicas, morais e civilizatórias para nos preocuparmos com a floresta. De todos os equívocos da atual política ambiental, talvez o maior seja não perceber que, para os concorrentes do Brasil, a razão econômica — a defesa de interesses protecionistas — converge perfeitamente para a razão ambiental. Quanto mais o Brasil desmata, mais os produtores europeus se sentem seguros. "No mercado só tem gente sabida", diz Mauro Lúcio de Castro Costa, o pecuarista do município de Tailândia. "Qualquer ferramenta que puderem usar para desvalorizar o meu produto, eles usarão." O Brasil tem sido pródigo em fabricar essas ferramentas. Marcello Brito, presidente do Conselho Diretor da Associação Brasileira do Agronegócio, resume o problema: "As três palavras que mais ocorrem nas pesquisas sobre o agronegócio brasileiro são *desmatamento, indígena* e *agrotóxico*".

Essa combinação de ilegalidade, degradação ambiental e fuga de grandes empresas é letal. "O risco da Amazônia está se tornando grande demais", lamenta Adalberto Veríssimo. "O perigo é que não vamos ter bons investidores, os caras grandes, que têm grandes estruturas e precisam prestar contas. A empresa que vem para cá tem que se haver com o drama social, a criminalidade e o problema ambiental num território sem Estado. Isso afugenta. O perigo não é a Bunge [multinacional de alimentos] ou a Eidai, mas o grileiro e o garimpeiro amparados pelo crime." O perigo iminente é uma Amazônia entregue aos bandidos.

A ilegalidade que se espalha pela região sem suscitar reação do governo — pelo contrário até: no caso do garimpo e da grilagem, não é exagerado dizer que estão se tornando endêmicos graças a seu concurso — complica um quadro que já seria preocupante sem tamanho descontrole e impunidade. Isso porque, ao entrar na terceira década do século XXI, o modelo econômico que prevalece na região, baseado essencialmente no agronegócio, se vê diante de várias ameaças. Numa lista que nada tem de exaustiva, pode-se listá-las: climática, que provocará mudanças drásticas no regime de chuvas; política, pelo risco de sanções, embargos e boicotes; geográfica, pois os trópicos serão particularmente afetados pelo aquecimento do planeta; cultural, provocada pela mudança dos hábitos alimentares das novas gerações; tecnológica, pela revolução em curso nas formas de produzir comida.

Cada um desses riscos traz consequências potencialmente desastrosas para a região. A fim de compreender a gravidade da situação, basta se debruçar sobre dois deles.

O primeiro risco diz respeito à geografia.

A Sibéria é o oposto da Amazônia. É lá que fica o vilarejo de Verkhoiansk, localizado acima do Círculo Polar Ártico. Com 1500 habitantes, Verkhoiansk disputa com outro povoado siberiano, Oymyakon, 620 quilômetros ao sul e onde vivem quinhentas almas, a distinção de ser o lugar habitado mais gelado do planeta. Na data em que essa frase foi escrita, 30 de janeiro de 2021 (dia 31 na Sibéria Central), fazia -43°C em Verkhoiansk. Seria exagero classificar a temperatura como amena para os padrões locais, porém dizer que ela trouxe algum alívio para os verkhoianskenses, isso procede. Em janeiro, é comum que eles enfrentem temperaturas de -50°C. Foi, portanto, uma surpresa quando essa cidadezinha conhecida por seu inverno inclemente virou notícia em outra estação do ano. Em 20 de junho de 2020 — início do verão na Sibéria —, a temperatura, sempre ela, levou Verkhoiansk de novo às manchetes. Naquele dia fez 38ºC no vilarejo, dezoito graus acima da média do mês, o índice mais alto já anotado ali desde o começo dos registros, em finais do século XIX, e possivelmente um recorde acima do Círculo Ártico.

O braseiro certamente não passou despercebido das autoridades russas. Um ambientalista brasileiro conta a história de um amigo seu que, no fim dos anos 1990, participou de uma reunião internacional de ministros do Meio Ambiente para discutir o aquecimento global. Por dois dias, representantes de vários países empilharam alertas sobre os desastres que se abateriam sobre o planeta e, particularmente, sobre as nações ali participantes. Falou o inglês, o americano, o francês, o brasileiro, o alemão, todos se pronunciaram. Só não falou o russo — esse não abriu a boca, só anotou. A minutos do encerramento da cúpula, o anfitrião se virou para ele e perguntou qual era, afinal, a posição de seu país. Preparando-se para o que seria o único pronunciamento oficial da delegação russa, o ministro limpou a garganta e, num inglês carregado, declarou, radiante: *"Russia is a very cold country"* [A Rússia é um país muito frio]. As notícias com as quais voltava para casa eram todas muito boas.

A Rússia tem deixado claro que pretende tirar proveito de um mundo mais quente. Em janeiro de 2020, o governo publicou um plano nacional sobre mudanças climáticas, no qual conclamou a sociedade a usufruir das "vantagens" do aquecimento. Como mostrou o *New York Times*, o documento menciona a abertura de novas vias marítimas no Ártico e períodos de plantio mais prolongados como "benefícios adicionais" a ser explorados.

De fato, no jogo de perde e ganha das mudanças climáticas a Rússia se sai relativamente bem. Um estudo publicado em 2015 na revista *Nature* dá a medida das implicações geográficas do que vem por aí. O jornal *New York Times* sintetizou assim: "Trace uma linha em volta do planeta na latitude das fronteiras norte dos Estados Unidos e da China, e praticamente qualquer lugar ao sul sairá perdendo". Isso vale para os cinco continentes. Se a emissão de gases do efeito estufa seguir na mesma toada, em 2100 a China crescerá metade do que cresce hoje; a renda per capita dos Estados Unidos será um terço menor do que seria num mundo não aquecido; no caso do Brasil, o empobrecimento será de 92%. À luz dos fenômenos climáticos, latitude é destino.

A Rússia é um dos grandes (e raros) vencedores dessa loteria. O aumento das temperaturas afetará de maneira direta os solos permanentemente congelados das tundras siberianas. Se mantivermos as atuais taxas de emissão de gases de aquecimento, nos próximos sessenta anos metade da Sibéria poderá se abrir para a agricultura. Trata-se de um território maior que a Índia, equivalente a duas Argentinas e, para chegar ao ponto, praticamente do tamanho de toda a Floresta Amazônica, isto é, da porção que se estende pelo Brasil e por mais oito países.

Não é um processo que se dará sem grandes traumas. Ainda que em 2003 o presidente Vladimir Putin tenha declarado que aquecimento global significava apenas que "vamos gastar menos com casacos de pele", não será tão fácil assim. O solo eternamente congelado das regiões frias do planeta — *permafrost*, ou pergelissolo — recobre um quarto das terras do Hemisfério Norte. A Rússia detém o maior quinhão desse vasto território, dois terços do país estão assentados nesse chão congelado. Significa que a base sobre a qual parte importante da infraestrutura do país está edificada em breve começará a se mexer. A terra firme se transformará em coisa movediça, em neve derretida, em lama. As consequências disso já apareceram. Segundo a revista *The New Yorker*, em 2016 um engenheiro do departamento de obras da cidade de Norilsk, na região central da Sibéria, declarou que 60% das edificações daquele município de 175 mil habitantes estavam condenadas em decorrência da instabilidade causada pelo degelo.

Outra fonte de dor virá dos riscos ecológicos associados à proliferação de pragas e à emergência de patógenos até então aprisionados no solo congelado. Numa manhã de 2016, ao acordar, um pastor de renas da península de Yamal, no Norte da Rússia, se deparou com o cadáver de cinquenta animais. Em pouco tempo, morreriam outros duzentos, e mais adiante, ainda oitocentos — não demoraria muito para que ele perdesse metade de seu rebanho de 2 mil renas. Veterinários levados de helicóptero identificaram a causa. Era antraz, doença infecciosa grave causada por uma bactéria encontrada no solo. Havia uma relação direta entre o surto da doença e a terrível onda de calor que fustigara Yamal naquele ano. De acordo com o relatório sanitário sobre o caso, "o surgimento de antraz foi desencadeado pela ativação de 'antigos' locais de infecção, consequência da alta anormal da temperatura atmosférica e do descongelamento do solo em níveis muito mais profundos do que se espera".

(Seres extraordinários têm brotado desse chão. Em 2015, cientistas russos extraíram um sedimento congelado de subsolo siberiano e o puseram num ambiente esterilizado dentro do laboratório. Um mês depois, um verme microscópico conhecido como rotífero bdeloídio começou a rastejar pelo chão. A datação por radiocarbono revelou que o animal tinha 24 mil anos. Antes de adormecer no gelo, aquele ser dividira o mundo do Pleistoceno com mastodontes, mamutes e preguiças-gigantes. Falando ao repórter da *New Yorker*, um pesquisador à frente do laboratório disse que o animal emergiu dessa "máquina do tempo" geológica — expressão dele — não apenas vivo mas capaz de se reproduzir. "Uma coisa é uma simples bactéria voltar à vida depois de ser enterrada no *permafrost*. Mas essa criatura tem intestinos, um cérebro, células nervosas, órgãos reprodutivos. Estamos claramente lidando com uma ordem superior de vida.")

O descongelamento do pergelissolo é um processo que se retroalimenta. Há mais carbono nesses subsolos congelados do que em toda a atmosfera — duas vezes mais, calcula-se. Quando o carbono descongela, boa parte dele é liberada na forma de metano, um dos mais potentes gases do efeito estufa que existem. Em consequência, certas regiões da Sibéria já experimentam um aumento de 3ºC em relação à temperatura da década de 1970. Não há mais garantia de que o gelo seja eterno.

A conversão de terra árida em terra agriculturável já teve início. Na cidade de Krasnoiarsk, no Sul da Sibéria, as safras de 2020 de trigo e de colza (planta de cuja semente se extrai biodiesel) duplicaram em relação às do ano anterior. A pesquisadora Nadezhda Tchebakova, nascida na cidade e que tem como objeto de estudo a ecologia do clima, disse ao *New York Times* que os números confirmavam as previsões de seu grupo, "a não ser pelo fato de que esperávamos esse resultado só para meados do século".

Em dezembro de 2015, em seu discurso de fim de ano ao Parlamento, Vladimir Putin declarou que em breve a Rússia seria "a maior exportadora mundial" de alimentos saudáveis, referência à determinação de impor limites severos ao plantio de espécies geneticamente modificadas no país. Até a invasão da Ucrânia, em fevereiro de 2022, o plano caminhava bem. A ineficiência crônica da agricultura soviética, com suas quebras desastrosas de safra, são histórias do século XX. Hoje, em relação ao trigo, por exemplo, a Rússia superou os Estados Unidos e já ocupa o primeiro lugar entre os exportadores do grão, sendo responsável por abastecer cerca de um quarto do mercado global.

São conquistas dos últimos vinte anos. Mirando o futuro, a Rússia olha para baixo, para a sua fronteira sul, além da qual se encontra o país mais populoso do mundo e, talvez em breve, também a maior potência econômica. No intervalo de um ano, de 2017 a 2018, as importações chinesas de alimentos produzidos na Rússia cresceram 61%.

A soja participa dessa novíssima pauta comercial, uma história iniciada há poucos anos, em dezembro de 2015, quando as autoridades fitossanitárias da China autorizaram a importação da soja siberiana. De lá para cá, os volumes transacionados aumentaram 51 vezes. Embora as quantidades ainda sejam pequenas — menos de 1% de toda a soja comprada pela China —, ocorre que a Rússia não pensa em anos, mas em décadas. Ela sabe, por exemplo, que as condições climáticas em latitudes abaixo de sua fronteira sul vão se tornar cada vez mais adversas para a agricultura, que o mundo tropical será fustigado por secas e queimadas. E que a Sibéria fica a menos de 3 mil quilômetros da China, enquanto o Centro-Oeste brasileiro e a Amazônia estão a 16 mil quilômetros de distância.

A ameaça geográfica tem um caráter inelutável. Um país está onde está, e contra essa condição não há o que se possa fazer. A segunda ameaça ao agronegócio brasileiro, porém, é de outra natureza. Surge como consequência de escolhas feitas ao longo do tempo — escolhas do Estado em investir em educação, ciência e inovação; escolhas de indivíduos que, amparados por um ambiente que estimula a imaginação e a audácia, e até a petulância, decidem que o status quo não é mais aceitável e partem para reinventar o que não parecia carecer de reinvenção.

Há várias maneiras de contar essa história. Uma delas começa com um almoço entre dois colegas cientistas. O ano é 2008, e Patrick Brown, professor de bioquímica em Stanford, a universidade californiana cravada no centro do Vale do Silício, está sentado diante de um prato de comida na companhia de um colega geneticista, Michael Eisen. Brown quer saber a opinião de Eisen: "Se fosse para você escolher um único problema para atacar, qual seria o maior deles?".

"Mudança climática", responde Eisen com a expressão de enfado de quem acaba de responder a uma pergunta óbvia.

Animado, Brown continua: "E qual a coisa mais grandiosa ao nosso alcance para mitigar esse problema?".

Eisen enumera algumas ideias em circulação na praça: biocombustíveis, imposto de carbono... Brown balança a cabeça: "Não, não... São as vacas!".

O diálogo acima foi reproduzido numa reportagem de 2019 da revista *The New Yorker*. O título perguntava: "Um hambúrguer pode ajudar a resolver a questão climática?". Existe 1,5 bilhão de cabeças de gado no mundo. Steven Chu, prêmio Nobel de física e secretário de Energia dos Estados Unidos no governo Obama, costuma dizer que, se todos esses animais formassem um país, a emissão de gases do efeito estufa desse formidável rebanho — basicamente metano, produzido durante a ruminação, o processo digestivo dos bovídeos — ultrapassaria a da União Europeia, perdendo apenas para a da China e a dos Estados Unidos.

A criação de animais para consumo é uma prática extraordinariamente agressiva com o meio ambiente. Alguns dados reunidos pela *New Yorker*: a agricultura consome mais água do que qualquer outra atividade humana, e quase um terço da produção agrícola se destina ao consumo de animais; um terço das terras agricultáveis do mundo é usado no plantio de ração animal; derrubar florestas para formar pastos — nos últimos 25 anos, uma área equivalente à da América do Sul sofreu essa conversão — "transforma um sumidouro de carbono num dilúvio de carbono". O que era solução virou problema — paisagens que antes absorviam gases do efeito estufa agora passam a despejá-los na atmosfera.

Diante desse quadro, compreende-se o diagnóstico de Patrick Brown. A pecuária tem um impacto extraordinariamente deletério sobre o meio ambiente. Juntos, os cinco maiores produtores mundiais de laticínios e proteína animal emitem mais do que Shell, Exxon ou BP. Animais de corte respondem por quase 15% das emissões mundiais de gases do aquecimento. "O uso de animais na produção de alimentos é de longe a tecnologia mais destrutiva da Terra", costuma dizer Patrick Brown. O pesquisador tentou convencer políticos e burocratas de agências governamentais da necessidade de mudar radicalmente o modo como se produz proteína animal. Organizou seminários em Washington e publicou relatórios sobre os riscos ambientais da pecuária. Por fim, passados três anos da conversa com seu colega de Stanford, Brown chegou à conclusão de que o impacto que ele próprio causava como cientista era quase nenhum. Então tomou uma decisão drástica: deixaria a academia para virar inventor — no caso, de alimentos, ou, mais especificamente, de carne. Sua aposta era clara: a estratégia mais eficaz para enfrentar os problemas resultantes da produção industrial de proteína animal seria oferecer ao consumidor uma alternativa competitiva, isto é, uma carne de laboratório sem nenhum dos custos ambientais associados à pecuária tradicional.

Em 2011, Brown fundou a Impossible Foods, uma start-up tecnológica sediada na Califórnia cujo objetivo era desenvolver substitutos vegetais para a carne. O bioquímico "reuniu uma equipe de cientistas que encararam a tarefa de simular um hambúrguer como se a empreitada fosse a Missão Apollo", escreve a *New Yorker*. O desafio era competir de igual para igual — em textura, sabor, aspecto e preço — com o produto encontrado nos açougues do mundo.

Em 2016, a versão 1.0 da iniciativa veio à tona (já existe a versão 2.0). Batizado de Impossible Burger, cada "bife" requer menos 87% de água do que um hambúrguer convencional e ocupa uma área 96% menor para ser produzido. Sanduíche por sanduíche, esse ganho excepcional no uso da terra, associado à eliminação da ruminação bovina, explica por que o produto emite menos 89% gases do efeito estufa que seu concorrente de carne natural. Em testes cegos de sabor, metade dos entrevistados não conseguiu distinguir entre o hambúrguer do supermercado e o da Impossible, que, fazendo jus ao nome da marca, chega a sangrar como seu congênere animal.

Os investidores abriram os olhos para os resultados obtidos já na primeira tentativa realizada por uma empresa que mal completara cinco anos. Bill Gates e Google são alguns dos atuais acionistas da Impossible Foods. Em 2018, 5 mil restaurantes espalhados pelos cinquenta estados norte-americanos já ofereciam o produto. A partir de agosto de 2019, a rede Burger King incluiu o Impossible Burger no cardápio de todas as suas lojas no país. Em meados de 2020, a Impossible Foods foi avaliada em 4 bilhões de dólares; um ano antes, valia a metade disso. Em 2021, o produto já era encontrado em 45 mil pontos de venda na América do Norte e Ásia.

São números robustos, mas pequenos quando comparados aos da concorrente Beyond Meat [Mais do que carne], que também oferece produtos vegetais análogos aos de origem animal e cujo slogan é "O futuro da proteína". Fundada em 2009 e igualmente com sede na Califórnia, a empresa está valendo 1,75 bilhão de dólares na bolsa Nasdaq, de Nova York, o que lhe dá 50% do tamanho da multinacional brasileira BRF, nascida da fusão entre a Sadia e a Perdigão. A Marfrig, outra grande empresa brasileira do ramo e também com forte presença internacional, é descrita na Wikipédia como "uma das maiores companhias de alimentos à base de proteína animal do mundo". A Beyond Meat vale quase uma Marfrig. Só continua longe da terceira grande multinacional brasileira do setor alimentício, a JBS. Por quanto tempo, não se sabe.

Isoladamente, nenhuma dessas novas empresas conseguirá abalar o mercado mundial de carne. Contudo, elas devem ser vistas como experimentos bem-sucedidos, provas do conceito de que é possível revolucionar a produção tradicional de alimentos. Existe hoje uma febre de inovação no campo da indústria alimentícia e muito se fala em biotecnologia sem que se saiba direito o que o termo significa. Pois bem: no caso, é disso que se trata.

Nenhum tipo de alimento está imune ao processo. Os perecíveis são um exemplo. Na periferia de grandes cidades norte-americanas — Houston, Denver, Seattle, Honolulu, St. Paul — começam a aparecer estufas do tamanho de cinquenta campos de futebol. Dentro delas, sem fazer uso de um só punhado de terra, tomates e alfaces crescem sorvendo uma solução de água de chuva e nutrientes. São fazendas hidropônicas, também conhecidas como fazendas verticais, onde o meio aquoso (*hidro*) faz o trabalho (*ponos*) da terra. Nos Estados Unidos, elas já somam mais de 2900 unidades e, em 2020, receberam 929 milhões de dólares em investimentos.

Os novos fazendeiros vestem jaleco e recorrem à inteligência artificial para extrair das frutas e dos vegetais sabores e texturas que atendam a demandas específicas do mercado. Como essas instalações podem funcionar em qualquer lugar e não dependem de circunstâncias climáticas, produzem perecíveis a poucos quilômetros do consumidor final, reduzindo drasticamente tanto o custo de transporte como o tempo entre a colheita e o prato. Falando ao *New York Times*, um entusiasta da hidroponia de alta tecnologia afiançou que essas novas fazendas são cem vezes mais produtivas do que as tradicionais e usam 95% menos água. Outros empreendedores afirmam serem capazes de cultivar num único hectare a mesma quantidade de alimento que uma fazenda tradicional produz em 390 hectares — e sem usar um mililitro de pesticidas. A concorrência, dizem, não é o pequeno agricultor que zela pela qualidade do solo, mas a monocultura. Fazendas hidropônicas são uma nova forma industrial de agricultura, opondo-se, portanto, não à lavoura artesanal ou biodiversa, mas aos grandes sistemas alimentares derivados da plantation.

As soluções para a substituição da proteína animal são objeto de uma corrida ainda mais acelerada. As alternativas passam não só por similares vegetais, mas também pela produção de carne de laboratório — carne de verdade, real, cultivada em pipetas e placas de Petri — e pelas proteínas derivadas da fermentação de microrganismos como fungos. As urgências climáticas, o efeito deletério da pecuária sobre o meio ambiente, as novas tendências de consumo, tudo direciona o interesse do dinheiro e da competência científica para iniciativas desse tipo.

"Uma pesquisa recente [2019] da consultoria global Kearney aponta que, até 2040, 60% da carne consumida no mundo não será proveniente de animais", registra o site InfoMoney. A alternativa? Um relatório publicado em 2019 pela ONU e pelo Banco Mundial, em parceria com a ONG World Resources Institute, estima que, mantidos os atuais padrões de produção, alimentar o mundo até 2050 implicará eliminar praticamente todas as florestas remanescentes do planeta.

Dizem que o problema dos fabricantes de diligências foi não ter compreendido que estavam no ramo de transportes, não no de diligências. Quando vieram os trens e os deslocamentos sobre trilhos em geral, a atividade deles se tornou obsoleta. A Marfrig parece estar atenta a esse risco de se manter muito apegada às diligências. No Brasil, é ela quem produz o hambúrguer à base de vegetais vendido na rede Burger King. O produto é certamente uma parte minúscula de seus negócios, mas tem duas serventias importantes: permite à empresa alardear credenciais verdes — estando a pecuária brasileira irremediavelmente contaminada pelo desmatamento, gestos corporativos como esse entram no que o jargão chama de *greenwashing*, ou lavanderia verde —, além de ser uma oportunidade para testar as águas desse novo mundo "mais do que carne".

Não mudar pode ser uma estratégia fatal, a reprodução da velha miopia que pôs fim ao período de ouro da borracha, atingido fatalmente pela concorrência mais eficaz vinda do Sudeste Asiático. Uma vez mais, as classes produtivas brasileiras podem sucumbir por serem tecnologicamente ineptas. Em 2019, o *think tank* anglo-americano RethinkX, especializado em analisar e prever a velocidade, a escala e as implicações socioeconômicas das disrupções causadas pela introdução de novas tecnologias, divulgou um relatório sobre o futuro da agricultura e da indústria de alimentos. Evitando os riscos das previsões de longo prazo, os autores Catherine Tubb e Tony Seba delimitaram o horizonte temporal, concentrando-se nas transformações que o setor alimentício deverá sofrer ao longo da década que estamos vivendo, com término em 2030. Eis o início:

> Estamos à beira da disrupção mais profunda, mais rápida e de maiores consequências já ocorrida na agricultura e na produção de alimentos desde a primeira domesticação de plantas e animais há 10 mil anos. Trata-se primariamente de uma disrupção que diz respeito a proteínas e cuja causa é econômica. Em 2030, o custo das proteínas [alternativas] será cinco vezes menor que o das proteínas de origem animal existentes hoje; em 2035 elas custarão dez vezes menos, chegando por fim a se aproximar do custo do açúcar. [Esses similares] serão também superiores em todos os atributos que contam: serão mais nutritivos, mais saudáveis, mais saborosos e mais convenientes, já que de uma variedade quase inimaginável.

É preciso tomar esses exercícios de futurologia com cautela. No entanto, o fato de os pesquisadores terem limitado a análise a uma década apenas, a contar do presente, significa que muitas tendências identificadas já estão em curso, o que acrescenta alguns graus de confiabilidade ao trabalho. Segundo os autores, os setores que mais sofrerão com as mudanças serão a pecuária e a indústria de laticínios. "Sendo a parte mais ineficiente e economicamente mais vulnerável desse sistema de produção de alimentos, os derivados bovinos serão os primeiros a sentir toda a força disruptiva do alimento high-tech. As alternativas modernas serão cem vezes mais eficientes no uso de terra, de 10 a 25 vezes mais eficientes no uso de matéria-prima [...] e dez vezes mais eficientes no uso da água", afirma o relatório. Quando se alcançar a paridade de preço — e os os autores acreditam que isso ocorra até 2023 (o hambúrguer vegetal do Burger King ainda custa dois reais a mais que o tradicional) —, a adoção das novas proteínas se acelerará de forma exponencial. Até 2030, o rebanho bovino nos Estados Unidos sofrerá uma redução de 50%, e, "para todos os efeitos, o setor pecuário estará praticamente falido".

Diante desse quadro, resta saber o que será da Amazônia, onde mais de 80% das terras agrícolas ou foram tomadas pela pecuária ou se encontram em estado de abandono. Estudos recentes indicam que a pecuária na região, ao contrário de ganhar em produtividade, torna-se cada vez mais extensiva, sintoma de ocupação predatória e uso vagabundo do território.

Não surpreende que seja assim. Como se mostrou neste livro, enquanto a fronteira continuar aberta e a floresta puder ser derrubada sem risco de sanção efetiva do Estado, será sempre mais vantajoso apostar na ineficiência. É o que dizem os modelos econômicos e o que se constata empiricamente. Além de predatória, essa aposta não prevê as ameaças que afetarão as próximas décadas. Apenas duas foram descritas aqui, mas existem muitas outras — entre elas, a concorrência crescente da África (financiada por capitais chineses) na produção de grãos e carne e eventuais boicotes econômicos que aliam interesses econômicos protecionistas ao justificado horror da devastação ambiental promovida pelo Brasil.

Quando todas essas forças se abaterem sobre a Amazônia, o que sobrará? Uma vastidão de solos depauperados e sem atividade econômica, ali onde antes crescia um dos mais complexos sistemas ecológicos do planeta. Teremos perdido um provedor extraordinário dos benefícios ecossistêmicos e das riquezas da biodiversidade de que um mundo redesenhado pelas mudanças climáticas estará carecendo desesperadamente.

Cerca de 22 milhões de brasileiros vivem no bioma amazônico. A Índia tem 1,3 bilhão de habitantes. A Amazônia brasileira é maior do que a Índia (para chegar lá, é preciso anexar mais uma Espanha e uma Alemanha ao país asiático). Isso significa que o bioma não tem um problema demográfico. O problema é de ordem econômica e social. O país não encontrou soluções para gerar renda e criar condições de vida dignas para quem está na região. As pessoas ali são pobres — cada vez mais pobres, se comparadas a seus compatriotas do restante do país. O modelo de desenvolvimento para o bioma fracassou. É o único que existe. As grandes mensagens que nos chegam hoje da Amazônia falam de uma região de baixíssimo vigor econômico. Mais da metade dos vínculos trabalhistas na região são informais — vinte pontos acima da média brasileira de 35%, que já é muito alta.

A situação é especialmente grave para os jovens. Quase 60% das pessoas entre 18 e 24 anos não têm ocupação. Na faixa dos 24 aos 29 anos, o índice é de 40%, dez pontos percentuais acima do resto do Brasil. Por trás desses números existe uma realidade preocupante. É o desalento.

Para quem tem entre 25 e 29 anos e vive na Amazônia Legal, a taxa de participação no mercado laboral — pessoas em idade de trabalhar que estão empregadas ou à procura de emprego — é onze pontos inferior ao índice nacional. Significa que é na Amazônia que estão os jovens brasileiros menos propensos a trabalhar ou a buscar emprego. É gente que desistiu. De fato, como mostra um estudo publicado em novembro de 2020 pelos economistas Flávia Alfenas, Francisco Cavalcanti e Gustavo Gonzaga, fonte dos dados mencionados aqui, sob efeito da pandemia "a proporção de desalentados nessa faixa etária [de 25 a 29] subiu e atingiu 8% na Amazônia Legal, mais que o dobro da taxa observada no resto do Brasil (3%). Trata-se de um efeito perverso da falta de dinamismo do mercado de trabalho". A Amazônia do boi e da monocultura é incontornavelmente escassa em oportunidades.

O desalento de tantos jovens numa região em que a ilegalidade vem se transformando em regra é um desdobramento particularmente perigoso dessa Amazônia sem lei e sem projeto de desenvolvimento. Esse mar de gente desassistida é vulnerável à cooptação pelo crime. Para Simão Jatene, ex-governador do Pará, "isso já se sente, esses meninos estão sendo abraçados pelo crime mesmo em territórios que não estão na rota do narcotráfico". Outro dirigente da região, o ex-governador do Acre Jorge Viana, diz coisa parecida: "O crime chegou na zona rural. Acho que a juventude daqui está mais entregue ao crime do que a garotada das periferias das grandes cidades".

O que esperar de uma Amazônia do futuro? De onde virão os empregos, a renda, que tipo de trabalho dará sentido à vida de toda essa gente? É importante observar que a população no bioma é majoritariamente urbana: chega a 79%, segundo levantamentos atuais. Se quatro de cada cinco moradores na região vivem em cidades, quantos de fato dependem da mata para sobreviver? Como visto anteriormente, a distribuição salarial da população ocupada tem pouca conexão com a floresta. Quase 50% da renda das pessoas vem do Estado, via empregos públicos, aposentadorias e pensões ou programas de transferência e auxílios governamentais. Sendo assim, talvez seja útil separar o bioma em cidade e não cidade.

Em relação à Amazônia não urbana, o retrato é relativamente claro.

Depois de sessenta anos de colonização feita na pata do boi, parece incontornável que a realidade inclua a pecuária e a lavoura. Mas não *essa* pecuária improdutiva e predatória, extensiva no passado e no presente — aliás, *cada vez mais* extensiva no presente, como demonstrou recentemente o grupo do economista Juliano Assunção. "O crescimento extensivo da pecuária na região amazônica se distingue do observado no resto do Brasil. Nos últimos trinta anos, enquanto no resto do Brasil a pecuária reduziu sua área, na Amazônia Legal ocorreu uma expansão consistente da área de pastagem", escrevem Francisco Lima, Arthur Bragança e Juliano Assunção num relatório de 2021 sobre a produtividade da pecuária na região. Parte dessa expansão pode ser explicada pela migração do gado do Sul para o Norte do país — entre 1974 e 2019, o rebanho bovino nos municípios da Amazônia Legal cresceu quase dez vezes, pulando de 9% para 42% do total do Brasil; ou seja, de cada dez bois dentro do território nacional, hoje quatro estão em área de Cerrado ou de Floresta Amazônica. Contudo — e este é o ponto relevante — a região que acolheu esse novo rebanho jamais teve incentivos econômicos para praticar uma pecuária de boa qualidade. Abundância de terras baratas e fragilidade dos mecanismos de fiscalização ambiental produziram ineficiências jamais corrigidas. Dados do Censo Agropecuário de 2017 mostram que apenas 12% das propriedades empregaram máquinas e apenas 3% usaram cal para corrigir o solo e formar bons pastos. O resultado é que, segundo uma análise da Universidade Federal de Goiás e da Embrapa, na área onde seria possível alimentar 33 animais, a Amazônia alimenta, em média, apenas dez.

Nesse quadro de miséria produtiva, os empregos que a atividade oferece são poucos e de baixa qualidade. Embora a área desmatada venha se expandindo, os postos de trabalho no setor agropecuário caminham em direção inversa. Dados de vários institutos de pesquisa, entre eles o IBGE, mostram que, se em 2004 o setor respondia por cerca de 33% dos empregos na região, em 2018 essa proporção havia caído para abaixo de 20%. Comparado a outros países amazônicos, como Colômbia, Peru e Bolívia, o Brasil é de longe aquele que mais ocupa terras agriculturáveis com pastos — 85% contra 15% para lavouras. No Peru, essa proporção é praticamente inversa: 73% das terras são ocupadas por lavouras e apenas 27% se dedicam à criação de bois. O engenheiro florestal Paulo Barreto, um dos grandes especialistas no tema, observa que no Brasil a informalidade na pecuária é de 70% e que a atividade responde por 90% do desmatamento na Amazônia. Isso indica uma baixa qualidade não só da produção como também dos benefícios sociais produzidos pela economia do boi.

Seria essencial, portanto, que a pecuária se modernizasse, o que não acontecerá enquanto a fronteira permanecer aberta, estimulando o uso improdutivo do solo. Maurício Lopes, ex-presidente da Embrapa, imagina uma Amazônia em que a agricultura e a pecuária se integram à floresta. O boi e a soja conviveriam com a silvicultura, de modo que a pegada de carbono dos dois primeiros fosse anulada pela última. Em 2018, quando presidia a Embrapa, em palestra num centro de estudos sobre segurança alimentar de Washington, Lopes descreveu esse modelo como "a segunda revolução da agricultura brasileira", depois daquela primeira provocada pelo choque do petróleo de 1973. Para que ela se tornasse realidade, era essencial que os produtores rurais se adequassem ao Código Florestal. Em 2018, falar em ação regularizadora do Estado na área ambiental não soava descabido. Hoje soa. A segunda revolução terá que esperar pela volta da legalidade no bioma.

Estando a floresta assentada numa das grandes províncias minerárias do planeta, a mineração industrial — não confundir com garimpo — é outra cadeia produtiva que permanecerá no bioma. Não são poucos os episódios de danos ambientais provocados pela atividade ao longo das décadas. Contudo, se comparados aos impactos da pecuária, da agricultura, do garimpo e da exploração madeireira, os efeitos da mineração não fazem dela uma adversária letal da floresta (em relação aos rios, a história é mais complicada). Carajás, por exemplo, é a grande província minerária do Brasil, o maior produtor mundial de ferro de alto teor. A operação da Vale ocupa hoje 1,4% da área sob sua responsabilidade. Somando os próximos duzentos anos de exploração, a empresa estima que a cicatriz chegará a 3% de um mosaico cuja área é 12 mil quilômetros quadrados, equivalente a meio Sergipe, uma paisagem feita de florestas nacionais e territórios indígenas. Como a mineração industrial é obrigada a restaurar minas esgotadas, parte da ferida voltará a ser floresta. O MapBiomas estimou que, de toda a área já aberta na Amazônia, menos de 1% se deve diretamente à mineração — o número é 0,01%. Mesmo que a produção industrial de minério aumente expressivamente nas próximas décadas, pode-se inferir que, na escala do bioma, a área afetada não será relevante.

O problema da atividade é outro. Diz respeito à distribuição desigual da riqueza. A legislação tributária brasileira é extraordinariamente favorável a empresas exportadoras. O minério vendido sem nenhum beneficiamento, submetido a nenhum processo industrial passível de tributação, só paga impostos federais. Muito pouco retorna a estados e municípios. "Nada!", lamenta Simão Jatene, ex-governador do Pará. Com isso, parte substancial da receita gerada pela mineração deixa de beneficiar o local onde estão as minas. Adnan Demachki, ex-prefeito de Paragominas, município com grandes reservas de bauxita, explica: "Em 2017, o Pará gerou 10,5 bilhões de dólares com exportação de minérios. Toda essa produção representou apenas 3% dos impostos arrecadados. Não é possível". O resultado são empresas ricas cercadas de pobreza. A Vale escorre seu minério de Carajás por um corredor que atravessa trinta municípios. Os trens partem de Parauapebas e Canaã, no Pará, e chegam a São Luís, no Maranhão. O retrato da ferrovia, o que se vê da janela dos trens, são áreas degradadas e de baixo índice de progresso social — entre os mais baixos do país em certos municípios. Uma empresa avaliada em 450 bilhões de reais, com faturamento de 293,5 bilhões em 2021 e lucro de 121 bilhões, precisa cruzar, em sua logística, um mar de carências — é a violência de um Rolls-Royce chispando de vidros fechados por Heliópolis ou pela Cidade de Deus. Segundo o IBGE, menos de 20% da população urbana de Parauapebas tem acesso à rede geral de esgoto, sendo que quase metade dos lares descarta os seus dejetos em fossas rudimentares. Ainda que sejam dados de 2017, e que certamente estejam defasados, a situação revela o descompasso entre a empresa e seu entorno. Parauapebas é onde Carajás nasceu.

A exploração de madeira nativa é outra atividade da Amazônia florestal, não urbana. Atualmente um setor em declínio, representa metade do que já foi em seu auge, nos anos 1980 e 1990. Novos processos industriais de beneficiamento e mudanças tecnológicas na construção civil vêm fazendo a madeira nativa perder competitividade com a madeira plantada, mais homogênea, e com materiais como cerâmica, alumínio e PVC. A atividade madeireira só terá futuro se seguir os passos de empresas como a Ebata, organizadas para atender ao mercado externo com produtos certificados do manejo sustentável. E ainda que faça tudo direito, não será capaz de sobreviver se for obrigada a competir com a ilegalidade. Hoje compete, e perde.

No campo florestal não madeireiro, ainda há muito a ser feito. Na Amazônia Legal, considerando a população empregada formalmente no setor agropecuário, 60,7% trabalham na pecuária, 34% na agricultura e apenas 5,4 % na produção florestal. Qualquer modelo que se pretenda uma alternativa ao que existe hoje terá que ampliar a participação deste último setor na economia da região.

Recentemente, o especialista em desenvolvimento Salo Coslovsky, professor da Escola de Serviço Público da Universidade de Nova York (NYU), fez um levantamento dos produtos que a Amazônia exporta. Os achados são notáveis. Os homens que ocuparam a maior floresta tropical do planeta enxergaram pouquíssimas coisas nela. O baixo dinamismo econômico da região se concentra em um número irrisório de produtos: soja, milho, algodão, carne, minérios. Entretanto, a lista de itens vendidos lá fora é muito mais extensa. Em 2018, a pauta de exportações da região incluiu 662 produtos, boa parte deles oriunda da floresta.

Não são necessariamente produtos de nicho. A pimenta, por exemplo, movimenta anualmente mais de 1 bilhão de dólares. Contudo, é medíocre a participação do Brasil nesse mercado. Coslovsky observa que os principais concorrentes do país não são potências tecnológicas ou industriais. "Dependendo do produto, a Amazônia perde para o Vietnã (pimenta), a Bolívia e o Peru (castanha), e para Uganda, Tanzânia e Guiana (grude de peixe)",* escreveu Coslovsky. O fato de países mais pobres dominarem esses mercados multibilionários evidencia como o Brasil até agora não soube desenvolver uma economia da floresta. A demanda global pelos produtos não madeireiros que a Amazônia já exporta chega a 180 bilhões de dólares por ano. O bioma participa com menos de 1% disso. Na avaliação de Coslovsky: "Empresas de alimento da Amazônia não exportam mais porque não têm escala, contatos, conhecimento, constância e controle de qualidade".

---

* Extraído das vísceras de peixes, é usado como fixador pela indústria de cosméticos e bebidas. Além disso, é matéria-prima para linhas de sutura cirúrgica, colas de precisão e alguns remédios.

Há uma ideia bastante difundida entre políticos e gestores públicos de que a industrialização é a rota mais segura para o desenvolvimento. Coslovsky considera esse consenso ultrapassado. A exportação de alimentos alcança mercados gigantescos e é um teste de fogo de competência empresarial. "O ingresso em cadeias de valor global é restrito a empresas muito competentes", ele defende. Não é uma empreitada trivial garantir que um produto perecível chegue a um supermercado norte-americano, asiático ou europeu em condições ideais de consumo. É preciso assegurar a ausência de contaminantes; resolver problemas complexos de logística para que o bem chegue ao ponto de venda em tempo hábil; zelar pela qualidade e aspecto do produto, de forma a que tenha o tamanho certo e não apresente machucados; cuidar do marketing; cumprir com exigência de rastreabilidade dos insumos e demonstrar que normas trabalhistas e ambientais estão sendo respeitadas.

Um setor capaz de vencer essa miríade de obstáculos é necessariamente formado por empresas altamente qualificadas para lidar com cada etapa do processo. Do produtor rural ao distribuidor final, primeiro e último elos da cadeia, ninguém ao longo do percurso pode falhar: o laboratório de análise sanitária deve ser confiável, o departamento comercial precisa conhecer a concorrência e ter boas conexões internacionais, a empresa de logística deve transportar papaias e goiabas como se fossem porcelana, delicadamente. "Exportar o abacaxi in natura agrega mais valor e é muito mais difícil do que exportar suco de abacaxi industrializado", diz Coslovsky. A exportação "é um elevador de competências" que "exige excelência produtiva e aprimoramento contínuo", ele afirma. Os efeitos econômicos são distribuídos por todo o sistema.

Entre processar ou sofisticar, entre industrializar produtos florestais ou exportá-los in natura com mais competência, Coslovsky defende o caminho da sofisticação. Sofisticar significa competir em mercados relevantes com países como Uganda, Bolívia e Vietnã, que hoje dominam setores em que já estamos presentes. Processar é diferente, significa concorrer com suíços na produção de chocolates, com franceses em cosméticos, com alemães e americanos em fármacos. Não há dúvida de qual caminho produzirá melhores resultados a curto e a médio prazo.

Os produtos levantados por Coslovsky são potencialmente compatíveis com a floresta. Crescem dentro dela e fazem parte de seu ecossistema, o que não significa que a opção por eles seja livre de riscos. O sucesso de um desses cultivos, ou de mais de um, poderia levar ao espalhamento de uma nova monocultura pela paisagem, como ocorreu com as plantações de dendezeiro para extração de óleo de palma que destruíram as florestas da Indonésia.

A resposta para esse dilema passa pela fúria inconsequente com que o Brasil ocupou a Amazônia. Como já foi dito tantas vezes aqui, destruímos muito para ganhar pouco. A região tem hoje 240 mil quilômetros quadrados de terras abandonadas ou degradadas, um estado de São Paulo destruído para nada. Se toda a produção mundial de óleo de palma — não só a da Indonésia, mas toda ela — viesse para a Amazônia, ainda sobrariam 20% dessa área, um estado do Rio de Janeiro de pastos degradados e sem uso onde plantar pimenta, cacau, açaí, banana, abacaxi etc. A troca não é de floresta por lavoura, mas de terra abandonada por produtos nativos, a maioria deles, é bom frisar, podendo crescer em sistemas agroflorestais que privilegiam a variedade botânica, capturam carbono e promovem a biodiversidade.

O fato de o Brasil capengar na produção desses bens que não se opõem à mata é um sintoma eloquente de como produtos florestais não madeireiros nunca foram objeto de políticas consistentes de desenvolvimento econômico. O potencial é enorme; o apoio do Estado, quase nenhum. No máximo, remove-se um obstáculo aqui, como fez a tributação via sistema Simples, ou se estende um recurso acolá a título de assistência social, a exemplo do auxílio aos catadores de castanha, programa do governo federal que complementa a renda dos produtores quando o preço de mercado fica abaixo do mínimo estabelecido. Não se pensa o setor de forma sistêmica. Cada empresa precisa resolver sozinha o seu problema. São inexistentes ações coletivas para prover bens e serviços, criar normas de qualidade, melhorar espécies e abrir mercados.

A pimenta, o açaí, o cupuaçu, o cacau, os óleos vegetais, as essências, a castanha, as frutas amazônicas, o mel, os peixes ornamentais e os que servem à alimentação — bens que a Amazônia exporta (na maioria dos casos, pouco e mal) — não darão conta, é claro, dos problemas econômicos do bioma. Igualmente claro é que essas cadeias produtivas podem ter uma participação muito maior na economia da região, o que, além de representar mais bem-estar social, alinha a atividade produtiva com a vocação natural do bioma, que é ser floresta.

As atividades descritas acima não afetam nem afetarão substancialmente boa parte da população da região, dado que os amazônidas são majoritariamente urbanos. O grande nó social e econômico a ser desatado diz respeito à parte do bioma que não é floresta. Em síntese, o problema da Amazônia não será resolvido sem a melhoria de suas cidades. É nelas que moram quatro de cada cinco habitantes da região. Em que pese um mercado de trabalho bem menos estruturado do que no resto do Brasil, em que pese o fato de que quase seis de cada dez amazônidas não têm carteira assinada, a distribuição dos empregos acompanha o que se espera de um país essencialmente urbano. Cerca de metade dos trabalhadores está no setor de serviços e outros 20% trabalham no comércio.

Melhorar a vida deles não passa por aumentar o desmatamento, como sugerem os que pregam o afrouxamento das leis ambientais e uma conversão ainda maior da floresta em área produtiva (ou *improdutiva*, para ser mais fiel aos fatos). As pessoas precisam de cidades melhores, de escolas e universidades melhores, de melhor infraestrutura de telecomunicação. "Na Amazônia, muito em razão de decisões ruins que nós tomamos, a população é muito dispersa", diz Juliano Assunção. "O remédio contra a distância é a progressiva digitalização. A economia se torna mais complexa e os serviços vão ganhando importância. A criação de serviços pode resolver o problema da distância, ou seja, a questão é explorar a vantagem comparativa de estar longe. A Índia fez isso com os call centers, e daí partiu para soluções digitais mais complexas em escala. Já existem grupos tecnológicos organizados em torno da Zona Franca de Manaus. Pode ser o germe de uma mudança."

Um exemplo é a Terras App Solutions, fundada em 2014 por dois engenheiros da computação, um geólogo e um agrônomo. Sediada em Belém, a empresa se apresenta como uma start-up de tecnologia geoespacial com aspectos de fintech. Em síntese, é uma plataforma que provê serviços de monitoramento e rastreabilidade da produção agropecuária para bancos.

A consciência cada vez maior do drama climático deixou as instituições financeiras mais sensíveis ao risco de ver sua reputação associada a clientes que desmatam. O crédito concedido a esse ou àquele produtor rural irá financiar a derrubada da floresta? A Terras ajuda a responder a essa questão através de inteligência espacial, fazendo o monitoramento da propriedade com tecnologia de sensoriamento remoto, ou seja, analisando imagens de satélite. A empresa é capaz de aferir se o tomador de empréstimo realmente plantou, se ocupou apenas área permitida, se invadiu reserva legal ou se a pecuária que pratica é mesmo intensiva como consta do contrato.

A rigor, a Terras tem condições de oferecer a rastreabilidade completa, do nascimento do boi ao abate, da soja colhida à soja embarcada. No entanto, é preciso contar com a colaboração dos produtores, o que nem sempre é fácil. "Alguns entes na cadeia não querem compartilhar dados", explica o geólogo Carlos Souza Jr., um dos fundadores da empresa. Quem se nega a fornecer essas informações corre o risco de não receber crédito, uma determinação do Banco Central que nem todo o sistema financeiro segue à risca. Ainda assim, nem tudo pode ser escondido. Desmate e invasão de áreas de proteção permanente são coisas que um bom analista é capaz de identificar do alto, e Souza Jr. está entre os melhores. Em parceria com o Google, ele é o principal responsável pela implantação de uma das mais importantes plataformas de vigilância ambiental do país, o Serviço de Alerta de Desmatamento (SAD) do Imazon, instituição que também ajudou a fundar e à qual continua ligado como pesquisador.

A Terras já fechou 91 mil contratos com o Banco da Amazônia, cada um deles correspondendo a um empréstimo cuja conformidade legal, ambiental e de produção será validada ou não. No futuro a plataforma também avaliará o risco climático, tema a que Souza Jr. vem se dedicando nos últimos anos. Onde haverá seca? Onde haverá fogo? Em que partes do território as condições climáticas indicam provável queda de produtividade? Todo esse trabalho é feito em metade de um andar de um prédio comercial em Belém. A empresa poderia estar em qualquer parte do país, mas se beneficia do fato de ser sediada na Amazônia. Viver no coração do problema é se expor diariamente à tragédia da destruição. Souza Jr. e seus sócios trabalham com o desmatamento, pensam o desmatamento, convivem com o desmatamento. É uma realidade que pode ser alcançada a menos de duas horas de carro. São dezoito funcionários, a maioria deles desenvolvedores de tecnologia, todos da região. "Nosso maior problema é que a gente perde essa garotada para os centros do Sul", lamenta Souza Jr.

Empresas como a Terras apontam uma alternativa para a Amazônia muito mais interessante do que os modelos praticados hoje. Zelo com o meio ambiente, apoio à produção responsável de alimentos e base tecnológica formam uma combinação poderosa para jovens. Contudo, para que iniciativas assim floresçam e se multipliquem não basta o entusiasmo de alguns pesquisadores--empreendedores. Sem aplicação rigorosa da legislação ambiental, sem investimentos em educação, ciência e tecnologia, dificilmente surgirá uma Amazônia que consiga de fato se beneficiar da floresta de pé. Teremos apenas esse projeto esterilizante, velho de sessenta anos.

O francês Charles-Marie de La Condamine foi o primeiro cientista a descer o curso do rio Amazonas. Havia chegado à Amazônia peruana sob os auspícios da Academia Real de Ciências da França, com a missão de medir o comprimento de um grau de latitude na linha do equador, e com isso, testar a hipótese de Isaac Newton de que o planeta não seria uma esfera perfeita, mas um globo achatado nos polos. Um segundo grupo de cientistas, também financiado pela Academia, havia partido simultaneamente para a Lapônia com propósito idêntico, e coube a este comprovar a tese de Newton. Ainda que La Condamine tenha perdido a corrida, a contribuição científica de sua missão foi imensa. Dentre outros feitos, o cientista francês, em colaboração com o cartógrafo equatoriano Pedro Vicente Maldonado, estabeleceu o marco físico do Equador, que serviria, "daí por diante, de base para medir a latitude da Terra", nas palavras do escritor João Meirelles Filho em seu livro sobre as grandes expedições à Amazônia brasileira.

Foi Maldonado quem propôs a La Condamine descer o Amazonas, recriando assim, dois séculos depois, a expedição de Francisco de Orellana, cujas aventuras, batalhas e ilusões de ótica, de guerreiras amazonas a margens tomadas pelo orégano, foram registradas por frei Gaspar de Carvajal. O francês aceitou. Filho da Ilustração, amigo de Voltaire, fez a viagem com os olhos postos na floresta. Assim que voltou a Paris, em 1745, La Condamine começou a organizar os apontamentos de viagem. Numa comunicação à Academia de Ciências da França citada pela escritora argentina Beatriz Sarlo, descreveu o que tinha visto:

> As gomas, as resinas, os bálsamos, todos os sucos que supuram das incisões de diversas árvores, assim como os diferentes óleos, são inumeráveis. O azeite que é extraído do fruto de uma palmeira chamada unguravé é, segundo dizem, tão doce e bom quanto o de oliva. Outro, como o da andiroba, exala uma luz muito elegante, sem nenhum odor desagradável.

E também:

> A resina chamada cahuchu, nos países da província de Quito perto do mar e das margens do Marañón, quando está fresca, aceita a forma que se deseja dar a ela; é impermeável à chuva, mas o que a torna mais extraordinária é sua enorme elasticidade [...]. Os índios fabricam garrafas, botas e bolas ocas, que se achatam quando apertadas, mas que tornam a sua primitiva forma desde que livres.

É a descrição de uma bioeconomia. La Condamine é mais moderno do que os projetos de ocupação da década de 1970, mais moderno do que a Sudam, o Banco da Amazônia e o Ministério do Interior, mais moderno do que os atuais governantes do país. Quinino, curare, látex — o naturalista sabia que os europeus se espantariam com as possibilidades desses produtos florestais. Havia ali fármacos, especiarias, novos materiais. A mata era um prodígio.

Uma bioeconomia mais robusta baseada em produtos florestais seria um avanço em relação ao que existe hoje. Entretanto, ao menos teoricamente, ela é apenas uma dentre as muitas possibilidades oferecidas por uma floresta de pé. "Na minha cabeça, sabe o que gera mais negócio para a Amazônia?", pergunta Maurício Lopes, o ex-presidente da Embrapa. Ele mesmo responde: "PSA: Pagamento por Serviços Ambientais". Trata-se de um mecanismo econômico que busca compensar a natureza pelos benefícios que ela produz. Florestas em eterna renovação, por exemplo, capturam carbono da atmosfera; pagamento por carbono capturado é um exemplo clássico de PSA.

"Mas não só carbono", esclarece Lopes. "Esses serviços ecossistêmicos representam uma reserva de oportunidades muito mais extraordinária do que tudo o que a gente é capaz de imaginar. O mundo todo olha para a Amazônia em função disso. Ali existe algo que tem valor para toda a humanidade, que transcende o espaço do Brasil. A floresta é protetora de serviços que atendem ao planeta Terra, está ligada ao equilíbrio hidrológico, à captura de carbono, à produção de água." Sem a Amazônia, o esforço das nações para se adequar às metas do Acordo de Paris se torna fútil, uma vez que o desaparecimento da floresta — ou mesmo de metade dela — lançaria o mundo numa rota de aquecimento cujas consequências desastrosas seriam difíceis de contornar.

Ocorre que, ao menos por enquanto, não existe um mercado consolidado para PSA. Lopes tem um ponto de vista curioso sobre o problema: a falha seria em parte do Brasil. "Enquanto nós ficamos aqui falando que a Amazônia é provedora de serviços essenciais e que o mundo deveria pagar por eles, esse blá-blá-blá que a gente ouve tanto, não fazemos nada para compreender a natureza desses serviços. Você não consegue gerir o que não mede. É preciso identificar, descrever, qualificar e, aí sim, valorar cada um desses serviços: *Esse presta pra isso, aquele presta pra outra coisa.* Isso nós não fizemos, não aprendemos a descrever. Deveria ser o dever de casa do Brasil e da Embrapa."

É uma tarefa tão ambiciosa quanto aquela que o país enfrentou quando decidiu se inventar como potência agrícola. Nas próximas décadas a conta da interferência humana na biofísica da Terra será cobrada em parcelas cada vez maiores. Pode-se bem imaginar o valor intrínseco da maior floresta tropical do planeta num mundo que já começa a dar mostras de uma quebra assustadora da normalidade. Em Botsuana, alguns dos baobás mais antigos do continente estão morrendo — entre 2005 e 2017, nove dos treze mais velhos se foram, alguns de até 2500 anos. Em 2021, a temperatura chegou a 53ºC numa cidade do Kuwait, uma das mais altas registradas naquele ano. Na Itália, pomares de limões estão sendo substituídos por pomares de mangas. Mil geleiras desapareceram no Turquestão nos últimos quarenta anos. E em Cabo Verde, lar do terceiro maior berçário de tartarugas marinhas do mundo, quase todos os recém-nascidos são fêmeas: "Um estudo de 2019 descobriu que, por causa da areia mais quente durante o período de incubação, as fêmeas compunham cerca de 85% dos filhotes", informou o *New York Times*, descrevendo o que certamente é um dos sinais mais desconcertantes dessa nova realidade. Não está claro *como* (e *se*) o mundo remunerará quem for capaz de preservar os biomas que servirão de antídoto contra todos esses males, mas também é certo que nenhum país se encontra tão bem posicionado quanto o Brasil para oferecer soluções de estabilização climática baseadas na natureza.

"Quem resolve isso é o cinturão tropical do globo", diz Lopes. "Dos países localizados nessa faixa, o Brasil é de longe o mais bem estruturado e com mais conhecimento para fazer isso." Mas não há garantia de que tal coisa se torne realidade por ser inevitável. O cinturão tropical é grande e, se o Brasil não assumir o papel de protagonista desse novo mundo, as florestas subsaarianas e do Sudeste Asiático poderão prover os mesmos serviços.

Já há sinais disso. O Gabão, um pequeno país localizado na costa atlântica da África, vem se posicionando como uma nação verde cujas florestas dispensam importantes serviços ambientais para o planeta. O país, um dos poucos a efetivamente absorver mais carbono do que emitir, preserva 85% de suas matas e controla o desmatamento, cuja taxa irrisória é de 0,1%. Em 2021, o governo gabonense firmou com um fundo norueguês o primeiro contrato pelo qual receberá pela preservação de suas florestas. Em 2019, o então ministro brasileiro do Meio Ambiente, Ricardo Salles, fez o contrário: unilateralmente, impôs mudanças que desarticularam a gestão no Fundo Amazônia, cujo princípio básico também é o pagamento pela proteção das florestas e cujo mantenedor principal era a mesma Noruega. Em pouco tempo, o país escandinavo congelou os repasses. Se o Brasil não prestar atenção, países que demonstrem maior responsabilidade ambiental ocuparão nichos cada vez mais importantes do mercado de PSA, desbancando a maior nação tropical do planeta. "É espantoso que o mundo esteja mais interessado em parar o desmatamento no Brasil do que em recompensar países como o Gabão, que desde sempre quiseram manter suas florestas intactas", declarou, ao jornal britânico *Financial Times*, um membro do conselho nacional do clima do Gabão. Não se pode censurá-lo pela afirmação.

"O que está acontecendo na Amazônia é questão de polícia, não de economia nem de pesquisa", diz Maurício Lopes. "É impressionante: nós temos a marca mais conhecida do planeta" — a Amazônia — "e ela é constantemente usada contra nós." Certo, o problema hoje é maior do que jamais foi, mas não surgiu agora: "O Estado brasileiro nunca teve uma agenda para a Amazônia", diz Lopes. Segundo ele, uma economia de serviços ecossistêmicos que beneficie o Brasil exigirá esforço político e diplomático. "Não vai acontecer só porque nós, brasileiros, queremos. Essas cadeias de valor surgem dos embates travados em ambientes multilaterais. Por exemplo: o mercado de carbono nasce das discussões nas conferências do clima. Por isso é tão importante uma diplomacia inteligente, que entre nas negociações com uma visão de negócios."

A perspectiva de Lopes se choca frontalmente com a estratégia atual do Itamaraty, que, seguindo a orientação do presidente Jair Bolsonaro, minimiza a gravidade das mudanças climáticas, chegando mesmo, na figura do ex-chanceler Ernesto Araújo, a repelir a existência do fenômeno. Estranha missão, visto que ajuda a afrouxar as metas climáticas dos acordos internacionais e, assim, dificulta o estabelecimento de mecanismos econômicos para remunerar os virtuais provedores de serviços ecossistêmicos. Como diz o economista e cientista do clima Bernardo Strassburg, é como se a Alemanha trabalhasse para atrapalhar o comércio internacional de automóveis. "Quanto mais rígidos forem os acordos, mais o Brasil tem a oferecer", ele explica.

A diplomacia brasileira sempre desempenhou um papel de destaque nas reuniões multilaterais sobre meio ambiente. É a única frente da geopolítica global em que o país conquistou o direito de se sentar na cabeceira da mesa. "Não tinha acordo sem a nossa participação. O Brasil era o proponente ou era o país-chave a ser convencido", lembra Strassburg, frequentador dessas conferências desde 2007.

O embaixador André Corrêa do Lago chefiou a divisão do Itamaraty voltada para o tema ambiental e, entre 2011 e 2012, foi o negociador-chefe do Brasil para mudança do clima. Segundo ele, a posição oficial do país foi sempre a de associar metas de conservação a mecanismos para financiar quem preserva. "Tudo bem, vamos conservar as florestas, mas cadê os recursos, cadê a tecnologia?", ele diz "Todos os artigos sobre florestas que aparecem nas declarações da ONU, tanto os progressistas quanto os outros, são obra da diplomacia brasileira", garante.

Uma das contribuições brasileiras decisivas para a arquitetura dos acordos na ONU se deu na concepção de instrumentos de mercado para financiar a captura de gases do efeito estufa. "Era uma exigência dos americanos nas negociações do Protocolo de Kyoto. Pela lógica deles, a coisa tinha que ser resolvida pelo mercado. Foi nesse contexto que se inventou o Mecanismo de Desenvolvimento Limpo [CDM, na sigla em inglês]. Funcionava assim: os Estados Unidos precisavam reduzir suas emissões para se adequar às metas do protocolo. Digamos que não quisessem ou não pudessem fazer o esforço imediato para entrar em conformidade com o prometido. Nesse caso, uma maneira alternativa de se adequar ao protocolo seria, por exemplo, financiar um projeto na Índia que substituísse uma termelétrica a carvão por uma hidrelétrica pequena. Pelo instrumento do CDM, a redução iria para a conta do país que financiou. Os Estados Unidos acabaram não assinando Kyoto, o que é outra história. O essencial é que o CDM passou. E quem desenvolveu o mecanismo? Brasil e Estados Unidos. Só os dois", conta Corrêa do Lago.

O CDM se tornaria a base da legislação de carbono da União Europeia. O mecanismo é de difícil monitoramento — é difícil assegurar que um filtro instalado numa fábrica de cimento no Sri Lanka continuará em funcionamento um ano depois — e por isso acabou não ganhando escala. Em 2013, na Conferência de Varsóvia, criou-se um novo instrumento para prover incentivos financeiros a países em desenvolvimento que reduzam seus níveis de emissão de gases pela via do combate ao desmatamento. Chama-se REDD+, sigla para Redução de Emissões por Desmatamento e Degradação Florestal. (O sinal de + se refere a outras ações que também podem se beneficiar do mecanismo, como restauração e manejo sustentável das florestas.)

A principal inovação do REDD+ é o pagamento por desempenho, isto é, transferem-se recursos de acordo com os resultados já alcançados. À diferença do CDM, remunera-se o passado, não o futuro. Quem reduziu o desmatamento no ano zero é recompensado no ano um. "A primeira proposta de REDD+ foi apresentada pelo Brasil na época da Marina Silva. Depois, entre 2010 e 2016, o mecanismo foi aprimorado na gestão da Izabella Teixeira à frente do Ministério do Meio Ambiente. É uma invenção brasileira", diz o embaixador Corrêa do Lago. (Em 2005, Papua-Nova Guiné e Costa Rica tiveram atuação decisiva na defesa de uma versão anterior do instrumento.)

O Fundo Amazônia foi criado antes de o mecanismo REDD+ ter sido ratificado pela comunidade internacional. Contudo, sua arquitetura financeira é a mesma. Compunha-se de doações da Noruega (93,8%), da Alemanha (5,7%) e da Petrobras (0,5%), sendo os aportes condicionados aos resultados obtidos. Durante dez anos pelo menos, esses recursos financiaram ações de preservação da Floresta Amazônica. Geraram emprego, apoiaram o desenvolvimento de tecnologia nacional de monitoramento e ajudaram o Estado brasileiro a se aparelhar para proteger o bioma. Com o crescimento das taxas de desmatamento em 2019, tanto a Noruega como a Alemanha suspenderam os investimentos. Os recursos que já haviam sido depositados no Fundo estão parados, uma vez que o governo se recusa a liberá-los.

Ao longo de décadas a diplomacia brasileira ajudou a criar instrumentos de valorização do patrimônio ambiental do país. Fez isso sem abdicar da defesa dos interesses do agronegócio nacional. Entendia que acordos sobre mudanças climáticas podiam favorecer o Brasil. Não mais. De 2018 para cá, o país renunciou à sua posição de destaque e perdeu influência no único fórum internacional em que tinha peso. Com isso, abriu mão de participar como interlocutor privilegiado das discussões sobre como aprimorar os instrumentos de compensação pela natureza preservada.

Isso complica ainda mais o surgimento de um mercado robusto de PSA, o que já seria difícil mesmo com o país remando a favor. Transformar mecanismos do gênero em cadeias relevantes de valor é uma questão que divide especialistas. Juliano Assunção, colega de Strassburg na PUC-Rio, é relativamente cético sobre o futuro dos mercados de PSA. Sua hesitação diz respeito a um problema clássico da economia: como fazer alguém pagar por uma coisa que lhe é oferecida de graça? Bens públicos, categoria a que pertencem os serviços ecossistêmicos, são aqueles que, se disponíveis a um indivíduo, estarão disponíveis a todos. Ar puro, por exemplo. O mercado não consegue lidar de forma eficiente com isso, dada a impossibilidade intrínseca de excluir do usufruto do bem alguém que não pagou por ele.

"Foi muito mais fácil o Brasil se organizar para desenvolver uma economia do agronegócio. A gente compreende o mercado de soja, sabe quem compra e quem vende", afirma Assunção, acrescentando o essencial: "Soja você consegue *não* produzir". Para ele, a agenda dos serviços ambientais deveria ser levada adiante sem atrelá-la à solução dos problemas ambientais, econômicos e sociais da Amazônia. "É uma pauta que se justifica por si só."

Certo: entender como uma floresta de pé sustém a biodiversidade é um fim em si mesmo; prescinde do amparo de razões utilitárias. Existe algo de intrinsecamente obsceno em atribuir um preço à natureza. Os próprios termos da discussão são degradantes: por exemplo, converte-se o respiro da mata em contrato mercantil, reduz-se esse processo bioquímico a um serviço passível de ser cobrado porque *útil*. O problema é que essas objeções não resolvem a questão: como proteger a floresta? O madeireiro Leônidas Souza gosta de repetir uma frase que atribui a Marina Silva: "As florestas públicas só vão ficar de pé se tiverem valor. Do contrário, não serão públicas nem serão florestas".

À complicação política soma-se a complicação bioquímica. Em julho de 2021, a revista *Nature* publicou um artigo de grande impacto, "desses de fazer escola", nas palavras do coordenador--geral do MapBiomas, o engenheiro florestal Tasso Azevedo. Liderado pela pesquisadora Luciana Gatti, do Inpe, o estudo analisou nove anos de dados atmosféricos coletados em quatro regiões relativamente florestadas da Amazônia brasileira. Foram realizados cerca de seiscentos voos a alturas variadas, de 4,4 quilômetros a trezentos metros da superfície, num total de 8 mil amostras colhidas entre 2010 e 2018, cada uma delas contendo uma medida da concentração de dióxido e de monóxido de carbono na atmosfera.

Gatti e seu grupo verificaram que a floresta vem perdendo a capacidade de absorver carbono. Das quatro regiões estudadas, as duas mais desmatadas, Santarém e Altamira, nessa ordem, foram as que mais emitiram. Em Altamira, sudeste do bioma, região que já perdeu 26% de sua cobertura vegetal, o saldo líquido entre emissões e remoções foi positivo, ou seja, ali a floresta — só ela, sem contar os efeitos das queimadas e do desmatamento — lançou mais carbono na atmosfera do que absorveu. É assustador que esse tenha sido o balanço carbônico da mata. Nas outras três regiões, o saldo foi discretamente negativo ou neutro. Qual a razão disso?

Relacionando esses resultados com a análise de quarenta anos de chuvas e temperatura, Gatti verificou que cada uma das quatro regiões sofreu uma queda de precipitação e um aumento de dias mais quentes, particularmente durante a estação seca de agosto, setembro e outubro. Na região mais desmatada, Santarém, choveu menos 34% e a temperatura subiu 1,9°C no período estudado. A floresta não suporta tamanho estresse e começa a morrer. As emissões de carbono aumentam, a absorção diminui.

Mesmo territórios mais florestados sentem o impacto. Em Tefé, no Amazonas, onde o desmatamento é de 7%, os pesquisadores registraram uma queda de 19% nas chuvas e um aumento de 1,6°C na temperatura. A razão é simples: Tefé, no noroeste da Amazônia, precisa da umidade trazida pelos rios voadores que se formam no leste do bioma, um processo complexo que começa com a evaporação das águas do Atlântico e se completa com a evotranspiração das árvores, fenômeno responsável por repor de um quarto a metade das chuvas trazidas pelo oceano. Se as florestas começam a morrer no Pará, as matas do Amazonas ficam mais secas. São peças de dominó que desabam.

Falando à *National Geographic Brasil*, Gatti resumiu o achado de seu grupo: "No primeiro momento, o desmatamento está lançando carbono para a atmosfera. Por outro lado, deixa o clima superestressado, o que aumenta a mortalidade das árvores e resulta em emissões muito maiores do que remoções. Então, estamos acelerando as mudanças climáticas, porque jogamos carbono na atmosfera e ainda reduzimos chuva e aumentamos a temperatura — o que ajuda a jogar mais CO_2 na atmosfera. É um ciclo negativo".

O bioma pode estar passando de solução a problema. "No agregado da Amazônia ainda é difícil dizer", explica Tasso Azevedo, referindo-se ao balanço entre emissões e remoções de toda a floresta. Contudo, adverte, esse saldo chegou a representar "uma absorção de quase 1 bilhão de toneladas de carbono por ano e agora está tendendo a zero lentamente".

É uma diferença grande em relação às florestas da África equatorial. Lá o sistema ainda mantém sua capacidade de remoção relativamente intacta. Embora o sequestro anual de CO_2 nas florestas tropicais venha diminuindo — segundo alguns estudos recentes, o limite de tolerância térmica das florestas é de até 32°C; acima disso as matas começam a definhar —, o fenômeno não se dá de forma igual em todo lugar. O comportamento das duas maiores extensões de florestas tropicais do planeta — a Amazônia e a bacia do Congo — está divergindo quando se toma como parâmetro o ciclo de carbono. "Um modelo estatístico que inclui dióxido de carbono, temperatura, seca e dinâmica florestal [...] indica um declínio futuro e a longo prazo no sumidouro africano, enquanto o sumidouro amazônico continua a enfraquecer rapidamente", conclui um estudo de 2019 publicado na revista *Nature*.

De fato, dados recentes sugerem que, comparadas à Amazônia, as florestas da África equatorial são mais densas em carbono, mais eficientes em retardar a mudança climática e mais resistentes à transformação do clima. O Gabão, para voltar a ele, está usando isso a seu favor. Embora suas florestas representem apenas 5% da Amazônia brasileira, o país tem sido celebrado pela imprensa internacional como um bom guardião de seu patrimônio natural, uma futura potência verde capaz de ajudar o mundo a mitigar seus pecados ambientais. Em junho de 2021, em uma entrevista à BBC, Lee White, ministro do Meio Ambiente do país, aproveitou o bom momento para marcar posição frente ao Brasil: "As florestas do Gabão são mais resistentes às mudanças climáticas e hoje já sequestram mais CO_2 do que a Amazônia". A resposta do Brasil tem sido manter as mais altas taxas de desmatamento do mundo.

Se nas próximas décadas a inversão do ciclo de carbono se confirmar, o mercado de PSA será afetado. Mas isso não acontecerá amanhã nem no ano que vem. Além disso, a Amazônia não está condenada a se transformar num problema climático. O processo pode ser estancado, e até revertido, como já foi durante a primeira década do século XXI. Se a degradação não for excessiva, florestas tropicais, se deixadas em paz, conseguem recuperar 78% da sua antiga biodiversidade em vinte anos. Para Juliano Assunção, defensor do valor intrínseco, não salvacionista, de uma agenda de serviços ambientais — o valor da provisão de bom ar, de boa chuva, de uma vida na companhia luxuosa de outras espécies —, há um risco em jogar todos os ovos da Amazônia na cesta de uma economia baseada no sortimento de benefícios ecossistêmicos. "Algumas discussões sobre a Amazônia lembram muito os planos soviéticos", diz Assunção. "A cada par de anos surge uma solução: 'Esses aqui são os setores que representam o futuro do bioma'. Não funciona assim. Olha, dou curso de desenvolvimento econômico na PUC há um bom tempo, quase vinte anos já. É frustrante, mas a literatura especializada é silenciosa em relação a receitas acabadas para desenvolver uma região específica. Não existe um caminho estruturado para lidar com a questão. Sabemos que fatores como educação são importantes. Mas além disso? Não temos uma boa resposta."

O dirigismo das grandes soluções impostas de cima para baixo não produziu boa coisa na Amazônia. Assunção tem mais fé num cardápio variado de iniciativas pautadas em boas práticas ambientais. Agricultura e pecuária que respeitem o Código Florestal, por exemplo. Mineração responsável. Turismo verde. Serviços. Apoio ao desenvolvimento das cadeias produtivas identificadas por Salo Coslovsky que, além de terem surgido organicamente na região, já deram provas, ainda que incipientes, de poder chegar a mercados internacionais multibilionários.

Esse quadro não exclui a contribuição econômica de alguns serviços ecossistêmicos. Assunção defende que o país aprenda "a jogar o jogo", como ele diz, de um ou dois desses serviços. "Carbono, por exemplo." Em que pesem os riscos associados à inversão de seu ciclo, "esse é um produto para o qual já existe um mercado em estruturação. Não é simples entender como se tornar competente nele. Quer ver uma complicação? A floresta madura não se encaixa direito nos compromissos de compensação" — ou seja, nos esquemas de compra de créditos de carbono por países ou empresas que precisam compensar sua emissão de gases do aquecimento. "Isso porque ela de fato estoca muito carbono, mas, como já está totalmente formada, não captura mais. Do ponto de vista do fluxo, é uma floresta essencialmente neutra." Tendo deixado de retirar carbono da atmosfera, ela já não cumpre o serviço buscado pelos que recorrem a esse mercado.

Assunção acredita mais no modelo de restauração de florestas: árvores em crescimento sequestram carbono. "Mas nem aí a coisa é simples. Um levantamento do Imazon mostrou que existem 7 milhões de hectares em diferentes processos de regeneração na Amazônia [os estados do Rio de Janeiro e de Sergipe somados]. É terra abandonada que a floresta está retomando. Não custou nada, é regeneração natural", ele ressalta. Mais uma vez, é o dilema dos bens públicos. "Discordo ligeiramente do Juliano", diz Bernardo Strassburg. "Você pode, sim, parar de prestar serviços ecossistêmicos. Basta queimar a floresta e jogar carbono na atmosfera. É o que nós temos feito." Sendo possível reduzir a provisão desses serviços, pode-se cobrar para que sejam mantidos. O REDD+ se baseia nisso.

Strassburg é professor do Departamento de Geografia e Meio Ambiente da PUC-Rio. Ele e a engenheira de proteção ambiental Agnieszka Ewa Latawiec, pesquisadora polonesa que Strassburg conheceu durante seu doutorado em ciências ambientais no Reino Unido, e com quem se casou, fundaram no Rio de Janeiro o Instituto Internacional para Sustentabilidade (IIS), um centro de pesquisa sobre uso sustentável da terra, conservação da biodiversidade, provisão de serviços ecossistêmicos e adaptação às mudanças climáticas. Strassburg foi o autor principal de um importante artigo de 2020 sobre recomposição ecológica. Publicado na revista *Nature* com o título "Global Priority Areas for Ecosystem Restoration" [Áreas prioritárias globais para a restauração de ecossistemas], o estudo teve repercussão mundial.

Usando um algoritmo desenvolvido pelo grupo de pesquisa que lidera, Strassburg identificou as regiões do globo que apresentam melhor custo-benefício para ações ambiciosas de mitigação climática e preservação da biodiversidade. De acordo com uma das principais conclusões desse trabalho, "restaurar 30% das áreas degradadas do planeta pode salvar da extinção 71% de espécies e absorver quase metade do carbono acumulado na atmosfera desde a Revolução Industrial".

Onde restaurar é o ponto crítico. O grande achado da pesquisa é demonstrar como benefícios ecossistêmicos e climáticos variam drasticamente de lugar para lugar. "Um investimento de 1 bilhão na Noruega salva duas espécies de grama e uma borboleta. Esse mesmo esforço, se feito em Madagascar ou no Brasil, tem um efeito quatro ordens de magnitude acima", explica Strassburg. Segundo quase todos os critérios importantes — captura de carbono, manutenção da biodiversidade, custo da restauração, segurança alimentar —, o Brasil é ideal. Um *hotspot*. O que é outro modo de dizer que, por fim, descobriu-se uma atividade em que a Amazônia conta com uma vantagem comparativa notável em relação a quase todas as outras regiões do planeta.

Em 2009, um grupo de cientistas propôs que a estabilidade da vida na Terra depende de nove sistemas que, se desrespeitados, lançariam o planeta numa zona de insegurança. Chamaram esses sistemas de "fronteiras planetárias", nove processos de natureza física, química e biológica cujos limites não devem ser ultrapassados, sob risco de ferir a integridade do clima e da biosfera. Nos termos empregados, essas fronteiras existem para definir um "espaço operacional seguro para a humanidade". O comprometimento da camada de ozônio seria uma dessas fronteiras. A acidificação dos oceanos, outra. Outra ainda, a quantidade de partículas de poluição na atmosfera. Pois bem, a Amazônia é central para pelo menos três dessas fronteiras: carbono, biodiversidade e água doce.

O fato de 60% da floresta estar em território brasileiro cria uma situação única. Oceanos são compartilhados, a atmosfera é compartilhada, do mesmo modo como é compartilhada a estratosfera onde se aloja a camada de ozônio; mas é a floresta amazônica, e só ela, que responde por 10% a 15% da biodiversidade do planeta. E também é ela a fonte de 16% a 22% de toda a água lançada anualmente nos oceanos, e é na sua matéria orgânica que está estocada parte importante do carbono do mundo. Significa que nenhum outro país detém dentro de suas fronteiras um ativo natural capaz de afetar o equilíbrio biogeofísico que produziu e mantém a vida que conhecemos. *Capital natural* é um conceito econômico que se refere às terras, águas e à diversidade de vida sem cujos serviços não haveria sociedade humana. "O mundo é um *free rider* do capital natural do Brasil. A gente exporta os serviços prestados por ele sem que ninguém pague por isso", explica Strassburg. Alguns desses serviços têm caráter local: estabilização dos solos, polinizadores, a evapotranspiração que regula as chuvas. Outros têm abrangência global: captura (ou emissão) de carbono e biodiversidade. O mundo não está disposto a pagar pelos primeiros, mas pelos outros, sim. "Não é à toa que existem duas convenções da ONU sobre os dois temas de abrangência global e nenhuma convenção sobre polinizadores", diz Strassburg, referindo-se à Convenção-Quadro das Nações Unidas sobre Mudança do Clima e a Convenção sobre Diversidade Biológica.

Cabe então a pergunta: como esses pagamentos têm se materializado? Para quem acompanha esse debate há tempos, já se tornou cansativa a promessa de que os mercados de PSA serão uma realidade na próxima década — sempre na *próxima*, a década que nunca chega. Strassburg contesta: "Eu vejo a realidade desses pagamentos acontecer no futuro, mas, sobretudo, vejo acontecer no passado. O Brasil é o maior beneficiário do mundo em REDD+, fruto do acordo bilateral com a Noruega: 1 bilhão de dólares recebidos de um só país".

Alguns sinais justificam o otimismo de Strassburg. A Conferência das Nações Unidas sobre as Mudanças Climáticas de 2021, ocorrida em Glasgow, aprovou os parâmetros que regerão o mercado internacional de carbono. Os últimos tempos viram uma grande expansão do número de iniciativas ligadas a esse mercado, bem como dos volumes e preços do carbono transacionado. Em 2021, pela primeira vez contratos firmados ultrapassaram a marca de 1 bilhão de dólares. Estima-se que a demanda por créditos de carbono cresça ao menos quinze vezes até 2030 e até cem vezes até 2050.

Grandes empresas, e não só países, têm se comprometido a mitigar suas taxas de emissão de gases do efeito estufa: a Amazon declarou que será neutra em carbono em 2040 e a Apple em 2030, mesmo ano em que a Microsoft se comprometeu a ser *negativa* em carbono. A exemplo das três gigantes, cresce mais e mais a lista das grandes corporações que assumem compromissos semelhantes de mitigação climática. Segundo Strassburg, "quando a conta das metas globais começar a chegar — por exemplo, a Europa anunciou que atingirá a neutralidade das emissões em 2050 —, a busca por alternativas que otimizem custo e eficácia vai se intensificar muito. E aí entram os serviços ecossistêmicos, porque as soluções baseadas na natureza são as mais baratas e eficientes". Ainda não se inventou tecnologia melhor do que uma árvore para capturar carbono da atmosfera. Ou do que uma floresta para conservar a biodiversidade.

"Partindo da hipótese de que o mundo levará a sério o problema do aquecimento global, dá pra prever que, sim, o PSA será uma realidade", afirma Strassburg. "As soluções baseadas na natureza são óbvias." Numa conta que fez, o bioma Amazônia poderá captar anualmente até 10 bilhões de dólares em REDD+. "É bem mais do que o custo de oportunidade de converter as florestas em agricultura, ou seja: transformar a mata em pasto e lavoura é mau negócio, gera menos renda."

Se há um aspecto em que Bernardo Strassburg se alinha com seu colega Juliano Assunção é na certeza de que não existe uma forma única para solucionar os problemas da Amazônia. "PSA não é para sempre. Tem que ser compreendido como uma ponte para implantar um modelo de desenvolvimento mais sustentável no bioma. Os recursos do REDD+ deveriam ir para o fazendeiro que não incorreu em desmatamento legal — ele tinha autorização para derrubar a floresta, mas decidiu manter — e para a ciência, a tecnologia, a inovação, tudo o que seja necessário para criar um bioma sustentável", diz Strassburg.

É uma observação importante. Se, de um lado, a Amazônia jamais deixará de ser vital para a manutenção da biodiversidade do planeta, de outro, no futuro o mundo talvez prescinda dela para mitigar os efeitos da variabilidade climática. E não só por causa da eventual inversão do ciclo carbônico. Há hoje toda uma indústria em gestação para enfrentar com meios artificiais a crise do aquecimento global. De usinas para extrair carbono da atmosfera a esquemas de refração da luz solar, essas iniciativas compõem um novo campo da ciência aplicada, a geoengenharia. Soa perigoso, e provavelmente é, mas isso não equivale a dizer que seja ineficiente. Talvez seja até inevitável. "Digamos que a economia dos países desenvolvidos chegue à neutralidade de emissões em 2050", especula Strassburg. "Eles vão precisar menos da Amazônia. E, se ainda precisarem, o preço terá caído, porque outras soluções estarão competindo com os serviços ecossistêmicos naturais."

Se acontecer, o Brasil terá perdido mais uma vez o bonde da história.

Epílogo
Uma linda possibilidade

A despeito da retórica ufanista, o Brasil é pouca coisa. Não é potência econômica, nem científica, nem tecnológica, nem geopolítica. Longe disso. Quinhentos anos depois da chegada dos portugueses ao litoral baiano, não temos muito o que mostrar ao mundo. O cenário à frente também não é promissor. Num século que se organiza cada vez mais em torno não de coisas, mas de conhecimento, nossas perspectivas parecem medíocres. Países como a China importam cérebros; o Brasil tem escolhido exportar os seus, movimento que ganhou volume nos últimos anos e se transformou numa verdadeira fuga de pesquisadores. Para que haja cientistas é preciso haver ciência. A cada novo corte de verbas para pesquisa, a cada criacionista indicado para cuidar das escolas e bibliotecas do país, o Estado brasileiro reafirma que não trilha esse caminho.

Produzimos alimentos, o que é importante. Ocorre que a soja do Centro-Oeste brasileiro é idêntica à soja cultivada no continente africano ou na Sibéria. Se o Brasil soube fazer a sua revolução agrícola, outros países podem fazer a deles, como prenunciam as mudanças climáticas e as transformações tecnológicas em curso. Resta saber se a concorrência mais forte virá das novas fronteiras de plantio ou dos laboratórios.

O que sobra então? O que distingue o país e o torna único? É simples. Temos a maior biodiversidade e a maior quantidade de carbono estocado em matéria orgânica do planeta (a Rússia nos ultrapassa, se incluído o carbono capturado no solo). Mais do que importante, esse é um patrimônio crucial. Num mundo fadado a enfrentar a emergência climática que se avizinha, preservar a maior floresta tropical do mundo é, antes de tudo, um dever de civilização. Para um país que contribuiu tão pouco para a felicidade do planeta, cumprir essa tarefa já seria imenso. Isso deveria bastar, mas os benefícios não se esgotam aí, pois não se resumem apenas ao cumprimento da responsabilidade moral: até segunda ordem, esse patrimônio vital que nos foi legado arbitrariamente pelas vicissitudes da química e da física da Terra é o único em condições de nos dar alguma relevância global.

Como observa Bernardo Strassburg, o capital natural foi sempre um ativo estratégico para o Brasil. O país vem sendo explorado assim desde o pau-brasil. Com o tempo, o que passou a nos caracterizar foi o que *substituiu* o capital natural: o café, o gado, a soja. Com tantas terras abandonadas ou mal usadas na Amazônia, não há por que abrir nem mais um palmo de floresta para plantar um pé de couve.

Num aparente paradoxo, tamanho desperdício, esse excesso de terra abandonada, essa França onde nada se produz — quase um terço de tudo o que foi desmatado desde que os dados começaram a ser compilados por satélite —, pode ser percebido, não sem dor, como uma trágica vantagem. Olhando para o que fizemos do bioma, Juliano Assunção considera que o dado mais animador não é a quantidade de florestas que ainda resta, mas a de pastos. E por uma razão: o que precisava ser desmatado já foi, com sobras, e em boa parte para nada. O país destruiu bem mais do que precisava e agora se vê com uma oferta abundante de terras improdutivas. Nesses pastos inóspitos é possível erguer outro tipo de economia.

As pesquisas de Strassburg mostram que nenhum país no mundo tem tantas áreas prioritárias onde fazer restauração florestal: 58 mil quilômetros quadrados somente no bioma amazônico. Isso é mais do que uma Bélgica, uma Suíça ou uma Dinamarca. Do modo como está organizado hoje, o mercado tende a privilegiar medidas de remoção de carbono, preferindo-as às de redução ou prevenção de emissões (uma árvore que cresce remove, um desmate que se evita reduz), o que significa que, nos próximos anos, devolver florestas para paisagens hoje devastadas poderá se transformar numa atividade econômica relevante. Strassburg estima que um programa médio de restauração empregue tanto quanto um cultivo de café, e bem mais do que a pecuária. Há gente para isso. Como mostram os estudos do grupo de Juliano Assunção, a região tem hoje uma oferta abundante de mão de obra desocupada. Junte-se essa abundância a outra, a de terras abandonadas, e no final tem-se uma floresta. O futuro está no que ficou de pé e no que poderá ficar de pé.

Um projeto de país digno do nome seria compreender todo esse potencial e essa riqueza e, a partir daí, transformar o Brasil naquilo que pouquíssimos países estão habilitados a ser: uma potência ambiental dos trópicos. Isso se faz fortalecendo o conhecimento, investindo em cientistas, levando as inovações para fora dos laboratórios, encampando uma política internacional de defesa das práticas sustentáveis como princípio econômico essencial. E, inevitavelmente, interrompendo a destruição. Enquanto existe, um bem natural perdura e não se deprecia. A floresta que hoje sustenta a biodiversidade sustentará a biodiversidade amanhã. O rio que movimenta uma turbina elétrica em 2021 provavelmente movimentará uma turbina elétrica diferente em 2121; a máquina precisará ser substituída, o rio não. Porém — e esta é a diferença entre um bem natural e todos os outros ativos —, se o rio secar, se a floresta for cortada ou definhar, se a abundância de vida desaparecer, terá sido para sempre. O que retorna é outra coisa, diferente e mais pobre. A extinção é irreversível.

Levada adiante, a ideia de um Brasil que retira de seu patrimônio natural, e da Amazônia em particular, o fundamento de sua identidade e de seu destino, que transforma o arrabalde em nossa casa, por assim dizer, impõe ao país uma tarefa magnífica. No limite, a de desenvolver em terras brasileiras um dos centros mundiais da biodiversidade tropical. É um sonho que já habita a imaginação de alguns cientistas. Fazer daqui um eixo de referência mundial para a agricultura de baixo carbono, para os novos materiais extraídos da natureza, para a engenharia baseada nas formas vivas, para a identificação de moléculas que curam, para o estabelecimento de novos marcos legais de remuneração das comunidades que preservam esse vasto patrimônio genético, para a prestação de serviços ecossistêmicos — em suma, para nichos importantes de tudo o que possa ser chamado de biotecnologia.

Pouco importa se o objetivo é fantasioso e difícil de alcançar. O que importa é o rumo. Para um país que sempre sonhou baixo, é uma linda ambição, apta a evitar que, no futuro, uma criança olhe para um mogno e acredite que está diante de uma pilha de tábuas de compensado.

Agradecimentos

Embora a Amazônia seja o ativo mais precioso que o Brasil possui, eu, um brasileiro adulto com meios para viajar, jamais havia estado ali nem por quatro dias, situação que de uns anos para cá começou a me constranger. Recorri então a amigos que conhecem bem a região, pedindo que me mostrassem o caminho das pedras. Eles me indicaram amigos, que me puseram em contato com amigos, que me apresentaram a amigos, numa espécie de corrida de revezamento em que a generosidade era o bastão que passavam adiante. Minha lista de agradecimentos é extensa.

Em primeiro lugar, agradeço a Beto Veríssimo, a quem primeiro falei sobre meu desejo de passar uma temporada na Amazônia. Em início de 2019, sentados em torno de uma pequena mesa no Rio de Janeiro, esboçamos um roteiro preliminar da viagem. Ele acabaria me acompanhando em boa parte dos trajetos. Beto é um dos fundadores do Imazon, uma joia do terceiro setor brasileiro. Tê-lo como companheiro de viagem é uma dessas sortes que não se repetem muitas vezes. Ele me abriu os olhos para a Amazônia, me ajudou a enxergá-la em toda a sua beleza e sofrimento. Difícil imaginar um presente mais valioso. Terei sempre uma dívida de gratidão com ele.

Obrigado a todos os pesquisadores e ex-pesquisadores do Imazon que abriram a agenda para me ajudar a compreender os problemas que a floresta enfrenta: Paulo Barreto, Brenda Brito, Paulo Amaral, Carlos Souza Jr., Rita Pereira, Jakeline Pereira, Heron Martins, Daniel Santos.

Aos amigos que fiz em Belém — João Meirelles, Luiz Braga, Simão Jatene, Pedro Vasconcelos, Raphael Medeiros, Justiniano Netto —, obrigado pela acolhida, saudades e até breve, espero.

Ao pessoal do restaurante Santa Chicória, em Belém, o carinho de vocês continua comigo. E um recado para o Paulo Anijar, fundador e chef desse que, nas minhas contas, é um dos melhores restaurantes do Brasil: só de pensar naquela sobremesa de bacuri me dá vontade de embarcar para Belém.

A bacia do Tapajós deve muito a Caetano e Eugênio Scannavino, da organização Saúde & Alegria. Nós brasileiros temos de ser gratos ao trabalho heroico deles em defesa do rio e das populações indígenas e ribeirinhas. O tema de fundo deste livro é como não soubemos compreender a floresta. A casa de Caetano em Alter do Chão é o contrário disso. Uma moradia que sabe onde está, à vontade na mata, linda em sua personalidade equatorial. Comer ali é um privilégio, tanto pela beleza do lugar quanto pela cozinha de Thaís Medeiros, cientista social e companheira de Caetano — é como pôr a floresta na boca, o que significa outra forma de conhecê-la.

Sou grato às muitas pessoas que conheci que lutam por uma Amazônia mais justa e melhor: em Paragominas, Adnan Demachki; em Altamira, Marcelo Salazar, Juma Xipaia e d. Erwin Kräutler; em Anapu, irmã Jane Dwyer e irmã Katia Webster; em Brasília, Marina Silva, Carlos Vicente, Paulo Moutinho, André Guimarães e Adriana Ramos; em São Paulo, Tasso Azevedo; em Belém, Joice Ferreira e Mauro Ó de Almeida, que, como se não bastasse, ainda tem a virtude de ser botafoguense (como Paulo Moutinho, aliás).

Inúmeros dados que cito neste livro foram levantados pelo grupo de trabalho de Juliano Assunção. Sou imensamente grato a ele e aos pesquisadores do Amazônia 2030, projeto coordenado por Juliano e Beto Veríssimo; agradeço em especial a Clarissa Gandour, Salo Coslovsky, Alexandre Mansur e Gustavo Nascimento, parceiros de encontros memoráveis dedicados a aprofundar o conhecimento sobre a Amazônia — encontros que não teriam sido tão memoráveis assim não fosse pela organização impecável a cargo de Manuele Lima e Fernanda Catunda. Obrigado às duas.

Este livro nasceu como um conjunto de artigos na revista *piauí*. Agradeço ao André Petry pelas sugestões precisas, à Raquel Freire Zangrandi pela coordenação de edição — e pela presença a cada passo — e a Marcella Ramos e Luiza Barbara pela checagem minuciosa. Elas me salvaram não uma vez: muitas.

O livro se beneficiou muito do trabalho cuidadoso da Companhia das Letras. Agradeço ao Luiz Schwarcz e ao Otávio Marques da Costa pela primeira leitura, ao Fábio Bonillo pela leitura final e a Cristina Yamazaki, Maria Cecília Caropreso e Érico Melo pelo trabalho de preparação e checagem.

Por fim, um agradecimento especial à Denise Pegorim, minha editora de sempre. A diferença entre os meus escritos antes e depois do trabalho dela é a que existe entre uma paisagem com e sem névoa. Ela recebe a cerração e me devolve claridade.

JMS
Rio, setembro de 2022

ps: Escrevi boa parte deste livro durante os meses mais duros da pandemia. O trabalho foi acompanhado de perto por Zezé e Aurora. Não propriamente de forma atenta — na maior parte do tempo elas dormiam e sonhavam (alto) debaixo da minha mesa —, mas num companheirismo que me trouxe alguma leveza naqueles tempos tristes. Às duas, prometo nunca economizar no Biscrok nem nas festinhas na barriga.

Referências bibliográficas

INTRODUÇÃO [pp. 11-24]

p. 11, "começa assim o relato sobre o que viu": Euclides da Cunha, *À margem da história*. Porto: Chardron, 1909, p. 3.

p. 12, "o húngaro Sándor Márai faz um personagem dizer": Sándor Márai, *As brasas*. São Paulo: Companhia das Letras, 1999, p. 112.

p. 12, "a Alta Idade Média como o período em que essa tradição se fixa na hagiografia cristã": Laura Fenelli, "La Forêt dans l'hagiographie: Havre de paix ou lieu du martyr?", em Géraldine Mocellin (ed.), *La Forêt: Un Moyen Age enchanté?*. Ghent: Snoeck; Musée de Saint-Antoine l'Abbaye, 2021, pp. 14, 16-7.

p. 15, "Nessas cidades vivem cerca de três quartos": Rede Amazônica de Informação Socioambiental Georreferenciada, *Amazônia sob pressão*. São Paulo: Instituto Socioambiental, 2021, p. 14. Disponível em: <https://www.raisg.org/pt-br/download/atlas-amazonia-sob-pressao-2020/>. Acesso em: 22 ago. 2022.

p. 16, "Vinte por cento já foram convertidos": Tasso Azevedo, "O cerco ambiental das crianças". *O Globo*, 25 set. 2019; idem, em comunicação oral na Universidade de Princeton, out. 2019.

p. 18, "Estudos dos anos 2000 já demonstravam": Danielle Celentano e Adalberto Veríssimo, "O avanço da fronteira na Amazônia: Do boom ao colapso". Belém: Instituto do Homem e Meio Ambiente da Amazônia, 2007.

p. 18, "Pesquisas recentes indicam que hoje esses lugares perdem população": Cássio Turra, estudo inédito para o projeto Amazônia 2030.

p. 19, "Que esse sistema singular produza 20% da água doce": Roberta Jansen, "Amazônia está perto de ponto irreversível e pode virar deserto, dizem cientistas". *O Estado de S. Paulo*, 12 nov. 2021; "A importância fundamental da biodiversidade da Amazônia para o mundo: Uma entrevista com Thomas Lovejoy". Banco Mundial, 22 maio 2019. Disponível em: <https://www.worldbank.org/pt/news/feature/2019/05/22/why-the-amazons-biodiversity-is-critical-for-the-globe>. Acesso em: 22 ago. 2022; "A maior biodiversidade do planeta está aqui — Amazônia importa". *Folha de S.Paulo*, 10 ago. 2020. Disponível em: <https://estudio.folha.uol.com.br/amazonia-importa/2020/08/1988816-a-maior-biodiversidade-do-planeta-esta-aqui.shtml>. Acesso em: 22 ago. 2022.

p. 19, "prêmio Nobel de literatura em 2018": Olga Tokarczuk, "O original e a cópia", em *Viagens*, Lisboa: Cavalo de Ferro, 2019, p. 56.

p. 19, "Quando a política se alinha com o conhecimento": Climate Policy Initiative e Amazônia 2030, com dados do Prodes-Inpe e IBGE.

p. 22, "Ypi defendia que era preciso não desesperar": Lea Ypi, *Free: A Child and a Country at the End of History*. Nova York: Norton, 2021, p. 263.

1. A FLORESTA DIFÍCIL [pp. 25-40]

p. 26, "No livro que Bates publicaria sobre os onze anos que passou na região": Henry Walter Bates, *Um naturalista no rio Amazonas*. Belo Horizonte: Itatiaia, 1979, pp. 12, 31, 25, 28 e 50.

p. 26, "Oitenta anos depois, o escritor Mário de Andrade também esteve na cidade": Mário de Andrade, *O turista aprendiz*. Brasília: Iphan, 2015, pp. 73, 193 e 70.

p. 27, "Bates deixou registrado o rápido processo de eliminação da natureza": Bates, *Um naturalista no rio Amazonas*, pp. 297-8.

p. 28, "Manaus e Belém são as duas capitais menos arborizadas do país": Marina Souza, "Manaus e Belém são as capitais menos arborizadas, indica IBGE". G1, 25 maio 2012. Disponível em: <https://g1.globo.com/am/amazonas/noticia/2012/05/manaus-e-belem-sao-capitais-menos-arborizadas-indica-ibge.html>. Acesso em: 26 jul. 2022.

p. 30, "Ao voltar para Belém depois de anos embrenhado na mata": Bates, *Um naturalista no rio Amazonas*, p. 296.

p. 31, "Em sua biografia do naturalista alemão Alexander von Humboldt": Andrea Wulf, *A invenção da natureza: A vida e as descobertas de Alexander von Humboldt*. São Paulo: Planeta, 2016, p. 100.

p. 31, "Nas quatro primeiras páginas de seu relato": Cunha, *À margem da história*, pp. 3-6 e 22.

p. 32, "Bates, tão à vontade nas matas a ponto de andar descalço por elas": Bates, *Um naturalista no rio Amazonas*, p. 37.

p. 32, "Humboldt, talvez o mais extraordinário explorador da Amazônia": Wulf, *A invenção da natureza*, pp. 89 e 110.

p. 32, "O relato inaugural do desajuste entre a floresta e os forasteiros foi escrito por um dominicano": Gaspar de Carvajal, "Descobrimento do rio de Orellana", em Gaspar de Carvajal, Alonso de Roxas e Cristóbal de Acuña, *Descobrimentos do rio das Amazonas*. São Paulo: Companhia Editora Nacional, 1941, pp. 38, 40 e 61.

p. 33, "Aproximadamente 20% da fauna planetária está na Amazônia": Priscila Jordão, "Por que a Amazônia é vital para o mundo?". *Deutsche Welle*, 22 ago. 2019. Disponível em: <https://www.dw.com/pt-br/por-que-a-amaz%C3%B4nia-%C3%A9-vital-para-o-mundo/a-40315702>. Acesso em: 26 jul. 2022; Lizzie Wade, "How the Amazon Became a Crucible of Life". *Science*, 28 out. 2015. Disponível em: <https://www.science.org/content/article/feature-how-amazon-became-crucible-life>. Acesso em: 22 ago. 2022.

p. 33, "três séculos de trabalho não foram suficientes para catalogar todas": Hans ter Steege et al., "The Discovery of the Amazonian Tree Flora with an Updated Checklist of All Known Tree Taxa". *Nature Scientific Reports*, Londres, v. 6, 29549, 2016.

p. 34, "grande fome", "À falta de outros mantimentos", "e foi servido Deus que, dobrando uma ponta" e "Quer que saibam [...] o motivo": Carvajal, "Descobrimento do rio de Orellana", pp. 19, 26, 58 e 60.

p. 35, "O arqueólogo norte-americano Michael J. Heckenberger descreve o fenômeno": Michael J. Heckenberger, *The Ecology of Power: Culture, Place and Personhood in the Southern Amazon, AD 1000-2000*. Londres: Taylor & Francis, 2004, p. 7.

p. 36, "E de toda essa gente só a mim": Carvajal, "Descobrimento do rio de Orellana", pp. 62 e 63.

p. 37, "Um exemplo da primeira modalidade vem da ensaísta e crítica literária argentina Beatriz Sarlo": Beatriz Sarlo, *Viagens: Da Amazônia às Malvinas*. Lisboa: Tinta da China, 2017, pp. 142 e 141.

p. 37, "O panteísmo mágico é a linha dos que enxergam estratos invisíveis na floresta": Alexandra Lucas Coelho, *Vai, Brasil*. Lisboa: Tinta da China, 2015, p. 103.

p. 38, "Mário de Andrade anotou coisa parecida em seu diário": Andrade, *O turista aprendiz*, p. 104.

p. 38, "Em seu discurso de posse na Academia Brasileira de Letras": Cunha, *Obra completa*. Rio de Janeiro: Aguilar, 1966, p. 205.

p. 38, "No romance *A selva*, clássico de 1930 ambientado durante o ciclo da borracha": Ferreira de Castro, *A selva*. Rio de Janeiro: José Aguilar, 1958, pp. 102-3.

p. 38, "Mário de Andrade, também a bordo de um barco, havia procurado em vão as margens do rio": Andrade, *O turista aprendiz*, p. 70.

p. 39, "É o que faz Henry Walter Bates descrevendo como uma lagarta constrói o casulo": Bates, *Um naturalista no rio Amazonas*, p. 271.

p. 39, "É o que faz também o entomologista Edward O. Wilson": Edward O. Wilson, *Diversidade da vida*. São Paulo: Companhia das Letras, 2012, p. 11.

p. 40, "Ou Mário de Andrade diante deste amanhecer": Andrade, *O turista aprendiz*, pp. 141-2.

2. ORDEM E DESORDEM [pp. 41-67]

p. 41, "Há mais de uma versão para esse nome": Marianne Schmink e Charles H. Wood, *Conflitos sociais e a formação da Amazônia*. Belém: Edufpa, 2012.

p. 54, "Essa corrente foi colocada ali": Antonio Ronaldo Alencar e William Gaia Farias, *Ourilândia do Norte: Grandes projetos, garimpos e experiências sociais na construção do município*. Belém: Açaí, 2008, pp. 81 e 85.

pp. 55 e 57, "empresários locais foram rejeitados" e "a prestação de serviços ao garimpo": Schmink e Wood, *Conflitos sociais e a formação da Amazônia*, pp. 271 e 274.

p. 59, "O Serra, mais uns dois companheiros dele" e "Mais de quinhentas pessoas": Alencar e Farias, *Ourilândia do Norte*, pp. 99-101.

p. 60, "Numa carta ao ministro da Reforma": Schmink e Wood, *Conflitos sociais e a formação da Amazônia*, pp. 283-6.

3. SETE BOIS EM LINHA [pp. 68-122]

p. 73, "Na Amazônia, crime é investimento": Coelho, *Vai, Brasil*, p. 115.

p. 77, "O sentimento em nós é brasileiro": Joaquim Nabuco, *Minha formação*. São Paulo: Instituto Progresso Editorial, 1949, p. 36. Devo esta citação a Eduardo Giannetti.

p. 78, "O que fez a economia do algodão prosperar": Matthew Desmond, "In Order to Understand the Brutality of American Capitalism, You Have to Start on the Plantation". *The New York Times Magazine*, 14 ago. 2019.

p. 80, "A Amazônia evoluiu de um relativo vazio": Celentano e Veríssimo, "O avanço da fronteira na Amazônia", p. 10.

p. 93, "O que parece ser uma excelente notícia": Azevedo, "O cerco ambiental das crianças".

p. 94, "A tudo quanto pratica, na terra": Euclides da Cunha, "Os caucheiros". *Jornal do Commercio*, 2 fev. 1907.

pp. 96-7, "No passado, seu modesto aeroporto" e "em Itaituba, garimpeiros compram cerca de cem escavadeiras": Daniel Camargos, "Em ofensiva contra indígenas no Pará, garimpeiros ilegais movimentam mercado bilionário". Repórter Brasil, 24 nov. 2019. Disponível em: <https://reporterbrasil.org.br/2019/11/em-ofensiva-contra-indigenas-no-para-garimpeiros-ilegais-movimentam-mercado-bilionario/>. Acesso em: 27 jul. 2022.

p. 97, "Em 2019, a cidade inaugurou um monumento" e "classe garimpeira que há décadas": "Itaituba homenageia garimpeiros com monumento". Prefeitura de Itaituba, 1 mar. 2019. Disponível em: <https://www.itaituba.pa.gov.br/noticia/298/itaituba-homenageia-garimpeiros-com-monumento/>. Acesso em: 27 jul. 2022.

p. 99, "Um estudo de 2003 publicado na *Revista Brasileira de Epidemiologia*": Elisabeth C. de Oliveira Santos et al., "Exposição ao mercúrio e ao arsênio em estados da Amazônia: Síntese dos estudos do Instituto Evandro Chagas/Funasa". *Revista Brasileira de Epidemiologia*, São Paulo, v. 6, n. 2, pp. 171-85, 2003.

p. 99, "Uma dissertação de mestrado apresentada": Gabriela de Paula Fonseca Arrifano, *Metilmercúrio e mercúrio inorgânico em peixes comercializados nos mercado municipal de Itaituba (Tapajós) e mercado do Ver-o-Peso (Belém)*. Dissertação de mestrado. Belém: UFPA, 2011, pp. 38-9.

pp. 98 e 100, "O mercúrio é usado pelo garimpo" e "de marcha ebriosa": Conversa com Antonio Marcos Mota Miranda, IEC, Ananindeua, dez. 2019.

p. 100, "de quatro a dezoito vezes maiores que os limites seguros": Paulo Cesar Basta e Sandra de Souza Hacon, "Impacto do mercúrio na saúde do povo indígena Munduruku, na bacia do Tapajós". Nota técnica, Fiocruz, nov. 2020, pp. 3-4.

p. 101, "a capacidade de atravessar duas importantes barreiras": Aparecida Vilaça, "Mal invisível". *piauí*, n. 176, maio 2021.

p. 101, "uma geração inteira de pessoas que vive na Amazônia": Basta e Hacon, "Impacto do mercúrio na saúde do povo indígena Munduruku, na bacia do Tapajós", p. 5.

p. 103, "Parafraseando uma formulação de Michel Foucault": Achille Mbembe, "Necropolítica". *Revista do PPGAV/EBA/UFRJ*, Rio de Janeiro, n. 32, pp. 122-51, dez. 2016.

pp. 103-4, "O desconhecido e o prodigioso são drogas", "numa simulação de vida violenta", "Ali nas proximidades eu sabia que morcegos-de-ferradura" e "Em todas as culturas, classificação taxionômica": Wilson, *Diversidade da vida*, pp. 16, 14-5 e 58.

p. 105, "Mais de 31 mil espécies diferentes [de plantas]": Stefano Mancuso, *Revolução das plantas: Um novo modelo para o futuro*. São Paulo: Ubu, 2019, p. 10.

pp. 105-6, "[Uma só] árvore na Amazônia, com uma copa" e "[Na] principal região desmatada da Amazônia": Elisa Martins, "'Fala de Salles pode ser sinal verde para desmatadores', diz ex-diretor do Inpe". *O Globo*, 19 nov. 2019.

p. 107, "Florestas assustam as pessoas": Richard Powers, *The Overstory*. Nova York: W. W. Norton, 2018, p. 220.

p. 109, "paraíso falsificado": Wade Davis, *Shadows in the Sun: Travels to Landscapes of Spirit and Desire*. Washington: Island Press, 1998, p. 111.

p. 110, "Hoje, além do que já foi destruído, outros 20%": Stanley Stewart, "Can Tourism Help Save the Ecosystems of the Amazon?". *Financial Times*, 27 dez. 2019.

pp. 110-1, "As comunidades de aves amazônicas", "muitas espécies são raras" e "A conversão do hábitat florestal": Rede Amazônia Sustentável, Twitter, 25 jun. 2021. Disponível em: <https://mobile.twitter.com/ras_network/status/1408519950260748312>. Acesso em: 28 jul. 2022; Wilson, *Diversidade da vida*, pp. 23-4.

pp. 113-4, "A cooperação entre plantas e formigas", "Em troca, as formigas se encarregam" e "a defesa ativa implementada pelas formigas": Mancuso, *Revolução das plantas*, pp. 78-9.

p. 114, "O que eles viram ali": Robert Macfarlane, "The Understory". *Emergence Magazine*, 26 jun. 2019. Disponível em: <https://emergencemagazine.org/essay/the-understory/>. Versão brasileira publicada na revista *piauí*, n. 164, maio 2020.

pp. 115-8, "Enfatizamos a dominação e a competição", "Estudos em laboratório haviam constatado", "faz só algumas horas que começamos", "Verifiquei várias vezes os números", "No entanto, minha teoria era totalmente plausível", "tango mais sofisticado do que apenas uma competição" e "No alto verão o fungo poderia passar": Suzanne Simard, *A árvore-mãe: Em busca da sabedoria da floresta*. Rio de Janeiro: Zahar, 2022, pp. 173, 178, 180, 189-90, 180, 193 e 224.

p. 118, "forjado uma unidade a partir de sua dualidade": Macfarlane, "The Understory".

p. 119, "Não há indivíduos": Powers, *The Overstory*, p. 142.

pp. 119-20, "Embora hoje em dia haja muito mais evidências", "Gostaria de deixar claro o absurdo da questão" e "Portanto, um representante e meio": Stefano Mancuso, *A planta do mundo*. São Paulo: Ubu, 2021, pp. 81-2.

p. 121, "*a wood wide web*": Suzanne Simard et al., "Net Transfer of Carbon between Ectomycorrhizal Tree Species in the Field". *Nature*, Londres, n. 388, pp. 579-82, 1997.

p. 121, "compostos de sinalização imunológica": Macfarlane, "The Understory".

p. 121, "Da próxima vez que você caminhar": Anna Lowenhaupt Tsing, "Arte da inclusão, ou, Como amar um cogumelo", em *Viver nas ruínas: Paisagens multiespécies no Antropoceno*. Brasília: IEB Mil Folhas, 2019, p. 43.

4. A FRONTEIRA É UM PAÍS ESTRANGEIRO [pp. 123-64]

pp. 126-7, "As florestas tropicais do mundo estão desaparecendo", "o que permitiu que um número relativamente pequeno" e "Não há dúvida de que o desmatamento acelerado": Dennis J. Mahar, "Government Policies and Deforestation in Brazil's Amazon Region". Washington: Banco Mundial, 1989, pp. 1-3, 10 e 46.

p. 127, "Este *paper* demonstra como o arcabouço tributário": Hans Binswanger, "Brazilian Policies that Encourage Deforestation in the Amazon". World Bank Environment Paper, Washington, n. 16, 1991, p. 821.

p. 129, "Em agosto de 1995, o Banco Mundial publicou": Robert R. Schneider, "Government and the Economy on the Amazon Frontier". World Bank Environment Paper, Washington, n. 11, 1995.

p. 131, "No início da década de 1990, Adalberto Veríssimo" e "somente 3% dos proprietários das indústrias madeireiras": Adalberto Veríssimo et al., "Impactos da atividade madeireira e perspectivas para o manejo sustentável da floresta numa velha fronteira da Amazônia: O caso de Paragominas", em Ana Cristina Barros e Adalberto Veríssimo (Orgs.), *A expansão madeireira na Amazônia*. 2. ed. Belém: Imazon, 2002, p. 51.

pp. 138-9, 141, 143, "Schneider identificou dois tipos de migrante", "Mineração de nutrientes", "A mineração de nutrientes na Amazônia", "Minerar nutrientes surgirá como a forma", "tomar empréstimo da terra", "O governo prematuro se dá quando os investimentos públicos" e "Nelas, o Estado foi incapaz de criar as precondições": Schneider, "Government and the Economy on the Amazon Frontier", pp. 15, 16, 6, 33 e 43.

p. 148, "25% de todos os empregos formais": Flávia Alfenas, Francisco Cavalcanti e Gustavo Gonzaga, "Mercado de trabalho na Amazônia Legal: Uma análise comparativa com o resto do Brasil". Rio de Janeiro: Amazônia 2030; PUC-RJ, nov. 2020.

p. 148, "boom-colapso", "com a mais alta probabilidade de abrigar" e "Se as forças de mercado atuarem livremente": Robert R. Schneider et al., "Amazônia sustentável: Limitantes e oportunidades para o desenvolvimento rural". Brasília: Banco Mundial; Belém: Imazon, 2000, pp. 8 e 15.

p. 149, "Na zona sob pressão, ocorreram 43% dos assassinatos": Celentano e Veríssimo, "O avanço da fronteira na Amazônia", p. 18.

p. 150, "De 2007 para cá, a situação só piorou": Sofia Reinach et al., "Cartografias das violências na região amazônica". São Paulo: Fórum Brasileiro de Segurança Pública, 2021.

p. 151, "Em outro estudo, o economista Rodrigo Soares": Rodrigo R. Soares, Leila Pereira e Rafael Pucci, "Ilegalidade e violência na Amazônia". São Paulo: Centro de Empreendedorismo da Amazônia; Amazônia 2030, 2021.

p. 152, "Ambos os modelos empregam aproximadamente": Schneider et al., "Amazônia sustentável", p. 17.

p. 153, "Os municípios mais desmatados da Amazônia": Celentano e Veríssimo, "O avanço da fronteira na Amazônia", p. 27.

p. 153, "Um estudo de 2021 liderado": Cássio Turra, estudo inédito para o projeto Amazônia 2030.

p. 154, "É o pior dos cenários": Celentano e Veríssimo, "O avanço da fronteira na Amazônia", p. 34.

p. 154, "Um ano depois dessas queimadas": Gabriela Azevedo, "Dia do Fogo completa um ano com apenas 5% dos responsáveis punidos, aponta Greenpeace". G1 Pará, 18 ago. 2020. Disponível em: <https://g1.globo.com/pa/para/noticia/2020/08/10/dia-do-fogo-completa-um-ano-com-apenas5percent-dos-responsaveis-punidos-aponta-greenpeace.ghtml>. Acesso em: 29 jul. 2022; "Dia do Fogo completa um ano, com legado de impunidade". Greenpeace, 10 ago. 2020. Disponível em: <https://www.greenpeace.org/brasil/florestas/dia-dofogo-completa-um-ano-com-legado-de-impunidade/>. Acessos em: 22 ago. 2022.

p. 154, "Nessa data, o Inpe registrou um salto de 700%": Phillippe Watanabe, "'Dia do fogo' em 2019 gerou poucas multas ambientais". *Folha de S.Paulo*, 9 ago. 2020.

p. 156, "No estudo de 2007 em que tipificaram" e "No Acre e em Roraima, a administração pública": Celentano e Veríssimo, "O avanço da fronteira na Amazônia", p. 20.

p. 156, "Um levantamento feito pelo grupo de pesquisa": Levantamento de Juliano Assunção e equipe, CPI/PUC-Rio, a partir do Censo Demográfico.
p. 157, "A indústria ilegal de fármacos": Schneider, "Government and the Economy on the Amazon Frontier", p. 43.
p. 158, "o curto período dos mandatos": Schneider et al., "Amazônia sustentável", p. 21.
p. 158, "O passado é um país estrangeiro": L. P. Hartley, *The Go-Between*. Nova York: NYRB Classics, 2002, p. 17.
p. 159, "se a mineração de nutrientes é causada": Schneider, "Government and the Economy on the Amazon Frontier", p. 37.
p. 160, "Um estudo de 2014 publicado": Christopher P. Barber, Mark A. Cochrane, Carlos M. Souza Jr. e William F. Laurance, "Roads, Deforestation, and the Mitigating Effect of Protected Areas in the Amazon". *Biological Conservation*, Barking, v. 177, pp. 203-9, 2014.
p. 160, "fechar a fronteira": Schneider, "Government and the Economy on the Amazon Frontier", p. 38.

5. O ELEFANTE NEGRO [pp. 165-92]

pp. 166-8, "Foi tão intenso que em uma única noite", "efeitos ambientais indesejáveis", "um crescimento explosivo da malária" e "apresentavam na campanha de 1986": Emílio Lèbre La Rovere e Francisco Eduardo Mendes (Coords.), *Usina Hidrelétrica de Tucuruí, Brasil: Estudo de caso da Comissão Mundial de Barragens*. Rio de Janeiro: World Commission on Dams; Coppe; UFRJ, 2000.
p. 171, "Vírus: *tacaiuma*. Vetor: *Aedes*": Pedro F. C. Vasconcelos et al., "Gestão imprópria do ecossistema natural na Amazônia brasileira resulta na emergência e reemergência de arbovírus". *Cadernos de Saúde Pública*, Rio de Janeiro, n. 17, pp. 155-64, 2001.
p. 172, "um incremento de 1% na área desmatada": Nilo Luiz Saccaro Junior, Lucas Ferreira Mation e Patrícia Alessandra Morita Sakowski, "Impacto do desmatamento sobre a incidência de doenças na Amazônia". Texto para discussão n. 2142, Brasília: Ipea, 2015, p. 9.
p. 173, "Não conhecemos nem 2% dos vírus": Ana Lucia Azevedo, "Brasil é o país com mais espécies de vírus desconhecidos do mundo, revelam cientistas". *O Globo*, 2 fev. 2020.
p. 173, "Espécie: *dengue*": Vasconcelos et al., "Gestão imprópria do ecossistema natural na Amazônia brasileira resulta na emergência e reemergência de arbovírus", p. 159.

p. 175, "No outono de 1998, suinocultores malaios": Ferris Jabr, "How Humanity Unleashed a Flood of New Diseases". *The New York Times Magazine*, 17 jun. 2020.

pp. 175-8, "a doença era tão mortal quanto o ebola", "um frio na espinha", "Chua correu para o telefone", "Os porcos berravam" e "E há sinais de que o vírus": Michaeleen Doucleff e Jane Greenhalgh, "A Taste for Pork Helped a Deadly Virus Jump to Humans". NPR, 25 fev. 2017. Disponível em: <https://www.npr.org/sections/goatsandsoda/2017/02/25/515258818/a-taste-for-pork-helped-a-deadly-virus-jump-to-humans>. Acesso em: 29 jul. 2022.

p. 180, "Desenvolvem cânceres em pássaros": Alan Burdick, "Monster or Machine?: A Profile of the Coronavirus at 6 Months". *The New York Times*, 2 jun. 2020.

pp. 181-3 "Talvez [ele] estivesse em uma situação difícil" e "Não tenho uma resposta": Gustavo Faleiros, "David Quammen, o biógrafo das grandes epidemias". InfoAmazonia, 3 abr. 2020. Disponível em: <https://infoamazonia.org/2020/04/03/david-quammen-o-biografo-das-grandes-epidemias/>. Acesso em: 29 jul. 2022.

p. 182, "A degradação ambiental favorece o salto": Jonathan A. Foley et al., "Global Consequences of Land Use". *Science,* Washington, v. 309, pp. 570-5, 22 jul. 2005; Ruth S. DeFries, Jonathan A. Foley e Gregory P. Asner, "Land-Use Choices: Balancing Human Needs and Ecosystem Function". *Frontiers in Ecology and the Environment*, Washington, v. 2, n. 5, pp. 249-57, jun. 2004.

p. 187, "recentemente, o patógeno ultrapassou": Maria Fernanda Ziegler, "Descoberto o mecanismo que desencadeia o processo inflamatório na infecção pelo vírus Mayaro". Agência Fapesp, 11 nov. 2019. Disponível em: <https://agencia.fapesp.br/descoberto-o-mecanismo-que-desencadeia-o-processo-inflamatorio-na-infeccao-pelo-virus-mayaro/31887/>. Acesso em: 29 jul. 2022.

p. 189, "Também publicado em 2001, um estudo": Wellington S. Mendes et al., "Síndrome pulmonar por hantavírus em Anajatuba, Maranhão, Brasil". *Revista do Instituto de Medicina Tropical de São Paulo*, São Paulo, v. 43, n. 4, pp. 237-40, 2001.

p. 191, "A limitação na investigação e estudos": "Um problema invisível: Arenavírus ressurge no Brasil depois de 20 anos". Sociedade Brasileira de Medicina Tropical, 7 fev. 2020. Disponível em: <https://www.sbmt.org.br/portal/um-problema-invisivel-arenavirus-ressurge-no-brasil-depois-de-20-anos/>. Acesso em: 29 jul. 2022.

p. 191, "Uma publicação em comemoração": *Revista Pan-Amazônica de Saúde*, Belém, v. 7, n. especial, 2016.

6. A REVIRAVOLTA [pp. 193-246]

p. 197, "A Costa Rica produz 25 vezes": Food and Agriculture Organization of the United Nations (Faostat) (https://www.fao.org/faostat/en/#data) e Pesquisa Agrícola Municipal (PAM) (https://sidra.ibge.gov.br/tabela/5457).

p. 198, "Quarenta anos atrás, só 10% do rebanho brasileiro": Ana Cristina Barros e Adalberto Veríssimo (Orgs.), *A expansão madeireira na Amazônia*. 2. ed. Belém: Imazon, 2002, pp. 47 e 43.

p. 207, "autora de um livro sobre o período": Maxiely Scaramussa Bergamin, *Paragominas: A experiência de se tornar um município verde*. Belém: Marques Editora, 2015, p. 77.

p. 202, "Em 1989, transcorridos apenas doze anos": Christopher Uhl et al., "O desafio da exploração sustentada". *Ciência Hoje*, Rio de Janeiro, v. 14, n. 81, pp. 52-9, maio-jun. 1992.

p. 202, "De acordo com uma reportagem da revista": Thiago Medaglia, "Paragominas: O ponto da virada". *National Geographic Brasil*, n. 141, dez. 2011.

p. 208, "[O] proprietário não poderá obter crédito": Gisele Teixeira, "MMA divulga lista dos municípios que mais desmataram em 2007". Ministério do Meio Ambiente, 24 jan. 2008. Disponível em: <https://www.gov.br/mma/pt-br/noticias/mma-divulga-lista-dos-municipios-que-mais-desmataram-em--2007>. Acesso em: 29 jul. 2022.

p. 224, "A revista inglesa *The Economist*": "Trees of Knowledge". *The Economist*, 13 set. 2013.

p. 231, "combater desmatamento na Amazônia não necessariamente": Juliano Assunção e Romero Rocha, "Municípios prioritários: Reputação ou fiscalização?". Climate Policy Initiative, 24 set. 2014, p. 6. Disponível em: <https://www.climatepolicyinitiative.org/pt-br/publication/municipios-prioritarios-reputacao-ou-fiscalizacao/>. Acesso em: 22 ago. 2022.

pp. 231-2, "Isso apoia a hipótese de que infratores" e "parece seguir para áreas não protegidas": Clarissa Costalonga e Gandour, *Forest Wars: A Trilogy on Combating Deforestation in the Brazilian Amazon*. Tese de doutorado. Rio de Janeiro: PUC-Rio, 2018, pp. 8-9.

p. 237, "A moratória fere a nossa soberania": Marcela Caetano, Luiz Henrique Mendes e Camila Souza Ramos, "Governo e agricultores unem forças contra moratória da soja na Amazônia". *Valor Econômico*, 7 nov. 2019.

p. 238, "Embora apenas 1% das terras desmatadas": Raoni Rajão et al., "The Rotten Apples of Brazil's Agribusiness". *Science*, Washington, v. 369, n. 6501, pp. 246-8, jul. 2020.

7. O REENCONTRO [pp. 247-94]

p. 248, "ter puro sangue índio": Angus Mitchell (Ed.), *Diário da Amazônia de Roger Casement*. São Paulo: Edusp, 2016, p. 56.

pp. 252 e 255, "O Projeto Jari é a apoteose desse sonho", "Eu sempre quis plantar árvores" e parágrafos seguintes: Jerry Shields, *The Invisible Billionaire: Daniel Ludwig*. Boston: Houghton Mifflin, 1986, p. 294; Eric Pace, "Daniel Ludwig, Billionaire Businessman, Dies at 95". *The New York Times*, 29 ago. 1992; Shields, *The Invisible Billionaire*, pp. 287, 297, 327, 309 e 331-2

p. 263, "No ano 2000, Azevedo Antunes entregou": Rui da Silva Santos, "Grupo Orsa compra o complexo do Jari". *Folha de S.Paulo*, 23 dez. 1999.

p. 267, "A Amazônia é ocupada há mais de 10 mil anos": Eduardo Góes Neves, *Arqueologia da Amazônia*. Rio de Janeiro: Jorge Zahar, 2006, p. 10.

pp. 267-9, "O passado se encaixa na variabilidade do presente", "No início, o Mundo todo era *América*" e "nossos ancestrais contemporâneos": Heckenberger, *The Ecology of Power*, pp. 8 e 11.

pp. 269-70, "A maior prova disso é o [...] fato" e "uma época de extrema violência contra os índios": Neves, *Arqueologia da Amazônia*, pp. 75-6.

pp. 270-1, "ostensivamente em nome de Deus e do Reino", "Quando a 'ciência' descobriu as Américas": Heckenberger, *The Ecology of Power*, pp. 9-10 e xiii.

pp. 271-2 e 275, "grandes aldeias", "Todas as línguas modernas da Europa", "Uma das maiores contribuições dos índios" e "É provável que, ao longo desses milênios": Neves, *Arqueologia da Amazônia*, pp. 8, 20-2, 31 e 52-3.

pp. 272 e 274, "Heckenberger fala em 83 plantas domesticadas" e "galáxias urbanísticas": Michael J. Heckenberger et al., "Pre-Columbian Urbanism, Anthropogenic Landscapes, and the Future of the Amazon". *Science*, Washington, v. 321, n. 5893, pp. 1214-7, 2008.

pp. 273-4, tais tipos de solo — bastante férteis" e "Por conta dessa propriedade": Neves, *Arqueologia da Amazônia*, p. 40.

p. 277, "As causas subjacentes à hiperdominância": Hans ter Steege et al., "Hyperdominance in the Amazonian Tree Flora". *Science*, Washington, v. 342, n. 6156, 1243092, 2013.

p. 278, "É simultaneamente natureza e artefato": Heckenberger et al., "Amazonia 1492: Pristine Forest or Cultural Parkland?". *Science*, Washington, v. 301, n. 5640, pp. 1710-4, 2003.

p. 280, "a denominação dos índios que se reconhecem": Ruben Caixeta de Queiroz e Luisa Gonçalves Girardi, "Dispersão e concentração indígena nas fronteiras das Guianas: Análise do caso Kaxuyana". *Revista Brasileira do Caribe*, São Luís, v. 13, n. 25, p. 15, jul.-dez. 2012.

p. 289, "Protásio, como o chamavam no Brasil" e "Nesse período, que se inicia em 1938": Eduardo Galvão, "Gunther Protasius Frikel 1912-1974". *Revista de Antropologia*, São Paulo, v. 21, n. 2, pp. 224-5, 1978.

pp. 290-1, "Os índios enfermos, com febre alta", "Como, em certa ocasião, o chefe kaxuyana", "Todavia, naqueles anos" e "[Uma] era descer o rio Trombetas": Protásio Frikel, *Os Kaxúyana: Notas etno-históricas*. Belém: Museu Paraense Emílio Goeldi, 1970, pp. 44, 14 e 47.

p. 291, "cerca de 48 sobreviventes [...] se reuniram": Denise Fajardo Grupioni, "Kaxuyana". Instituto Socioambiental. Disponível em: <https://pib.socioambiental.org/pt/Povo:Kaxuyana>. Acesso em: 30 jul. 2022.

p. 292, "O que nos interessa no momento": Frikel, *Os Kaxúyana*, p. 49.

pp. 292-4, "No ano de 1968, o povo kaxuyana", "O povo que só tinha quarenta pessoas", "onde nossos pais foram enterrados", "Assim mesmo, chegaremos um por um" e "O missionário Protásio Frikel conversou com os mais velhos": Queiroz e Girardi, "Dispersão e concentração indígena nas fronteiras das Guianas", pp. 30-2 e 35.

p. 294, "incursões ao interior e pela malária": Galvão, "Gunther Protasius Frikel 1912-1974", p. 225.

p. 294, "os Kaxuyana talvez não [tivessem] tanta sorte": Frikel, *Os Kaxúyana*, p. 49.

8. UM COLONO DESCOBRE A VARIEDADE [pp. 295-308]

pp. 295 e 298, "Em setembro de 1929, um grupo de 189 imigrantes" e "Os japoneses confinados na Colônia Acará": "100 anos da imigração japonesa no Brasil". National Diet Library, 2008. Disponível em: <https://www.ndl.go.jp/brasil/pt/s4/s4_2.html>. Acesso em: 30 jul. 2022.

9. O QUE QUEREMOS? [pp. 309-75]

p. 311, "Em 31 de julho de 2019, o jornal *O Globo*": "Exploração de terras indígenas é causa de atrito com o Congresso". *O Globo*, 31 jul. 2019.

p. 313, "Quatro meses depois do editorial": Juliana Castro, "Bolsonaro confirma interesse em liberar exportação *in natura* de madeira nativa da Amazônia". *O Globo*, 23 nov. 2019.

p. 318, "Um relatório do Instituto de Pesquisa Ambiental da Amazônia": Ana Alencar et al., *Desmatamento nos assentamentos da Amazônia: Histórico, tendências e oportunidades*. Brasília: Ipam, 2016.

p. 325, "Um relatório de 2020 do Instituto Igarapé": Adriana Abdenur et al. "Environmental Crime in the Amazon Basin: A Typology for Research, Policy and Action". Rio de Janeiro: Instituto Igarapé, 2020.

pp. 326-7, "A região, que tinha níveis relativamente baixos", "corresponde ao total de vidas" e "De fato, a análise estatística indica": Soares, Pereira e Pucci, "Ilegalidade e violência na Amazônia", p. 1.

p. 328, "Não adianta falar de desenvolvimento sustentável": Caetano Scannavino, "Amazônia ilegal". *Folha de S.Paulo*, 8 fev. 2022.

p. 328, "Fatores como altas taxas de impunidade": Soares, Pereira e Pucci, "Ilegalidade e violência na Amazônia", p. 2.

p. 329, "A pecuária é um grande vetor do desmatamento": *Grow, Forest, Grow*. J. P. Morgan Cazenove, 22 jan. 2021, p. 1. Disponível em: <https://imazon.org.br/wp-content/uploads/2021/01/JPMorgan-2021-01-Grow-ForestGrow-A--Toolkit-for-Investors-Concerned-about-Deforestation.pdf>. Acesso em: 22 ago. 2022.

pp. 330-1, "fazendas que cobriam cerca de 2500 milhas quadradas", "o grande desafio para a JBS" e "ter derrubado a floresta": Manuela Andreoni, Hiroko Tabuchi e Albert Sun, "How Americans' Appetite for Leather in Luxury SUVs Worsens Amazon Deforestation". *The New York Times*, 17 nov. 2021.

p. 331, "Um estudo de 2020 conduzido pelo Imazon": Angel Aguiar, Eugênio Arima, Farzad Taheripour e Paulo Barreto, *Is the EU-Mercosur Trade Agrément Deforestation-Proof?*. Belém: Imazon, 2020.

p. 334, "Trace uma linha em volta do planeta" e "benefícios adicionais": Abrahm Lustgarten, "How Russia Wins the Climate Crisis". *The New York Times Magazine*, 16 dez. 2020.

p. 334, "Um estudo publicado em 2015 na revista *Nature*": Marshall Burke, Solomon M. Hsiang e Edward Miguel, "Global Non-Linear Effect of Temperature on Economic Production". *Nature*, Londres, n. 527, pp. 235-9, 2015.

pp. 335-6, "Segundo a revista *The New Yorker*", "o surgimento de antraz foi desencadeado" e "máquina do tempo": Joshua Yaffa, "The Great Siberian Thaw". *The New Yorker*, 10 jan. 2022.

p. 337, "a não ser pelo fato de que esperávamos esse resultado": Lustgarten, "How Russia Wins the Climate Crisis".

pp. 338-40, "Se fosse para você escolher um único problema", "transforma um sumidouro de carbono" e "O uso de animais na produção de alimentos", "reuniu uma equipe de cientistas": Tad Friend, "Can a Burger Help Solve Climate Change?". *The New Yorker*, 23 set. 2019.

p. 339, "Juntos, os cinco maiores produtores mundiais de laticínios": Kirk Semple, Adam Westbrook e Jonah M. Kessel, "Meet the People Getting Paid to

Kill Our Planet". *The New York Times*, 1 fev. 2022. Disponível em: <https://www.nytimes.com/video/opinion/100000008091680/climate-sustainability-agriculture-lobby.html>. Acesso em: 22 ago. 2022.

p. 340, "Animais de corte respondem por quase 15% das emissões": "Using Global Emission Statistics is Distracting Us from Climate Change Solutions". Clear Center, 26 jun. 2020. Disponível em: <https://clear.ucdavis.edu/explainers/using-global-emission-statistics-distracting-us-climate-change-solutions>. Acesso em: 22 ago. 2022.

p. 342, "Falando ao *New York Times*, um entusiasta da hidroponia": Kim Severson, "No Soil. No Browing Seasons. Just Add Water and Technology". *The New York Times*, 6 jul. 2021.

p. 343, "Uma pesquisa recente [2019] da consultoria": Rodrigo Tolotti, "Impossible Burger: empresas de carne vegetal encantam investidores". InfoMoney, 14 jul. 2019. Disponível em: <https://www.infomoney.com.br/mercados/impossible-burger-empresas-de-carne-vegetal-encantam-investidores/>. Acesso em: 1 ago. 2022.

p. 343, "Um relatório publicado em 2019 pela ONU": Tim Searchinger et al., *Creating a Sustainable Food Future: A Menu of Solutions to Feed Nearly 10 Billion People by 2050*. Washington: World Resources Institute; Banco Mundial; ONU, jul. 2019.

pp. 344-5, "Estamos à beira da disrupção mais profunda" e "Sendo a parte mais ineficiente": Catherine Tubb & Tony Seba, *Rethinking Food and Agriculture 2020-2030*. RethinkX, set. 2019, p. 6. Disponível em: <https://static1.squarespace.com/static/585c3439be65942f022bbf9b/t/5d7fe0e83d119516bfc0017e/1568661791363/RethinkX+Food+and+Agriculture+Report.pdf>. Acesso em: 1 ago. 2022.

pp. 346-7, "A situação é especialmente grave para os jovens" e "a proporção de desalentados nessa faixa etária": Alfenas, Cavalcanti e Gonzaga, "Mercado de trabalho na Amazônia Legal", pp. 20, 4.

p. 348, "O crescimento extensivo da pecuária na região": Francisco Luis Lima Filho, Arthur Bragança e Juliano Assunção, "Um novo modelo de negócios é necessário para aumentar a produtividade da pecuária na Amazônia". São Paulo: Climate Policy Initiative; PUC-Rio; Amazônia 2030, abr. 2021, p. 1.

p. 349, "Paulo Barreto, um dos grandes especialistas no tema": Paulo Barreto, "Políticas para desenvolver a pecuária na Amazônia sem desmatamento". Belém: Imazon; Amazônia 2030, ago. 2021.

p. 352, "Recentemente, o especialista em desenvolvimento": Salo Coslovsky, comunicação oral no encontro Amazônia 2030 em Belém, dez. 2021.

pp. 352-3, "Dependendo do produto, a Amazônia perde para o Vietnã" e "O ingresso em cadeias de valor global": Salo Coslovsky, "Oportunidades para exportação de produtos compatíveis com a floresta na Amazônia Brasileira". São Paulo: Centro de Empreendedorismo da Amazônia, Climate Policy Initiative; Imazon; puc-Rio; Amazônia 2030, p. 8.

p. 358, "daí por diante, de base para medir a latitude da Terra": João Meirelles Filho, *Grandes expedições à Amazônia brasileira, 1500-1930*. São Paulo: Metalivros, 2010, p. 58.

p. 359, "As gomas, as resinas, os bálsamos" e "A resina chamada cahuchu": Sarlo, *Viagens*, p. 168.

p. 361, "Um estudo de 2019 descobriu que, por causa da areia": "Postcards from a World on Fire". *The New York Times*. Disponível em: <https://www.nytimes.com/interactive/2021/12/13/opinion/climate-change-effects-countries.html>. Acesso em: 1 ago. 2022.

p. 362, "O Gabão, um pequeno país": David Pilling, "Africa's Green Superpower: Why Gabon Wants Markets to Help Tackle Climate Change". *Financial Times*, 20 jul. 2021.

p. 367, "À complicação política soma-se a complicação bioquímica" e "Gatti e seu grupo verificaram que a floresta": "Estudo liderado por pesquisadora do Inpe/mcti mostra que a Amazônia passou a ser fonte de carbono devido às queimadas, ao desmatamento e às mudanças climáticas". Inpe, 14 jul. 2021. Disponível em: <http://www.inpe.br/noticias/noticia.php?Cod_Noticia=5876>. Acesso em: 22 ago. 2022; Luciana V. Gatti et al., "Amazonia as a Carbon Source Linked to Deforestation and Climate Change". *Nature*, Londres, n. 595, pp. 388-93, 2021.

p. 368, "No primeiro momento, o desmatamento está lançando": Kevin Damasio, "Queimadas e desmatamento estão transformando Amazônia em fonte de carbono, diz estudo". *National Geographic Brasil*, 15 jul. 2021.

p. 369, "Um modelo estatístico que inclui dióxido de carbono": Lee J. T. White et al., "Congo Basin Rainforest — Invest us$ 150 Million in Science". *Nature*, Londres, v. 598, 21 out. 2021.

p. 372, "restaurar 30% das áreas degradadas do planeta": Lourens Poorter, "Multidimensional Tropical Forest Recovery". *Science*, Washington, v. 374, n. 6573, pp. 1370-6, 9 dez. 2021.

p. 372, "Em 2009, um grupo de cientistas propôs" e parágrafos seguintes: Carl Folke, "Our Future in the Anthropocene Biosphere". *Ambio*, Estocolmo, v. 50, p. 844, 2021; Jansen, "Amazônia está perto de ponto irreversível e pode virar deserto, dizem cientistas"; Apresentação de Guido Penido, fgv, 23 nov. 2021.

Créditos das imagens

p. 9: Sonia Vaz

p. 13: Detalhe de ilustração, homem de cajado na mão domando um urso dançante. Atribuído a mestre Mellacin, *Scholastic Miscellany*, 1309-16. British Library

p. 16: Fonte: Bolivia — Encuesta Agropecuaria (2015), Brasil — MapBiomas Brasil (2017), Colômbia — Censo Nacional Agropecuário (2014), Peru — Censo Nacional Agropecuário (2012)

pp. 45 e 49: FGV CPDOC, EG fotos 1273-07 e 1273-09

p. 76: *Progresso americano*, de John Gast, 1872, óleo sobre tela, 29,2 × 40 cm. Autry Museum of the American West, Los Angeles, Estados Unidos

p. 153: Fontes: Cassio M. Turra, José Irineu Rigotti, Fernando Fernandes e Renato Hadad, *Os Dividendos Demográficos na Amazônia Legal*, Amazônia 2030, 2022. *A Dinâmica Demográfica da Amazônia Legal: Migrações na Amazônia Legal*. Amazônia 2030, 2022. *A Dinâmica Demográfica da Amazônia Legal: População e Transição Demográfica na Região Norte do Brasil*. Amazônia 2030, 2022

p. 164: Juliano Assunção/ Amazônia 2030

p. 180: EcoHealth Alliance. Infográfico de Helena Bustamante

p. 242: Fonte: análise de Heron Martins a partir de dados do CAR. Infográficos de Rodolfo Almeida

p. 258: DR/ David Louis Olson/ Revista *Manchete*, 21 jul. 1979, ed. 1422

p. 288: DR/ Acervo pessoal

pp. 310 e 320: Sudam

Índice remissivo

Números de páginas em *itálico* referem-se a mapas, gráficos e ilustrações.

À margem da história (Cunha), 31
abetos (árvores), 116-7
acácias (árvores), 113-4
Academia Brasileira de Ciências (ABC), 179, 182
Academia Brasileira de Letras (ABL), 38
Academia Real de Ciências da França, 358-9
açaí, 14, 28-9, 110, 149, 272, 277, 302, 306, 354-5
acidificação dos oceanos, 372
Acordo de Paris (2015), 360
Acre, 79, 151, 156-7, 271, 347
Adário, Paulo, 206
"adjetivismo apoteótico" nas descrições da Amazônia, 37
Aedes (gênero de mosquitos), 171, 182, 187-8
África, 113, 182, 189, 254, 271, 345, 362, 368-9
agricultura, 16-7, *16*, 20, 44, 69, 88-9, 106, 111, 115, 126, 134, 137-8, 147, 174, 179, *180*, 196-8, 234-5, 271, 275, 301-2, 305, 311, 313-4, 316-7, 332, 335, 337-9, 342, 344, 349-51, 374, 380; *ver também* monocultura; pastos
agrobiodiversidade amazônica, 272
agronegócio, 17, 69, 71, 85, 89-91, 93, 142, 146, 191, 197, 199, 201, 212, 233, 240, 249-50, 271, 314, 316, 319, 332-3, 338, 365-6
agropecuária, produção, 17, 42, 94, 147, 154, 156, 163-4, 193, 256-7, 260, 321-2, 351, 356; *ver também* pecuária
água doce produzida pela Amazônia, 19, 21, 105, 372-3
Albânia, 22
Albuquerque, Bento, 311
Aleijadinho (Antônio Francisco Lisboa), 101

Alemanha, 298, 365
Alencar, Antonio Ronaldo, 54, 59
Alfenas, Flávia, 146, 156, 347
algodão, cultivo de (EUA), 78
alimentos, disrupção na produção de, 344-5
Almeida, Jorge Rafael Barbosa, 263
Altamira (PA), 168-9, 367
alumínio, 89, 259, 351
Amapá, 79, 157, 253
Amaral, Ladilson, 314
Amaral, Paulo, 235, 241
Amata (empresa de reflorestamento), 322-3
Amazon (empresa norte-americana), 374
amazonas (guerreiras mitológicas), 34-5
Amazonas, estado do, 34, 79, 151, 156
Amazonas, rio, 11, 26, 31, 33, 36, 38, 105, 248, 269, 286, 298, 358
Amazônia Legal, 9, 17, 79, 83, 93, 146-7, *153*, 156, 161, 163-5, 197-8, 205, 208, 215-6, 218, 237, 317-8, 322, 325, 327, 346-8, 351; *ver também* bioma Amazônia; Floresta Amazônica
Amazônia Ocidental, 151
Amazônia Oriental, 87, 108
Amazônia Real (site), 185
"Amazonia 1492: Pristine Forest or Cultural Parkland?" [Amazônia 1492: Floresta intocada ou sítio cultural?] (Heckenberger), 277
"Amazônia ontem, hoje, amanhã" (ilustração de *Sudam em Revista*, 1971), 319-21, *320*
Amazônia sustentável: Limitantes e oportunidades para o desenvolvimento rural (Schneider et al.), 147- 8, 151
América Central, 272
América do Norte, 33, 104, 254, 341
América do Sul, 70, 106, 189, 339
América Latina, 113, 123, 191
Amsterdam (Holanda), 205
Anajás (PA), 144
Ananindeua (PA), 98, 191
Andes, 70, 272, 295
andiroba, 28, 149, 305, 359
Andrade Gutierrez (empreiteira), 41, 43, 45-8, 50-3, 55, 60-1, 63-4, 66, 131; *ver também* Colonizadora Andrade Gutierrez (Consag)
Andrade, Marília (Lian), 42-4, 46-50, 52-7, 61-2
Andrade, Mário de, 26-7, 38, 40
Anopheles (gênero de mosquitos), 166, 173
antraz, 174, 336
Antunes, Augusto Azevedo, 262-3
Apple, 374
APPs (Áreas de Preservação Permanente), 229, 238
aquecimento global, 69, 106, 334-6, 374-5; *ver também* mudanças climáticas
Araguaia, região do (PA), 46, 60, 95
Araguaína (TO), 79
aranhas da família *Lycosidae*, 39
araucária (pinheiro), 87
Araújo, Ernesto, 363
arborização escassa de Manaus e Belém, 28
arbovírus, 170-3, 175, 182-3, 191
arenavírus, 188-92
Argentina, 42, 188, 190, 197-8

Arqueologia da Amazônia (Neves), 267
arrabalde, Amazônia como (expressão de Luiz Braga), 15
arroz/rizicultura, 50-1, 88-9, 195, 254, 257, 260, 297-8, 300, 304
"Arte da inclusão, ou, Como amar um cogumelo" (Tsing), 121
Ártico, 69, 333-4
arumateua (vírus), 170
Árvore-mãe: Em busca da sabedoria da floresta, A (Simard), 115
árvores na Amazônia, número de, 277
Ásia, 84, 250-2, 254, 271, 341, 361
assassinatos rurais na Amazônia, 149-50
Associação Brasileira do Agronegócio (Abag), 79, 332
Associação Brasileira dos Produtores de Soja, 237
Associação dos Empresários da Amazônia, 82-3
Assunção, Juliano, 157, 230-1, 321, 323, 348, 356, 366, 369, 375, 378-9
astecas, 35
atenção à floresta, necessidade de, 40
Augusto Corrêa (PA), 29
Austrália, 69, 74, 311
Azeredo, Daniel, 72, 222, 227-8
Azevedo, Socorro, 192
Azevedo, Tasso, 93-4, 367-8

Babaçu, garimpo (PA), 55
bactérias, 98, 104, 109, 120, 192, 336
Balestreri, Felipe, 193, 198-9, 230
Balzac, Honoré de, 102
Banco Central, 357
Banco da Amazônia, 309, *310*, 357, 359

Banco do Brasil, 262
Banco Mundial, 123-4, 126, 128-9, 257, 343
Bangladesh, 178
Barbalho, Helder, 319
Barbalho, Jader, 58
Barreto, Paulo, 134, 318, 349
Bates, Henry Walter, 26-7, 30, 32, 39
baunilha (orquídea), 308
bauxita, depósitos de, 229, 259, 350
Belém (PA), 15, 23, 25-30, 44-5, 84, 86-7, 108, 132, 150, 160, 165, 173, 191, 195, 199, 202, 204, 211, 223, 225, 228, 249, 259, 289, 300, 309, 324, 356-7
Belo Monte, usina hidrelétrica de (PA), 168-70, 233
Belterra (PA), 95, 314-5
benefícios ecossistêmicos, 235, 346, 370, 372
bens públicos, mercantilização de, 366, 371
Bento, são, 12
Berbice (Guiana), 273
Bergamin, Maxiely Scaramussa, 207
bétulas (árvores), 116-7
Beyond Meat (empresa de carne vegetal), 341
Biden, Joe, 68
Binswanger, Hans, 127
biodiesel, 337
biodiversidade, 19, 21, 29, 87, 112, 151, 170, 172, 180-1, 272, 275, 301-2, 346, 354, 366, 369-80
bioeconomia, 312, 359
Biological Conservation (periódico), 160
bioma Amazônia, 14, 16, 23, 69, 71,

79, 81, 91, 105-7, 124, 128, 140, 157, 182, 206, 236, 238-40, *242*, 277, 322, 329, 331, 346, 368, 374, 379; *ver também* Floresta Amazônica
biomassa da Terra, 120
biopirataria, 74, 250
bioterrorismo, 178
BNDES (Banco Nacional de Desenvolvimento Econômico e Social), 262-3
Boi Pirata, Operação (confisco de gado em pastos ilegais), 209, 222
Bolívia, *16*, 188, 349, 352, 354
Bolsonaro, Jair, 73, 220-1, 227, 232-3, 236-7, 242-3, 245, 268, 311-3, 323, 363
boom-colapso, modelo (em economias baseadas no desmatamento), 147-8, 151-2, 158, 204
borboletas amazônicas, 26, 39, 104, 110
borracha, 38, 78, 247-52, 269, 295-6, 344, 359; *ver também* seringueiros
bosques plantados, 243-4, 254-5, 261, 264, 351; *ver também* reflorestamento
Botsuana, 74, 361
BR-163 (rodovia), 91, 94-6, 107, 122, 155, 160, 162
BR-230 (rodovia) *ver* Transamazônica
Braga, Luiz, 15, 28, 30, 249
Bragança, Arthur, 348
Branco, rio, 66
Brasília, 47, 60, 72, 74, 123-5, 128, 144, 160-1, 163, 179, 183, 195, 202, 204, 227
Brazilian Policies that Encourage Deforestation in the Amazon [Políticas brasileiras que encorajam o desmatamento na Amazônia] (Binswanger), 127-8
BRF (frigorífico), 330, 341
Brito, Marcello, 79, 332
Brown, Patrick, 338-40
Bunge (multinacional de alimentos), 332
Buratto, Nilva Batista dos Santos, 57
Burdick, Alan, 180
Burger King (rede de lanchonetes), 341, 343, 345
Bustamante, Mercedes, 179-82

Cabo Verde, 361
caboclos, 269, 292
cacau, 44, 51, 56, 64, 149, 272, 277, 297, 301-2, 305, 354-5
Cachoeira Porteira, quilombolas de (Oriximiná, PA), 105
Cachorro, rio, 279, 283-4, 290, 292-4
Cadastro Ambiental Rural (CAR), 74, 208, 220, 238-9
Café Filho, 18
café, produção de, 44, 51, 56, 90, 305, 378-9
cahuchu (resina), 359
Caillois, Roger, 37
Campos, Roberto, 254, 260
Canadá, 29, 74, 256, 311
Capela São José Operário (Tucumã, PA), 67
capital natural, conceito de, 373, 378
capitalismo, 113, 118, 139-40
Capobianco, João Paulo, 215
caraipé (vírus), 170
Carajás (PA), 95, 150, 204, 350-1

carbono (CO_2), emissões e captura de, 20, 69-70, 115-8, 163, 169, 337, 339, 349, 354, 360, 362-4, 367-75, 378-80
Cardoso, Fernando Henrique, 161
Cargill (processadora de alimentos), 205-7
cargueiros, navios, 253-4
Carminati, Flávio, 234-7, 241, 246
carnes alternativas, 339-45
Carroll, Dennis, 174
Carvajal, Gaspar de, frei, 32-4, 36, 269, 359
carvão, 204, 209, 222-3, 229, 253, 364
Casa Civil, 215, 261
Casement, Roger, 248
Castanha, Ezequiel, 218
castanha-do-pará, 28, 86-7, 125
Castelo Branco, Humberto de Alencar, 254, 260
Castro, Ferreira de, 38
Castro-Jorge, Luiza, 187
Cavalcanti, Francisco, 146, 156, 347
caxumba, 176
CDM (Mecanismo de Desenvolvimento Limpo, na sigla em inglês), 364-5
Cecim, Vicente Franz, 37-8
Ceilão, 250
Celentano, Danielle, 80, 149-50, 152-3, 156
celulose, produção de, 86, 254, 257-60, 312
cerâmica indígena (no solo amazônico), 266
Cerrado, 42, 73, 79, 91, 147, 237-8, 331, 348
Chapare, província amazônica de (Bolívia), 188

chapare (vírus), 188
charque, 304
Chaves (PA), 145
Chiang, Jannifer, 192
Chicão e Mariza (casal dono de prostíbulo), 54
chikungunya (vírus), 173, 182, 186, 188, 191
Chile, 29, 190
China, 185, 313, 335, 337-9, 345, 377
choquinha-do-rio-negro (pássaro), 111
Chu, Steven, 339
Chua, Kaw Bing, 175-7
chuvas, 70, 90, 106, 154, 183, 272, 333, 367-9, 373
"cidades-jardim" (na Amazônia ancestral), 275
Cinema Olympia (Belém, PA), 249
Cingapura, 176, 298
Climaco, Valmir, 158
Climate Policy Initiative (CPI), 325-6
cloroquina (no tratamento da malária), 185
Código Florestal, 130, 197, 208, 221, 230, 233, 236, 238-9, 241, 327, 349, 370
Coelho, Alexandra Lucas, 37, 73, 78
Collor, Fernando, 327
Colômbia, 16, 349
Colombo (PR), 86
Colombo, Cristóvão, 35
Colón, Marcos, 252
Colônia Acará (Tomé-Açu, PA), 295
colonialismo, 14, 78, 248, 269-70
Colonizadora Andrade Gutierrez (Consag), 41, 47, 50-1, 54-8, 60-1; *ver também* Andrade Gutierrez (empreiteira)

Comando Militar da Amazônia, 151
Comissão Pastoral da Terra, 61, 73
Comitê Olímpico Internacional, 246
commodities, 95, 205, 234, 311
Companhia de Colonização Sul-Americana S.A., 295, 297
Companhia Nipônica de Plantação do Brasil, 295
compromissões ambientais de grandes empresas, 374
Comunidade Remanescente de Quilombo de Cachoeira Porteira (PA), 286
Concrem Wood (fábrica de portas e janelas), 244
Conferência das Nações Unidas sobre as Mudanças Climáticas (Glasgow, 2021), 374
Conferência de Varsóvia (2013), 364
Conflitos sociais e a formação da Amazônia (Schmink e Wood), 41
Congo, bacia do, 369
Congresso Nacional, 311, 327
Conservatório de Música do Pará (Belém), 249
Construindo Alternativas de Desenvolvimento Rural para Comunidades Sustentáveis no Brasil (evento da Ufopa, 2019), 313-4
Contágio (filme), 178
Convenção sobre Diversidade Biológica (ONU), 373
Convenção-Quadro das Nações Unidas sobre Mudança do Clima (ONU), 373
Coppe (Instituto Alberto Luiz Coimbra de Pós-Graduação e Pesquisa de Engenharia, UFRJ), 166-7, 169-70

Coreia do Sul, 74
Cortés, Hernán, 35
Coslovsky, Salo, 352-4, 370
Costa Rica, 197, 365
Costa, Manoel, 42-4, 47-8, 50, 56
Costa, Mauro Lúcio de Castro, 143, 197, 202-3, 212, 321, 332
Costa, Petra, 45
Couto e Silva, Golbery do, 261
covid-19, pandemia de, 173-4, 182, 184-5
créditos de carbono, 370, 374
criminalidade na Amazônia, 23, 151, 329, 332, 347
crise do petróleo (1973), 88
cristianismo, 12-3, *13*
Cuca, garimpo do (PA), 52, 56
Cunha, Euclides da, 11, 14, 31, 38, 94, 248

D'Agnoluzzo, Adriano, 243-5
Dahás, Leônidas, 324
Darwin, Charles, 26, 112, 307
Davis, Wade, 109
Delegacia de Repressão a Crimes contra o Meio Ambiente e o Patrimônio Histórico (Polícia Federal), 216
Demachki, Adnan, 144-5, 195, 204, 209-12, 219, 221-4, 228-9, 238, 244, 350
democracia, 78, 89
dengue, 100, 171, 173, 175, 188, 191, 228
"derrotismo fatalista" nas descrições da Amazônia, 37-8
desenvolvimento sustentável, 123, 213,

227, 317, 321, 328; *ver também* bosques plantados; reflorestamento
desigualdade, 350
desmatamento, 16, 18-9, 23, 62, 66, 71-4, 93-4, 97, 102, 124-9, 132, 134-5, 146, 148-51, 154, 157-8, 160, 163-5, *164*, 174, 183, 186, 189, 203, 205-16, 218-9, 221-2, 224-5, 227-9, 231-3, 237-8, 241, 255, 311, 313, 317-9, 324, 327-32, 343, 349, 356-7, 362, 364-5, 367-9, 375; *ver também* pastos; queimadas
Desmond, Matthew, 78
destino manifesto, doutrina do (EUA), 75
Deter (Sistema de Detecção de Desmatamento em Tempo Real), 213- 5
Dia do Fogo (10 de agosto de 2019, incêndios florestais no Pará), 154, 325
Dill, Gelson Luiz, 155, 158
Dinamarca, 33
Dirceu, José, 215
distribuição desigual da riqueza, 350
ditadura militar (1964-85), 14, 42, 44, 80, 82, 102, 165, 313
Diversidade da vida (Wilson), 104
doenças infecciosas, 97, 174, 179
domesticação de plantas por indígenas, 272
Doutrina de Segurança Nacional (DSN), 80-1

Ebata Produtos Florestais Ltda., 324, 351
ebola (vírus), 175, 178, 182, 188, 190
Eco-92 (Conferência das Nações Unidas sobre o Meio Ambiente e o Desenvolvimento), 213, 225
Ecology of Power, The [A ecologia do poder] (Heckenberger), 267
economia florestal, 29, 79, 85-7, 90, 245, 352
economia mundial, 254
Economist, The (revista), 224
ecossistema(s), 108, 112, 147-8, 156, 170, 187, 251, 271, 275, 354, 371
educação ambiental, 222
efeito estufa, gases do, 19, 69, 124, 163, 169, 235, 335, 337, 339, 341, 364, 374; *ver também* carbono (CO_2), emissões e captura de; metano, emissões de
Egito, 88
Eidai (madeireira do grupo Mitsubishi), 329, 332
Eisen, Michael, 338-9
Eixo, países do (Segunda Guerra Mundial), 252, 298
El Salvador, 326
Eldorado do Carajás, massacre de (PA, 1996), 150
elefantíase, 170
Embrapa (Empresa Brasileira de Pesquisa Agropecuária), 85-7, 89, 108, 348-9, 360
empregos formais na Amazônia Legal, 146, 328
empreiteiras, 41-2, 46, 48, 53, 56, 58, 60, 81
encefalite japonesa (JEV), vírus da, 175
Epinecrophylla pyrrhonota (choquinha-do-rio-negro), 111
Equador, marco físico do, 358

Espanha, 36
espécies de árvores na Amazônia, quantidade de, 88
Espírito Santo, 133, 194, 199, 202
esquistossomose, 170
Estado brasileiro, 14, 84, 87, 124, 127, 133, 138, 142, 146, 233, 280, 318, 321, 362, 365, 377; *ver também* governo federal
"estado de natureza" (conceito de Hobbes), 268
Estados Unidos, 29, 32, 68, 77-8, 80, 88-9, 123, 171, 174, 176, 197-8, 201, 246-7, 252, 254, 256-7, 260, 272, 334-5, 337, 339, 342, 345, 364
estaleiros japoneses, 257
Ester (indígena kaxuyana) *ver* Kaxuyana, Ester Ymeriki
estradas *ver* rodovias
eucalipto, 86-7, 244, 256
Europa, 26, 33, 36, 69, 77, 88, 193, 206, 247, 249, 254, 271, 332, 374; *ver também* União Europeia
evangélicos, 25, 59, 286
Expama (fábrica de pisos), 244-5
exportações brasileiras, 90, 249, 352
"exportadora mundial" de alimentos saudáveis, Rússia como, 337
extração ilegal de madeira, 74, 151, 233, 326; *ver também* desmatamento; madeireiras; serrarias

Faleiros, Gustavo, 181
familiar, agricultura, 314, 316-7
Farias, William Gaia, 54, 59
Fausto, Carlos, 107, 274, 276
fazendas hidropônicas, 342
febre amarela, 100, 171, 173, 175, 183-4, 186

feijão, 109, 300, 304
Feira de Agricultura Familiar da Ufopa, 315-6
Ferreira, Joice Nunes, 108-9
ferro, produção brasileira de, 204, 350-1
fertilizantes, 115, 138, 255, 319
Fibras de Média Densidade (MDF, na sigla em inglês), fábricas de, 244
Figueiredo, João Batista, 165, 261
Filipinas, 178
Finlândia, 87, 311-2
Fiocruz (Fundação Oswaldo Cruz), 100-1, 185
Floraplac (fabricante de painéis de MDF), 243-4
Floresta Amazônica, 11, 22-3, 33, 77-8, 84, 103, 109, 114, 127, 155, 187, 207-8, 213, 215, 277, 295, 309, 335, 348, 361, 365, 368-9, 373, 378; *ver também* bioma Amazônia
Floresta Nacional do Tapajós (PA), 92
florestas europeias, 12-3, *13*
florestas tropicais, 84, 110, 126, 361, 368-9
Floriano, Hortência Maria Osaqui, 29
FMI (Fundo Monetário Internacional), 123
Folha de S.Paulo (jornal), 328
Força Expedicionária Brasileira, 252
Ford, Henry, 251-2, 255, 260
formigas, 110, 113-4
Fortune (revista), 256
fósforo (na composição de solos férteis), 89, 137
fotossíntese, 118, 177
Foucault, Michel, 103
França, 77, 358-9

Francisco, são, 13
Frazão, Arthur, 30
Frederico (indígena kaxuyana), 285-7, 293
Fresco, rio, 66
frigoríficos, 203, 209, 228, 329-30
Frikel, Protásio, 283-4, 289-90, 292-4
"fronteiras planetárias", sistemas de, 372
frutas nativas da Amazônia, 29, 272
fumaça de queimadas na Amazônia chegando a São Paulo (2019), 154
Funai (Fundação Nacional do Índio), 66-7, 185, 292
Funasa (Fundação Nacional de Saúde), 99, 167
Fundação Bill e Melinda Gates, 185
Fundação Jari, 263
Fundo Amazônia, 362, 365
fungos, 11, 18, 104, 109, 114-5, 117-8, 120-1, 192, 251, 255-6, 260, 275-6, 299, 302, 307, 343
fusariose (doença que apodrece a raiz das plantas), 299-300, 302

Gabão, 362, 369
Gabriel, Almir, 235
Gabriel, José Carlos, 193-8, 200-2, 204, 230, 246
gado ver pecuária
"galáxias urbanísticas" (na Amazônia ancestral), 274
Galvão, Ricardo, 105-6
gamelina (árvore), 254, 256-7, 259
Gandour, Clarissa, 230-3
garimpos/garimpeiros, 23, 31, 50-3, 55-7, 62-3, 65-6, 97-8, 101, 129, 137, 151, 157-8, 172, 184-5, 191, 233, 264, 311, 316-7, 325-8, 333, 349-50; ver também mineração
Gast, John, 75, 76
Gates, Bill, 341
Gatti, Luciana, 367-8
Gazel, Ricardo, 57
Gebam (Grupo Executivo para a Região do Baixo Amazonas), 83
geóglifos, 271
Gestão imprópria do ecossistema natural na Amazônia brasileira resulta na emergência e reemergência de arbovírus (Vasconcelos et al.), 170, 172
Getat (Grupo Executivo das Terras do Araguaia-Tocantins), 60, 83
Girardi, Luisa Gonçalves, 279, 291
"Global Priority Areas for Ecosystem Restoration" [Áreas prioritárias globais para a restauração de ecossistemas] (Strassburg et al.), 371-2
Globo, O (jornal), 93, 173, 311, 313
Goiás, 53, 71, 183, 196, 348
Gomes, Carlos, 249
Gonzaga, Gustavo, 146, 156, 347
Gonzaga, Luiz (silvicultor), 84-5, 90-1, 323
Goodyear (fabricante de pneus), 251
Government and the Economy on the Amazon Frontier [Governo e economia na fronteira amazônica] (Schneider), 129-30
Government Policies and Deforestation in Brazil's Amazon Region [Políticas públicas e desmatamento na Amazônia brasileira] (Mahar), 126-7
governo federal, 41, 82, 125, 143-4, 155, 195, 206, 208, 210-1, 214-5,

217, 227, 233, 355; *ver também* Estado brasileiro
Grécia Antiga, 12, 35
Greenpeace, 94, 154, 205-6
grilagem de terras, 50, 58, 72-3, 80, 139-51, 160, 195, 198, 218, 232, 239, 264, 326, 332-3
Grisales, Guillermo, 314
Grow, Forest, Grow [Cresça, floresta, cresça] (relatório do banco J. P. Morgan, 2021), 329-30
Grupo Orsa (controlador da Jari Celulose), 263
Guamá, rio, 29
guanarito (vírus), 188
Guerra do Yom Kippur (Israel, 1973), 88
Guerra Fria, 80-1
guerreiras ameríndias ("amazonas", na descrição de Carvajal), 34-5
guerrilhas, 42, 46
Guiana, 273, 352
"gurita" (barreira de troncos de madeira da Andrade Gutierrez), 51, 53
Guritaí *ver* Ourilândia do Norte (PA)

H1N1 (vírus da gripe suína), 182
H5N1 (vírus da gripe aviária), 182
Haemagogus (gênero de mosquitos), 183
hambúrguer à base de vegetais, 339-41, 343, 345
hantavírus, 189-91
Hartley, L. P., 159
Hatoum, Milton, 248
Heckenberger, Michael J., 35, 267-8, 270, 272, 274-5, 277

hepatites, 184
Herzog, Werner, 107
Hevea brasiliensis (árvore seringueira brasileira), 250, 252
hidrelétricas, 43, 46, 54, 71, 165, 168-9, 259-60, 262, 316, 364
hidroponia (fazendas hidropônicas), 342
hifas (filamentos de fungos), 114, 118
hino de Tucumã, 63
Hobbes, Thomas, 268
Homero, 35-6
homicídios na Amazônia, taxa de, 151, 325-6
Honduras, 326
Humboldt, Alexander von, 31-2
Hydro (mineradora norueguesa), 243

Ibama (Instituto Brasileiro do Meio Ambiente e dos Recursos Naturais Renováveis), 92, 207-9, 214, 216-7, 222, 224, 226-7, 233, 237, 323, 329
Idade Média, 12-3, *13*
IDH (Índice de Desenvolvimento Humano), 29, 79, 149, 223
Igreja católica, 205, 291
Igreja Universal do Reino de Deus, 25
"Ilegalidade e violência na Amazônia" (Pereira e Pucci), 326
ilegalismo, cultura do, 328
Imazon (Instituto do Homem e Meio Ambiente da Amazônia), 131-5, 147, 210-1, 219, 222, 225, 331, 357, 371
imigrantes japoneses na Amazônia, 295-6, 298-9, 302-3
imóveis rurais na Amazônia, 73, 208-9, 220, 238-40, *242*, 315, 330

Impossible Foods (empresa), 340-1
incas, 35
incêndios florestais no Pará (2019), 154, 325
Incra (Instituto de Colonização e Reforma Agrária), 49, 83, 140
Índia, 84, 178, 335, 346, 356, 364
indicadores socioeconômicos de zonas desmatadas, 153-4
indígenas, 18, 23, 33, 40, 62, 72, 77, 97, 99, 101-2, 129, 184-5, 195, 202, 248, 268-9, 276-7, 279-80, 282-4, 286, 289-92, 301, 311, 318, 350, 359
Indonésia, 296, 298, 354
indústria moveleira, 84, 243
Inglaterra, 26-7, 248, 252
Inpe (Instituto Nacional de Pesquisas Espaciais), 105, 154, 213-4, 229, 367
insetos, 39, 87, 110, 113, 166, 170, 172, 176
instituições financeiras, mudanças climáticas e, 356-7
Instituto Chico Mendes de Conservação da Biodiversidade (icmbio), 218, 323
Instituto Evandro Chagas (iec, Pará), 98-9, 166, 168, 170-1, 191-2
Instituto Igarapé, 325, 328
Instituto Internacional para Sustentabilidade (iis, Rio de Janeiro), 371
Invenção da natureza, A (Wulf), 31
Invisible Billionaire, The [O bilionário invisível] (Shields), 255
Ipam (Instituto de Pesquisa Ambiental da Amazônia), 318

ipcc (Painel Intergovernamental sobre Mudanças Climáticas, na sigla em inglês), 69-71
Israel, 88
Itaituba (pa), 16, 96-101, 155, 158, 217, 328
Itália, 77, 298, 361
Itamaraty (Ministério das Relações Exteriores), 363
Iterpa (Instituto de Terras do Pará), 83

J. P. Morgan (banco norte-americano), 329-30
Jabr, Ferris, 175
Jackson, Joe, 252
Japão, 74, 88, 99, 257-9, 295, 296-8, 303-6
japoneses imigrantes na Amazônia, 295-6, 298-9, 302-3
Jari, rio, 257-62, *258*, 278; *ver também* Projeto Jari (plantio de árvores para a indústria de celulose)
Jari, o país de mister Ludwig (espetáculo do Grupo Paraíso), 260
Jari Celulose (empresa), 257
Jatene, Simão, 30, 36, 82-3, 162, 238, 347, 350
jbs (frigorífico), 330-1, 341
Jefferson, Thomas, 32
João Batista (irmão de Ester Kaxuyana), 283, 287
Jogos Olímpicos de 2016 (Rio de Janeiro), 246
Jorge, Luiz Otávio Montenegro, 41, 47, 52
junin (vírus), 188
Juparanã Comercial Agrícola Ltda., 234-5, 237, 241, 246

Kampung Sungai Nipah (Malásia), 175; *ver também* nipah (vírus)
Kanashiro, Milton, 86-8
Kaxuru, rio, 279, 282, 291
Kaxuyana, Ester Ymeriki, 278-88, *288*, 289-91, 293-4
kaxuyanas, indígenas, 279-80, 282-3, 285, 287, 289-94
kayapós, indígenas, 62
Krasnoiarsk (Sibéria), 337
Kubitschek, Juscelino, 195
Kure, estaleiros de (Japão), 257
Kuwait, 261, 361
Kyoto, Protocolo de (1997), 364

La Condamine, Charles Marie de, 358-9
Laboratório Nacional Agropecuário de Minas Gerais (Lanagro/MG), 190-1
Lago, André Corrêa do, 363-5
Lapônia (Finlândia), 358
Lassa, vírus da febre de, 179, 189
Latawiec, Agnieszka Ewa, 371
látex *ver* borracha
laticínios, produção de, 339, 345
latitude da Terra, medição da, 358
"lavagem bovina", 330
legislação tributária brasileira, 350
Lei de Crimes Ambientais (1998), 205
Lei de Responsabilidade Fiscal, 156
Lei de Terras (Roraima, 2019), 72
leishmaniose, 173
Levin, Simon, 108
Levis, Carolina, 277
Lima, Anivaldo Julião de (Savanas), 60, 66
Lima, Francisco, 348

Liverpool (Inglaterra), 250
Locke, John, 267-8
Lopes, Maurício Antônio, 87-90, 349, 360, 362
Lotka, Alfred, 120
Loureiro, João de Jesus Paes, 96
Ludwig, Daniel K., 252-64, 322
Lula da Silva, Luiz Inácio, 124, 161-3, 205, 213, 216-7, 226, 317
Lumber Liquidators Flooring (empresa norte-americana de pisos), 244
Luz, Alberto José Serra, 58-9

maçaranduba (árvore), 88, 258-9
Macfarlane, Robert, 114, 118-9, 121
Machado, Mário, 5
machupo (vírus), 188
Macron, Emmanuel, 242
Madalena (indígena kaxuyana), 285-7
madeira plantada *ver* bosques plantados
Madeira, rio, 273
Madeira-Mamoré (ferrovia), 78
madeireiras, 17, 20, 47, 50, 56, 58, 86-7, 116, 126, 129-35, 137, 148-9, 151-2, 158, 165, 172, 177, 185, 195-6, 202, 204-5, 209-10, 217, 219, 222, 225-6, 237, 243-4, 254, 256-7, 261, 311-2, 317, 322, 324, 329, 350-2, 354, 366; *ver também* extração ilegal de madeira; serrarias
Maggi, Blairo, 207
Mahar, Dennis, 126-7
malária, 100, 134, 166-70, 173, 184-5, 192, 259, 294, 297
Malásia, 175-8, 250, 306
Maldonado, Pedro Vicente, 358

Manaus (AM), 28, 39, 79, 156, 188, 249, 356
Mancuso, Stefano, 104, 113, 119-21
MapBiomas, 350, 367
Márai, Sándor, 12, 14
Marajó, ilha de (PA), 38, 144, 269, 271
Maranhão, 79, 106, 188-9, 351
Marfrig (frigorífico), 330-1, 341, 343
Marlene (mulher de Protásio), 290
Martins, Heron, 239-40
maruim (mosca), 187
matéria orgânica, estoque amazônico de, 373, 378
Mato Grosso, 71, 79, 106, 156, 207, 217
Mato Grosso do Sul, 216
mayaro (vírus), 186-7
Mbembe, Achille, 103
McDonald's, 205-6
Mecanismo de Desenvolvimento Limpo (CDM, na sigla em inglês), 364-5
Médici, Emílio Garrastazu, 259-60
Meirelles Filho, João, 358
Menezes, Agamenon, 325
Mensageiro, O (Hartley), 158-9
mercado de carbono, 363
Mercado Ver-o-Peso (Belém, PA), 28
mercantilização da natureza, 366
Mercosul, 331
mercúrio, contaminação ambiental por, 23, 98-101, 157, 191-2
Mers-COV (coronavírus), 182
Mesquita, Joanísio, 266
metano, emissões de, 169, 337, 339
metilmercúrio, intoxicação por, 99-101
metionina (aminoácido), 100
México, 253, 308

microcefalia, 192
Microcyclus ulei (fungo), 251
Microsoft, 374
migrações na Amazônia Legal, *153*
migrantes nordestinos na Amazônia, 269
Minamata, mal de (intoxicação por mercúrio no Japão), 99
Minas Gerais, 42, 56, 72, 101, 190, 194, 202
mineração, 23, 137, 174, 311, 349-50; *ver também* garimpos/garimpeiros
"mineração de nutrientes" (extração não sustentável de nutrientes do solo), 137-9, 159-60
Minerva (frigorífico), 330-1
Minha Casa Minha Vida (programa social), 96
Minha formação (Nabuco), 77
Ministério da Ciência e Tecnologia, 215
Ministério da Fazenda, 142, 215
Ministério da Justiça, 215, 311
Ministério da Saúde, 98, 166
Ministério de Minas e Energia, 311, 323
Ministério do Interior, 309, *310*, 359
Ministério do Meio Ambiente, 161-2, 205, 207-8, 213-5, 217, 219, 222, 224, 227, 231, 236, 323, 362, 365
Ministério Público, 68, 72, 217, 222, 227, 330
Miranda, Antonio Marcos Mota, 98, 100
Miranda, Célio, 5, 194-5
Missão Tiriyó (serra do Tumucumaque, PA), 284, 287-8, 291-3

mitigação climática, ações de, 372, 374
Mitsubishi, grupo, 329
Mobral (Movimento Brasileiro de Alfabetização), 42
mogno da Amazônia, 46-7, 50, 131-3, 309, 380
monitoramento remoto do bioma, 210-5; *ver também* Deter (Sistema de Detecção de Desmatamento em Tempo Real); Prodes (Projeto de Monitoramento do Desmatamento da Floresta Amazônica Brasileira por Satélite)
monocultura, 43, 147, 251-2, 275-6, 299, 301-2, 305, 315, 342, 347, 354; *ver também* agricultura; pastos
Monte Alegre (PA), 95
Monte Dourado (PA), 261, 265
Moratória da Soja (acordo de 2006), 206-7, 210, 227, 237-8
morcegos, 104, 172, 177-8, 180-2
Moreira, Alfredo, 60
Moro, Sergio, 311
mortalidade de árvores amazônicas, 368
mosquitos, 57, 166-9, 171, 173, 175, 177, 180, 182-4, 186-7
muçulmanos, 175-6
mudanças climáticas, 68, 183, 235, 334, 339, 363, 365, 368-9, 371, 378; *ver também* aquecimento global
Muito além de Fordlândia (documentário), 252
multas aplicadas pelo Ibama (2019), 233
mundurukus, indígenas, 101, 289

Município Verde (programa de preservação em Paragominas, PA), 211, 222-4, 228
Museu Goeldi (Belém, PA), 27, 45, 289-90, 309
mutualismo fungo-árvore, 114-21

Nabuco, Joaquim, 77
Namíbia, 74
National Geographic Brasil (revista), 202, 258, 368
Naturalista no rio Amazonas, Um (Bates), 26
Nature (revista), 121, 334, 367, 369, 371
Nature Scientific Reports (periódico), 33
natureza, mercantilização da, 366
negócios informais no Pará, 144-5
neurotoxicidade do metilmercúrio, 99-101
Neves, Eduardo Góes, 267, 269-72, 274-5, 277-8
New York Times, The (jornal), 175, 180, 330-1, 334, 337, 342, 361
New Yorker, The (revista), 335-6, 339-40
Newton, Isaac, 358
Nhamundá, rio, 34-5, 292
Nigéria, 254
Nilo Ocidental, febre do, 191
nipah (vírus), 175, 177-8, 181, 187-8
nitrogênio (na composição de solos férteis), 89, 137
Nixon, Richard, 88
Nobre, Antonio, 105-6
nordestinos migrantes na Amazônia, 269

Nordisk Timber (madeireira dinamarquesa), 329
Noruega, 311, 362, 365, 372-3
Novo Progresso (PA), 154-6, 158, 162, 216-9, 222, 225, 227, 325, 328
Nunes, Alacid, 102-3
nutrientes do solo, 109-10, 137, 272

Obama, Barack, 186, 339
oceanos, acidificação dos, 372
Ocidente, 12
ocupação da Amazônia, 37, 43, 46, 57, 74, 102, 134, 205, 269, 302
Oeste norte-americano, ocupação do, 69, 75-8, *76*
Oliveira, Paulo de Tarso Moreira, 154
ONU (Organização das Nações Unidas), 71, 343, 363-4, 373
Operação Arco de Fogo (contra o desmatamento), 209, 211, 230
Oppenheimer, Michael, 74
"orégano" na Amazônia, 36, 358
Orellana, Francisco de, 33, 358
Organização Mundial da Saúde (OMS), 99, 101, 178, 190
Oriximiná (PA), 105, 285-6, 292
oropouche (vírus), 173, 186-8
Ourilândia do Norte (PA), 53-4, 56-8, 64, 66, 74
ouro, garimpagem de, 98; *ver também* garimpos/garimpeiros
Overstory, The (Powers), 107, 119
Oymyakon (Sibéria), 333

Pacala, Stephen, 68-70
Paine, Thomas, 75
Painel Intergovernamental sobre Mudanças Climáticas (IPCC, na sigla em inglês), 69-71

países amazônicos, 349
Palmas (TO), 79
Panamá, 254, 257
pandemias, 174, 179, 181-3, 185-6; *ver também* covid-19, pandemia de; vírus, emergência e reemergência de
Pantanal (bioma), 79
"panteísmo mágico" nas descrições da Amazônia, 37-8
Papua-Nova Guiné, 365
Pará, 23-4, 26-7, 30, 34, 38, 41-4, 46, 48, 50-2, 55-6, 61, 66, 74, 79, 82-3, 91, 94-5, 98-9, 102, 105-6, 131-2, 135, 143-6, 150, 154, 157, 162-3, 188, 193-5, 197, 199, 202, 206-7, 216-7, 221-2, 224, 229, 231, 234-5, 238, 243-4, 249, 253, 257, 262, 266, 279, 289, 292, 296-9, 313, 319, 324, 329-30, 347, 350-1, 368
Paragominas (PA), 5, 79, 103, 133, 144, 193-5, 198, 200-4, 207, 209-13, 216-7, 219, 222-5, 227-31, 234-5, 237, 241-4, 246, 350
paramixovírus, 176
Paraná, 86, 93-4
Parauapebas (PA), 351
Paris, Acordo de (2015), 360
Parlamento britânico, 248
Parlamento japonês, 298, 301, 303
Parque Estadual do Utinga (Belém, PA), 108
Partido Verde (PV), 60, 66
Paru, rio, 278, 289, 291-2
pastos, 15-6, *16*, 23, 37, 43, 62, 71, 84-5, 91, 94, 96, 107, 119, 125, 136, 148, 163, 179, 193-4, 197-9, 205, 209, 218, 222, 231, 238, 244, 249,

264-5, 275, 321-3, 339, 348-9, 354, 374, 378-9; *ver também* desmatamento; pecuária
Patagônia, 70
pau-brasil, 378
PCdoB (Partido Comunista do Brasil), 42, 45
pecuária, 16-7, 31, 36-7, 44, 64, 66, 69, 71-3, 84-5, 91, 94, 126-7, 129, 134-5, 137, 143, 148, 151-2, 163, 174, *180*, 186, 195-9, 202, 205, 209-10, 217, 222, 227-8, 234, 238, 247, 250, 264, 303, 309, 311, 314, 317-8, 322, 329-31, 339-40, 343, 345, 348-51, 356, 370, 378-9; *ver também* agropecuária, produção
Pedro Leopoldo (MG), 190
peixes, 33, 50, 99-100, 270, 352, 355
Pelegrini, Adelar, 66
Peracchi, Idacir, 130-2
Perdigão (empresa de alimentos), 341
Pereira, Leila, 325, 327
permafrost (pergelissolo), 335-7
Peru, *16*, 31, 33, 35, 248, 349, 352, 358
Petrobras, 323, 365
petróleo, 88, 252-3, 311, 323-4, 349
piauí (revista), 24, 101
PIB brasileiro, 156
PIB da Amazônia Legal, 156
PIB do setor agropecuário (2002-2012), *164*
pimenta-do-reino, cultivo de, 56, 297-8
Pinto, Lúcio Flávio, 46, 78, 81, 136
pínus (pinheiro), 86-7, 256
Pizarro, Francisco, 35
Plano Real, 163
plantas amazônicas, 88, 105

plantation, 43, 251, 275, 342
Pleistoceno, 336
PMDB (Partido do Movimento Democrático Brasileiro), 56
Polícia Federal, 46, 52, 54, 56, 209, 213-4, 216-7, 227
Polícia Militar, 150
poluição, 37, 64, 314, 372
Pomar, Pedro, 42, 44
população nativa da Amazônia (séc. XVI), 14
porcos, criação de, 176-7, 181
Porto Velho (RO), 79
potássio (na composição de solos férteis), 89, 137
Póvoa, Marinete Marins, 168, 184
Powers, Richard, 107
PPCDAM (Plano de Ação para Prevenção e Controle do Desmatamento na Amazônia Legal), 215, 218, 233, 327
predador-presa, modelo, 120
preservação ambiental, imóveis na Amazônia e, *242*
Prodes (Projeto de Monitoramento do Desmatamento da Floresta Amazônica Brasileira por Satélite), 214-5, 318
Programa de Ameaças Pandêmicas Emergentes (Estados Unidos), 174, 186
Programa de Integração Nacional (PIN, anos 1970), 18, 46, 80
Progresso americano (tela de John Gast, 1872), 75-6, *76*
Projeto Jari (plantio de árvores para a indústria de celulose), 252, *258*, 263-4, 266, 278

Projeto Tucumã (colonização social no Pará), 41-8, *45*, *49*, 53, 60, 66, 139; *ver também* Tucumã (PA)
Pronaf (Programa Nacional de Fortalecimento da Agricultura Familiar), 317-8
prostituição na Amazônia, 53-4, 56, 58
Protásio, padre (missionário franciscano) *ver* Frikel, Protásio
proteína animal, alimentos com, 99, 178, 197, 319, 330, 339-41, 343
proteínas alternativas, 339-45
Proterra (Programa de Redistribuição de Terras e de Estímulo à Agroindústria do Norte e do Nordeste), 125
Protocolo de Kyoto (1997), 364
protozoários, 120
PSA (Pagamento por Serviços Ambientais), mercado de, 360, 362, 366, 369, 373-5
PSDB (Partido da Social Democracia Brasileira), 204
Pucci, Rafael, 325, 327
Purus, rio, 31
Putin, Vladimir, 335, 337

Quammen, David, 181, 183
queimadas, 17, 71, 110, 135, 139, 154, 177, 241, 244, 252, 338, 367; *ver também* desmatamento
Queiroz, Ruben Caixeta de, 279, 291
Queiroz Netto, Justiniano de, 210-2, 224-8, 236, 329
quilombolas e remanescentes de quilombos, 14, 24, 72, 102, 105, 279, 286-7, 293, 318

racismo nos Estados Unidos, 78
rastreamento de produção agropecuária, 74, 330, 353, 356-7
Rastro Negro, Operação (destruição de fornos de carvão), 209
REDD+ (Redução de Emissões por Desmatamento e Degradação Florestal), 364-5, 371, 373-5
Rede Amazônia Sustentável (RAS), 110-1
Rede Xingu+ (aliança), 94
Redenção (PA), 55
redes simbióticas entre fungos e árvores, 114-21
reflorestamento, 20, 87, 244, 301, 328, 379; *ver também* bosques plantados
reforma agrária, 42, 49, 62, 315, 317
Reinach, Sofia, 150
Reino Unido, 17, 29, 205, 248, 371
Reserva Biológica Nascentes da Serra do Cachimbo (PA), 95
Reserva Legal (RL), 238, 240-1, *242*
reservas indígenas *ver* terras indígenas
Residencial Marechal (empreendimento imobiliário no Pará), 65
RethinkX (think tank anglo-americano), 344
Revista Brasileira de Epidemiologia, 99
Revolução das plantas (Mancuso), 104
Revolução Industrial, 247, 372
ribeirinhos (comunidades ribeirinhas), 14, 28, 30, 98-9, 129, 202, 248, 300-1
Rio de Janeiro, 24, 43, 92, 105, 146, 165-6, 183, 232, 246, 248, 260, 329, 331, 354, 371

Rio Grande do Sul, 48, 54, 91
Rio Maria (PA), 55
"rios voadores" (de umidade da Amazônia), 106, 368
risco hipotético de zoonoses emergentes, *180*
Rocha, Romero, 231
Rocinha, favela da (Rio de Janeiro), 246
rodovias, 138, 160, 316
roedores silvestres, 188-9
Romanholi, Osvaldo, 216-8, 325
Rondônia, 79, 151, 157, 188, 233, 271, 273, 322, 331
Roraima, 72, 79, 151, 156-7, 188
Rostirolla, Valdir ("Marechal"), 48, 50-1, 53-4, 57-8, 63-5
rotífero bdeloídio (verme microscópico), 336
roubo de terras públicas *ver* grilagem
Rousseff, Dilma, 226, 233
Rússia, 334-8, 378

"sabedoria da floresta" (conceito de Simard), 119
Sadia (empresa de alimentos), 341
Saint-Gobain (multinacional francesa), 329
Sakaguchi, Francisco Wataru, 296-308
Sakaguchi, Noboru, 296-7, 299-303, 306
Salles, Ricardo, 323, 362
Santarém (PA), 16, 91-2, 95-6, 111, 155, 160, 162, 205-6, 250-1, 286, 313-4, 316-7
Santarém-Cuiabá, construção da rodovia (1973), 155
santos católicos, 13, *13*

Santos, Daniel, 143, 150
São Luís (MA), 189, 351
São Paulo, 17, 43-4, 48, 82-4, 86, 91-3, 154, 165, 183, 198, 216, 263, 305, 322, 329, 331, 354
sarampo, 176, 289-90
Sarlo, Beatriz, 37, 359
Sarney, José, 62, 313
Sars-cov-2 (coronavírus), 174, 180-2, 186
Saúde & Alegria (ONG), 206, 317
Sawré Muybu, Terra Indígena (PA), 100
Scannavino, Caetano, 206-7, 316-9, 328
Scaramussa, Vinícius, 193, 198-200, 207, 230
Schmink, Marianne, 41, 43, 55-8, 60-1
Schneider, Robert R., 123-5, 128-30, 135-44, 146-9, 151-2, 157-60, 162-3, 328
Science (revista), 237-8, 274, 277
Seabra, José Joaquim, 183
Seba, Tony, 344
Sebrae (Serviço Brasileiro de Apoio às Micro e Pequenas Empresas), 29, 144
Secretaria do Patrimônio da União (SPU), 83
Segunda Guerra Mundial, 252-3, 256, 298
segurança alimentar, 89-90, 349, 372
Selva, A (Ferreira de Castro), 38, 306
Semas (Secretaria de Meio Ambiente e Sustentabilidade do Pará), 266
Sena, Edilberto, padre, 95
seringueira (árvore nativa da Amazônia), 44, 51, 56, 251, 277, 296, 299

seringueiros, 14, 125, 248, 252; *ver também* borracha
Serra Pelada, garimpo de (PA), 52, 184
serrapilheira, 20, 108-9, 133, 266
serrarias, 31, 46, 56, 132-4, 149, 199, 202-3, 209, 216, 222, 243-4; *ver também* madeireiras
Serviço de Alerta de Desmatamento do Imazon, 357
Serviço Florestal Brasileiro, 218, 225, 322
Serviço Florestal da Colúmbia Britânica (Canadá), 116
Shevliakova, Elena, 68-71
Shields, Jerry, 255-6, 263
Sibéria, 313, 333, 335, 337-8, 377
Silva, João Roberto da, 55, 63
Silva, Marina, 161-2, 205, 213-4, 324, 365-6
Silva, Ubiraci Soares da, 158
silvicultura, 86, 115-6, 137, 257, 260, 349
Simard, Suzanne, 114-9, 121
Sindicato dos Produtores Rurais de Novo Progresso (PA), 154, 325
Sindicato dos Produtores Rurais de Paragominas (PA), 207, 212
Síria, 88
"sistema cooperativo", florestas como, 119
sítios arqueológicos na Amazônia, 266, 269, 273
Soares, Rodrigo, 151, 325, 327
Sobral, Isabela, 150
Sociedade Brasileira de Medicina Tropical (SBMT), 173, 191
Socolow, Robert, 74-6
Soderbergh, Steven, 178

soja, 16, 23, 31, 74, 84-5, 89-92, 111, 164, 196, 198, 205-7, 234-8, 246, 275, 305, 314, 319, 322, 338, 349, 352, 357, 366, 377-8
Solimões, rio, 269, 273
Sousa, Vaneusa Tirtiri Kaxuyana de, 278-88
Souza, Leônidas, 324, 366
Souza Jr., Carlos, 160, 211, 222, 357
Stang, Dorothy, 150
Strassburg, Bernardo, 363, 366, 371-5, 378-9
sub-bosque (vegetação baixa), 111, 133
"Subterrâneos, Os" (Macfarlane), 114, 118
Sudam (Superintendência do Desenvolvimento da Amazônia), 82, 91, 309, *310*, 319, 321, 359
Sudam em Revista, 319-21, *320*
Sudene (Superintendência do Desenvolvimento do Nordeste), 82
Sudeste Asiático, 84, 250-2, 254, 361
Sufredini Neto, Vitório, 243, 245
Suíça, 29, 200, 246
Sul dos Estados Unidos, 78
Sumatra (Indonésia), 251
sumaúma (árvore), 266
Sweidan, Adam, 186

Tahuantinsuyu (Império Inca), 35
Tailândia, município de (PA), 203, 321, 332
Tajapuru, rio, 11
Tanzânia, 352
Tapajós, rio, 97-101, 289, 316-7
tartarugas marinhas, 361
taxa de desmatamento (2002-2012), *164*

Tchebakova, Nadezhda, 337
teca (árvore), 84, 323
Tefé (AM), 367-8
Teixeira, Izabella, 365
temperatura média global, 69-70
tempo médio para recuperação de florestas tropicais, 369
Teotônio (sítio arqueológico no rio Madeira), 273
termelétricas, usinas, 243, 245, 364
terra preta, fertilidade da, 273-6, 278
"terra sem gente", Amazônia como, 14, 18
Terras App Solutions (start-up de tecnologia geoespacial), 356-7
terras devolutas, 80
terras indígenas, 24, 72, 100, 209, 216, 233, 237, 239, 264, 269, 311, 313, 318, 330-1
tesos (colinas artificiais), 271
Tesouro Nacional, 125
Thomas, Dylan, 192
tiriyós, indígenas, 284-5, 289, 291-2
Tocantins, estado do, 79, 188
Tocantins, Paulo, 235, 241, 243
Tokarczuk, Olga, 19
Tomé-Açu (PA), 295-300, 303-4
trabalho infantil, 151
Transamazônica (rodovia BR-230), 78, 109, 160, 310, *310*
transpiração das árvores amazônicas, 105-6, 368, 373
trigo, produção de, 36, 88, 337
Trombetas, rio, 105, 283, 285-6, 289-93
Trump, Donald, 174, 186
Tsing, Anna, 121
Tubb, Catherine, 344

Tucumã (PA), 43, 45-50, *45*, *49*, 52-67, 74, 131-2, 134; *ver também* Projeto Tucumã (colonização social no Pará)
tucumã (palmeira amazônica), 45
Tucumán (Argentina), 42
tucuruí (vírus), 170
Tucuruí, usina hidrelétrica de (PA), 165-71
Turquestão, 361
Turra, Cássio, 153

Ucrânia, invasão russa da (2022), 337
Uganda, 352, 354
Uhl, Christopher, 130
unguravé (palmeira), 359
União Europeia, 74, 237, 331, 339, 364; *ver também* Europa
União Soviética, 337, 370; *ver também* Rússia
Unidades de Conservação, 72, 92, 95, 161-2, 216, 218, 232, 233, 240, 265, 318, 330-1
Universidade de Princeton, 68, 74, 106, 108, 319
Universidade de São Paulo (USP), 86
Universidade Federal do Oeste do Pará (Ufopa), 95, 313, 315-7
Universidade Federal do Pará (UFPA), 99
Universidade Federal Rural da Amazônia (UFRA), 307
Universidade Johns Hopkins, 185
Uruguai, 74, 197-8

Vai, Brasil (Coelho), 73
Vale (mineradora), 350-1
Valor (jornal), 237

"vantagens" do aquecimento global para a Rússia, 334-5
Varsóvia, Conferência de (2016), 364
Vasconcelos, Pedro Fernando da Costa, 166, 170-3, 183-4, 186-9, 192
Venezuela, 32, 188, 254, 326
ventos, regime dos, 69
Veríssimo, Adalberto, 80, 91, 125, 128, 130-1, 133-4, 142, 147, 149, 156, 161-2, 210, 220, 316, 318-9, 321, 332
Verkhoiansk (Sibéria), 333
Viana, Jorge, 347
Vieira, Mirtão, 281-2, 287
Vieira, Tiago, 281-2
Vietnã, 352, 354
violência na Amazônia, 326-7
vírus, emergência e reemergência de, 170, 180-2, *180*, 187, 192
Volterra, Vito, 120

Wackslavowski, Aurelio, 257
Wallace, Alfred Russel, 26-7
Weil, Simone, 40
White, Lee, 369
Wickham, Henry, 250
Wilson, Edward O., 39, 103-4, 112
Witeck, Laudi José, 51-3, 59, 61
Wood, Charles H., 41, 43, 55-8, 60-1
Wuhan (China), 185
Wulf, Andrea, 31

xikrins, indígenas, 62
Xingu, rio, 274
xinguanos, indígenas, 267, 276
Xinguara (PA), 55

Yamal, península de (Rússia), 336
yanomamis, indígenas, 184
Ypi, Lea, 22

Zagalo, Felipe, 219, 221-2, 235, 241
zika (vírus), 173-4, 179, 182, 188, 192
Zona Franca de Manaus, 79, 156, 356
zoonoses, 174, 179-80, *180*, 182
Zweede, Johan, 256-7, 260-2

1ª EDIÇÃO [2022] 3 reimpressões

ESTA OBRA FOI COMPOSTA EM MINION PELO ACQUA ESTÚDIO E
IMPRESSA EM OFSETE PELA GRÁFICA BARTIRA SOBRE PAPEL PÓLEN SOFT
DA SUZANO S.A. PARA A EDITORA SCHWARCZ EM MARÇO DE 2024

A marca FSC® é a garantia de que a madeira utilizada na fabricação do papel deste livro provém de florestas que foram gerenciadas de maneira ambientalmente correta, socialmente justa e economicamente viável, além de outras fontes de origem controlada.